KB195861

정부는 착할수록 나쁘고 시장은 나쁠수록 착하다

정치가 망친 경제
경제로 살릴 나라

이 필 상

서울대 경제학부 특임교수

전 고려대 총장

○ 비전브리지

Prologue

'국민행복'을 싣고 항해하던 '대한민국호' 경제가 휘몰아치는 거센 풍랑을 만나 조난 위기에 처해있다. 조난 중인 선박이 침몰을 면하고 승객과 선적물을 목적지까지 무사히 안착시키려면 '위기탈출용 항해지도'가 필요하다.

이 책은 '세계경제'라는 대해(大海)의 조류와 그 조류를 타고 항해해 온 우리경제를 균형감을 갖고 분석한 뒤 '대한민국호'의 활로를 총체적으로 정리한 〈대한민국 경제위기탈출 항해지도〉라고 할 수 있겠다. 그런 만큼 대한민국의 미래인 학생들부터 현재 '대한민국호' 운항의 중추적 역할을 맡고 있는 청장년층, 그리고 우리 국민 누구나가 세계경제와 한국경제 전체를 손에 잡히는 것처럼 이해하고 파악할 수 있는 '경제항해지도'가 될 수 있도록 쉽게 쓰고자 노력했다.

필자는 고려대 경영학과와 서울대 경제학부에서 대학교수로 강의를 한지 올해로 38년째다. 그렇게 오랫동안 강의를 했는데도 아직도 강의실에 들어갈 때마다 마음이 떨린다.

매번 강의가 수백 명의 학생들 머릿속에 경제와 경영의 새로운 그림을 계속 그려주는 것과 같았다. 원칙과 이론을 가르치고 잘못된 현실에 대한 비판과 대안을 학생들과 함께 고민해온 시간들이었다.

그렇게 정리되는 내용들은 언론에 칼럼으로 게재해왔다. 대학에서 강의한 내용과 칼럼을 중심으로 이 책의 내용을 담았다.

이 책은 3부로 구성되어 있다. 〈1부〉는 우리경제의 고도성장과정과 내부 모순을 각 정부별로 분석했다. 자본주의 역사를 새로 썼다는 세계적인 찬사를 받았던 한국경제가 하루아침에 고도성장의 잔치를 끝내고 무력화한 이유는 무엇인가? 이에 대한 이유를 본서는 '정치와 이념의 경제농단'에서 찾았다.

〈2부〉는 현재 우리경제가 처한 무한경쟁의 대외환경을 분석했다. 세계경제의 역사를 경제전쟁의 역사로 규정하고 현재 우리경제는 국제무역전쟁의 포로상태라는 사실을 밝혔다.

〈3부〉는 이 책의 결론 부분으로 우리경제가 나아가야 할 길을 제시했다. '창조적 파괴를 기반으로 하는 포용성장'이 근본적으로 우리경제가 사는 길이다. 정부가 기본기조로 펴고 있는 소득주도성장정책은 모두가 잘사는 포용경제가 아니라 모두가 못사는 갈등경제를 초래할 수 있다.

이미 안팎으로 위기에 봉착해 있던 우리경제가 코로나사태를 맞아 거세게 밀어닥치는 폭풍에 휩싸이고 있다. 사회 곳곳에서 들려오는 소리들은 온통 비관적이고 절망적이다. 우리경제의 위기 때마다 지혜와 용기를 모아 버텨온 국민들은 이제껏 겪어 보지 못한 초유의 상황들 앞에 가슴 졸이며 탄식과 절규를 쏟아내고 있다.

현재 우리경제가 위중한 상태인 것은 분명하다. 그러나 경제의 주체가 되는 정부, 기업, 개인 모두가 사익을 버리고 공익을 먼저 취하기 위해 마음을 모으고 경제의 본질을 회복시키기만 하면 아직 희망이 있음을 필자는 이 책을 통해 전하고 싶다.

필자는 우리경제가 당면한 문제들을 분석하고 다시 도약하는 길을 찾아보고자 이 책의 집필에 용기를 냈다. 이 책이 격랑에 휩싸인 우리경제를 살리고 국민에게 희망을 주는데 조금이나마 역할 할 수 있는 지침서가 되기를 바란다.

혹여 필자가 섣부른 주장을 펴는 것은 아닌가 하여 망설임도 있었으나 용기를 주고 출간을 흔쾌히 맡아준 홍원식 (사)피스코리아(국민통합비전) 이사장과 비전브리지 차상희 대표(민주평화통일자문회의 위원)께 깊은 감사를 드린다.

2020년 8월, 관악 연구실에서
저자 올림

CONTENTS

CONTENTS

CONTENTS

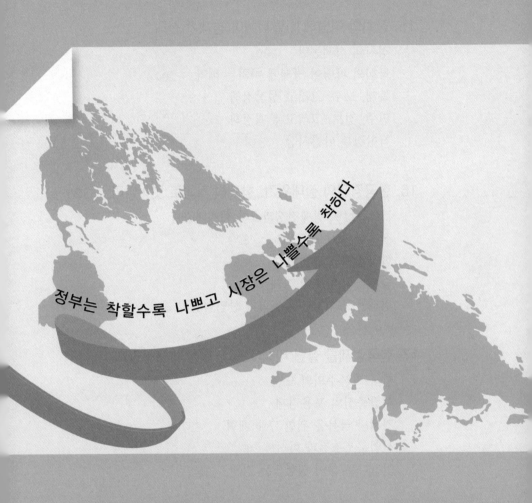

정부는 착할수록 나쁘고 시장은 나쁠수록 착하다

한강의 기적,
한강의 눈물

1

고도성장의 신화

전쟁과 가난의 폐허

우 리나라는 1945년 해방을 맞고 1948년 정부를 수립해 나라발전의 면모를 갖췄다. 그러나 1950년 6.25전쟁이 터져 나라가 동족상잔의 비극을 맞으며 혼란에 빠지고 절대가난에 휩싸였다. 3년 이상 치열하게 싸우다 1953년 7월 27일 가까스로 휴전을 한 6.25전쟁의 참화는 수많은 국민을 죽음으로 몰아넣고 민족분단의 통한을 낳았다. 경제적으로 나라가 파국을 맞았다.

공격과 후퇴를 거듭한 6.25전쟁은 산업시설을 부더기로 파괴하고 생계기반을 무너뜨려 국민을 절대빈곤의 수렁에 밀어 넣었다. 특히 6.25전쟁 중 북한에서 남한으로 월남한 사람들과 먹거리를 찾아 농촌을 떠난 사람들이 도시로 몰려와 도시의 실업과 빈곤이 심했다.

여기에 정부의 재정지출확대는 물가폭등을 가져오고 낮은 곡물가격 정책과 과도한 세금부담은 농촌경제도 피폐하게 만들었다. 보릿고개마다 굶주리며 초근목피로 연명을 하는 사람들이 허다했다. 나라경제와 국민들의 삶이 최악의 상태로 치달아 세계 최하위 수준의 가난한 나라가 됐다.

미국의 한국원조는 불가피했다. 지정학적으로 미국은 한국을 방치하기 어려웠다. 제2차 세계대전 후 세계가 동서 양진영으로 나뉘어 소련과 중국 등 공산권의 위협이 큰 상태에서 서방 진영의 방어선으로 미국과 소련의 이해관계에 따라 분단국가가 된 한국을 지킬 수밖에 없었다. 6.25전쟁이 발발하자 미국은 즉각 유엔 안전보장이사회를 열어 유엔군의 파병을 결정하고 한국방어에 앞장섰다. 결과는 막대한 전쟁피해를 내고 한반도 분단을 고착화한 것이었다. 미국은 전쟁의 폐허 속에 헐벗고 굶주리는 한국민을 위해 원조정책을 폈다. 그러나 미국의 원조정책은 한국경제를 근본적으로 살리는 원조가 아니라 허기와 빈곤을 구제하기 위한 원조의 성격을 띠었다.

미국은 한국경제 이상으로 일본경제의 부흥을 중시했다. 일본경제를 일으켜야 소련과 중국 등 공산진영으로부터 동북아 지역을 방어하는데 재정적으로 일본의 도움을 받을 수 있다는 계산 때문이었다.

그에 따라 미국은 일본에 많은 자본과 기술을 제공해 실질적인 일본경제의 복구사업을 원조했다. 6.25전쟁이 터지자 일본은 미국의 병참기지로서 역할을 하며 전쟁물자를 공급했다. 당시 일본이 벌어들인 외화는 40억 달러 규모로 일본경제 총생산의 20%에 상당하는 금액이었다. 일본의 6.25전쟁 물자공급은 일본경제가 제2차 세계대전의 패배를 딛고 다시 일어서는데 중요한 요인이 되었다.

　대한민국 초대 정부인 이승만 정부는 미국의 일본경제 부흥전략에 반대의사를 표했다. 이승만 정부는 일본은 제2차 세계대전을 일으킨 당사국임에도 불구하고 미국이 다시 강력한 국가로 만든다며 반대주장을 폈다. 한국경제를 우선적으로 살려달라는 요구였다. 그러나 이러한 주장은 무위로 끝났다. **미국은 한국경제보다 일본경제를 중시하는 정책을 계속 폈다.**

　1950년대 후반부터 이승만 정부는 경제문제로 인해 서서히 국민의 지지를 잃었다. 대내적으로 경제와 민생이 회복의 기미를 보이지 않고 계속 어려워지자 민심이 흔들렸다. "못 살겠다 갈아 보자"는 구호를 내세운 야당의 정권교체 공세가 선거판을 흔들었다. 미국은 그러잖아도 탐탁지 않았던 이 대통령을 압박하며 경제원조를 삭감했다. 정권유지가 불안했던 이 대통령은 개헌과 부정선거를 강행하며 터무니없는 사사오입 개헌과 3.15부정선거를 힘으로 밀어붙였다. 국민의 분노가 들끓었다. 곧바로 일어난 학생들의 4.19혁명은 이승만 정권을 단숨에 무너뜨렸다.

　1961년 5.16쿠데타를 통해 집권한 박정희 군사정권은 일본과의 관계를 개선하고 한일협정을 체결했다. 박정희 군사정권은 정권의 정통성을 결여해 초기에는 미국의 지지를 받지 못했다. 박정희 정권이 한일관계를 서둘러 정상화한 것은 한국경제보다는 일본경세의 부흥이 미국의 의도라는 사실을 배경으로 한 것으로 볼 수 있다.

　1965년 박정희 대통령은 한일협정을 체결하고 청구권자금을 받아내 경제개발을 추진함으로써 국내 정치기반을 확대하는 계기를 마련했다. 아이러니하게도 정통성을 결여한 군사정권의 정치적 전략이 한일관계를 개선하고 청구권자금을 받아 경제개발을 추진하는 계기가 되었다. 박 대통령은 '경제개발 5개년 계획'을 연속적으로 세워 경제성장을 본격화했다. 3선 개헌, 10월 유신 등으로 독재정권을 연장함에 따라 정치불안은 계속되었으나 경제의 고속성장은 성공을 거듭했다. 박 대통령은 반민주적인 억압과 공포의 독재정치로 역사를 후퇴시켰으나 경제의 고속성장을 통해 조국근대화를 달성했다는 엇갈린 평가를 받는다.

일제 강점이 우리나라 경제발전의 기반을 제공했다고 주장하는 일부 사람들이 있다. 이러한 주장은 일본의 한국경제 수탈을 합리화시키는 반민족적 논리다. 우리 민족은 5천년 역사 이래로 수없이 많은 전쟁을 겪는 동안 끝없는 가난과 싸우며 살았다. 1910년부터 1945년까지 일본의 우리나라 지배는 우리 민족이 또 다른 전쟁을 치르며 가난과 싸워야 했던 왜란일 뿐이다.

일본은 우리나라를 강제로 합병하고 철도, 도로, 항만, 통신 등 사회간접시설을 확충했다. 또 광산개발과 공장건설을 추진한 것은 물론 농산물의 재배를 늘렸다. 그러나 이 모든 것이 우리민족을 위한 개발이 아니라 민족말살과 착취를 위한 명백한 침략행위였다. 일본인들이 주요지역의 토지를 소유하고 산업시설을 대부분 차지했다는 사실이 이를 입증한다.

일본은 군량을 확보하기 위해 철도를 이용해 전국 각지에서 농작물을 공출로 거둬갔다. 심지어 전쟁무기를 만들기 위해 가정에서 사용하는 놋그릇과 놋수저까지 빼앗아 갔다. 36년 동안 일본은 수탈의 수단으로 우리나라 경제를 철저히 이용했다. 노동을 착취하고 빈곤의 덫을 씌워 우리 민족의 삶을 유린하고 자유와 권리를 빼앗았다. 이것을 어떻게 경제발전의 기반이라고 볼 수 있겠는가?

박정희의 경제개발

군사쿠데타로 정권을 잡은 박정희 대통령에게 경제발전은 권력유지의 보루였다. 박 대통령은 정권을 잡은 후 곧바로 '경제개발계획'에 착수했다. 1962년 1월 박정희 정부는 〈제1차 경제개발 5개년계획(1962-1966)〉을 발표했다. 그러나 이 계획은 5.16군사 쿠데타 직전인 1961년 4월 장면 정부가 완성한 개발계획을 그대로 넘겨받은 것에 불과했다. 농업과 공업을 균형적으로 발전시킨다는 것이 주요내용인 제1차 경제개발 5개년계획은 외화와 투자자금이 부족해 실현이 어려웠다.

1964년 2월 박정희 정부는 제1차 경제개발 5개년계획을 수정 보완해 다시 발표했다. 주요 내용은 사회간접자본과 기간산업을 확충해 경제개발의 토대를 마련하고 농업생산력을 높여 농가소득을 늘리며 수출을 증대하여 국제수지를 개선하는 것이었다. 제1차 경제개발계획을 진행하던 중 1963년부터 기대이상으로 수출이 늘어 경제개발에 서광이 비쳤다. 1964년 목재, 섬유, 의류 등 공산품의 수출이 늘어 연간 수출액 1억 달러를 돌파했다.

이후 박정희 정부는 수출산업을 경제개발의 핵심전략으로 집중 발전시켰다. 제1차 경제개발 5개년계획 기간 연평균 경제성장률은 8%에 육박했다. 고도 경제성장의 신화를 여는 신호탄이었다.

박정희 정부는 〈제2차 경제개발 5개년계획(1967-1971)〉을 수립해 경제성장에 박차를 가했다. 주요내용은 중화학공업 건설에 의한 산업고도화, 수출증대, 고용확대와 국민소득 증가, 과학기술진흥이었다. 본격적인 산업발전체제를 갖추고 고도성장을 하겠다는 야심찬 계획이었다. 제2차 경제개발 5개년계획을 실천에 옮길 수 있도록 한 동력은 미국, 독일, 일본 등이 공여한 대규모 차관이었다. 한일국교 정상화를 통해 받은 청구권자금과 기술도 중요한 역할을 했다. 서독 파견 간호원과 광부들의 송금, 베트남 파병을 통한 외화수입은 우리 국민의 피눈물이 젖은 자본이었다.

이 기간에 신발, 섬유 등의 경공업은 수입대체를 완료한 것을 넘어 주요 수출품목으로 자리를 잡았다. 포항제철의 건설이 본격화해 경제의 기둥이라고 하는 철강산업의 발전을 가시화했다. 숱한 반대를 무릅쓰고 1970년 7월에 개통한 경부고속도로는 산업발전의 동맥이 되었다. 경제가 제조업 발전, 수출증가, 고속성장의 3개 날개를 달게 된 것이다. 제조업 성장률이 연평균 20%를 넘었다. 1967년 3억 달러로 증가한 수출은 1970년 10억 달러 고지를 달성했다. 제2차 경제개발5개년계획 기간 연평균 경제성장률은 9%대에 달했다.

박정희 정부는 〈제3차 경제개발 5개년계획(1972-1976)〉을 세워 경제개발을 가속했다. 주요내용은 철강, 전자, 기계, 조선, 화학, 비철금속, 건설 등 중화학공업을 집중적으로 육성해 성장동력을 창출하고 국제경쟁력을 높이는 것이었다. 대내적으로 농업의 근대화를 통해 식량자급을 확립하고 국토개발을 꾀하는 정책도 함께 폈다. 이 기간 뜻하지 않게 중동건설 붐이 일었다. 막대한 외화를 벌 수 있게 되어

제3차 개발계획의 추진이 용이했다.

박정희 정부는 「국민투자기금법」을 제정해 중화학공업 분야에 투자를 집중했다. 동시에 관련기업에 이자와 세제감면의 특혜를 제공했다. 1973년에 발생한 석유파동은 우리나라 경제에 양날의 칼로 작용했다. 한편으로 국제유가가 급등해 물가상승이 폭발하고 수출시장이 불안해 산업발전이 타격을 받았다. 그러나 다른 편으로 오일달러가 쌓여 중동의 건설 붐이 대규모로 확산되었다. 국제금융시장에서 자금이 넘쳐 차관도입도 용이했다. 이 기간 중공업 분야 투자금액은 전체 제조업 투자의 70%에 달했다. 석유파동의 악재에도 불구하고 우리나라 경제는 성장을 거듭해 제3차 경제개발5개년계획 기간 연평균 10%가 넘었다.

박정희 정부는 〈제4차 경제개발 5개년계획(1977-1981)〉을 다시 세워 경제의 국제적인 도약을 추진했다. 주요내용은 중화학 공업을 우리경제의 비교우위산업으로 발전시켜 세계시장을 공략하는 것이었다. 이를 위해 부품생산, 기술개발, 능률향상, 시장개척 등의 분업체계를 구축하고 경제성장의 질을 개선하며 형평성을 높이는 중소기업 발전을 추진했다.

제4차 개발계획 집행이 힘을 발휘하기 전 경제가 악재를 만났다. 1978년 12월 제2차 석유파동이 일어나 국제유가가 급등했다. 정부는 어쩔 수 없이 중화학 공업 등의 산업투자를 축소했다. 고속성장을 하던 경제가 곤두박질해서 1980년 성장률이 -1.7%까지 떨어졌다.

이 와중에 고도경제성장의 신화를 써가던 박정희 대통령이 1979년 10월 중앙정보부장의 총탄을 맞고 쓰러졌다. 정국이 혼란에 빠졌다. 같은 해 12월 전두환 보안사령관이 다시 군사쿠데타를 일으켜 정권을 잡으면서 민주화에 대한 국민의 희망은 허망하게 무너졌다.

이후 들어선 전두환 정부, 노태우 정부, 김영삼 정부는 〈제5차 경제사회발전 5개년계획(1982-1986)〉, 〈제6차 경제사회발전 5개년계획(1987-1991)〉, 〈제7차 경제사회발전 5개년계획(1992-1996)〉을 연속적으로 세워 박정희 정부의 경제개발정책을 이어 나갔다.

제5차 발전계획의 주요 내용은 물가안정, 산업구조조정, 시장개방, 지방 및 소외부문 개발 등이었다. 제6차 발전계획은 자율경쟁과 개방, 소득분배개선과 사회개발, 고기술 산업구조 등을 추진했다. 제7차 발전계획은 기업경쟁력 강화, 사회 균형발전, 국제화, 통일기반조성 등을 주요과제로 삼았다. 박정희 정부 주도로 1962년에 시작한 경제개발5개년계획은 1997년 '외환위기'로 인해 국가부도사태가 터지자 막을 내렸다.

한강의 기적

박 정희 정부가 주도한 고도경제성장을 '한강의 기적'이라고 부른다. 실제 박정희 대통령의 집권기간 우리나라 경제는 경이로운 성장을 했다. 제1차 경제개발계획을 시작한 1962년 우리나라는 1인당 국민소득 87달러로 세계 최빈국에 속했다. 제7차 경제사회발전 5개년계획이 끝난 1996년 우리나라는 국민 1인당 소득 1만3,077달러를 기록했다. 150배의 증가다. 같은 해 선진국으로 인정받아 OECD에 29번째 회원국으로 가입하기에 이르렀다.

1962년 5,400만 달러에 불과했던 연간 수출액이 1970년 10억 달러, 1977년 100억 달러, 1996년에는 1,287억 달러로 급증했다. 1962년 24억 달러였던 국민총생산은 1996년 6,568억 달러로 늘었다. 연평균 경제성장률이 8%가 넘는다. 1973년에는 최고 14.8%의 경제성장률을 달성하기도 했다.

가히 세계적으로 유례를 찾을 수 없는 초고속 성장이다. 이에 힘입어 2019년 기준 우리나라는 경제규모 세계 12위, 수출 세계 7위, 외환 보유액 세계 6위 등을 기록하고 있다. 2019년 기준 1인당 국민소득은 3만2,047달러에 이른다. 한강의 기적을 이뤘다고 부르는 이유다.

우리나라 경제가 한강의 기적을 이룬 바탕에는 기업인들의 투혼이 있었다. 삼성, 현대, 대우, LG, SK, POSCO 등 세계 굴지의 기업그룹을 빼면 한국경제의 기적적인 성장은 상상하기 어렵다. 박정희 대통령은 이러한 기업그룹들이 탄생할 수 있도록 기업가 정신을 고취하고 해외차관과 기술도입, 금융과 세제혜택, 과학기술진흥 등을 통해 창업과 투자를 적극적으로 유도했다. 이를 기반으로 기업가들의 창조적 도전이 불같이 일어났다. 정주영 현대회장, 이병철 삼성회장, 김우중 대우회장이 대표적이다.

"시련은 있어도 실패는 없다"는 말을 남긴 정주영 회장은 실패를 두려워하지 않는 불굴의 기업가 정신으로 무에서 유를 창출하는 능력을 발휘했다. 불가사의에 가까운 현대자동차, 현대조선의 창업과 성장이 이를 증명한다. 이병철 회장은 '사업보국(事業報國)'이라는 경영철학으로 기업을 일으켜 나라사랑을 실천한 애국기업인이다. 제일

제당과 제일모직을 세워 제조업을 개척하고 삼성물산을 세워 한국상품을 수출했다. "세계는 넓고 할 일은 많다"라는 유행어를 만들었던 김우중 회장은 세계시장을 무대로 종횡무진하며 수출산업을 일으켰다. 자동차, 건설, 조선, 상사, 전자, 금융 등 관여하지 않은 산업이 거의 없다.

한국의 경제고도성장이 박정희 정부의 공로라고 보기 어렵다는 견해도 있다. 실제로 우리나라는 6.25전쟁을 겪은 후 빈곤이 심해 국민의 경제발전에 대한 열망이 큰 상태였기 때문에 경제개발 계획은 어느 정부가 추진해도 성공을 할 가능성이 컸다. 더구나 박정희 정부는 5.16군사쿠데타 직전 정부였던 장면 정부가 먼저 '경제제일주의'를 표방하고 만든 제1차 경제개발5개년계획을 이어받아 추진했다. 1960-70년대 고도성장을 본격적으로 추진한 것도 베트남전쟁과 중동의 건설특수라는 외부요인이 크게 작용했다.

그러나 **중요한 사실이 있다. 경제는 누군가 움직이지 않으면 머무르는 속성이 있다는 것이다. 잘못된 정책을 펴면 경제는 역행하며 빈곤의 함정에 빠진다.**

제2차 세계대전 이후 75년이나 경제성장이 세계경제의 추세였음에도 아직 아프리카에는 헐벗고 굶주리는 나라가 많다는 사실이 이를 뒷받침한다. 또 남미에는 세계 최대의 천연자원을 갖고 부유한 선진국이라고 자랑했던 나라들이 정부의 정치적인 인기 영합정책으로 인해 속속 후진국으로 추락하고 있다. 경제로만 따지면 황무지에서 고속성장의 신화를 이룬 한강의 기적에 대해 박정희 정부의 공을 인정할 수밖에 없다.

민주주의의 희생

박정희 정부의 개발독재는 경제의 고도성장에는 분명히 기여했지만 국가적 해악이 컸다. 가장 큰 해악은 '민주주의의 희생'이었다. 박정희 정부는 1961년 5.16 군사쿠데타를 일으켜 강제 집권한 후 장기집권을 위해 점차 강도를 높여 헌법을 파괴했다. 1969년 3선 개헌을 강행하고 1972년 10월 유신헌법을 공포해 영구적인 절대권력체제를 구축했다. 철권정치를 하며 수시로 계엄령과 위수령을 내리고 긴급조치를 취해 민주화 세력과 민중을 압박했다. 많은 사람들이 용공조작에 의해 목숨을 잃거나 체제에 저항했다는 죄로 감옥에 갔다.

유신헌법 53조는 '대통령이 국가위기 상황이라고 판단될 때 헌법에 규정된 국민의 자유와 권리를 잠정적으로 정지할 수 있다'고 규정한 뒤 이를 근거로 '긴급조치'를 남발했다. 그 중 최악의 조치가 1975년 5월에 내린 '긴급조치 9호'다. 이 조치로 감옥에 투옥된 사람만 해도 1천명이 넘는 것으로 알려졌다. 단순히 권력의 비위를 거슬렀다는 이유로 고문을 받거나 압박과 고통에 시달린 사람도 많았다. 경제적으로 아무리 고도성장을 했다 해도 박정희 정부의 민주주의 파괴와 공포통치는 용인될 수 없는 일이다.

2013년 3월 21일 헌법재판소는 긴급조치 1·2·9호에 대한 헌법소원심판사건에서 재판관 8명의 위헌결정(전원일치)을 내려 박정희 정부의 헌법유린과 국민의 기본권 침해 대해 사법적 단죄를 한바 있다. "국가형벌권을 자의적으로 해석했고 참정권과 표현의 자유, 영장주의, 법관에 의해 재판받을 권리 등을 지나치게 제한하고 침해하는 등 모든 면에서 헌법에 위배된다"라는 것이 위헌결정 취지였다.

더욱 통탄스럽게도 박정희 정부의 뒤를 이어 1979년 12.12 군사 반란을 일으켜 집권한 전두환 정부는 집권유지를 위해 무력사용을 불사했다. 1980년 '5.18 광주민주화운동'이 일어나자 전두환 정부는 군대를 투입해 제압했다. 형언하기조차 어려운 살상행위를 범하고 수많은 희생자를 냈다.

광주광역시가 제공하고 있는 자료에 의하면 1980년 '5.18 광주민주화운동'에 나선 시민들은 물론 지나가는 학생들에 이르기까지 계엄군의 총격을 받아 363명이 사망(부상 후 사망 140명 포함)하였고, 448명이 행방불명되었다. 민주화운동 과정에서 부상당한 사람과 연행이나 구금 중에 부상당한 사람만 5,928명에 이른다.

이후에도 군사독재에 항거하는 민주세력을 무자비하게 탄압했다. 대학생 시위를 최루탄으로 막아 대학을 전투장으로 만들고 대학 내에 요원을 투입해 학생들을 마구잡이로 잡아갔다. 1987년 6.10항쟁이 최고조에 이르고 6.29선언이 나올 때까지 군사독재의 초법적 탄압행위는 끝이 없었다.

박정희 정부의 개발독재가 낳은 또 다른 문제가 '정경유착'이다. 정경유착은 정통성이 부족한 정치권력과 부당이득을 취하고 싶은 기업들이 결탁해 만든 불법 공생체제다. 정치권력은 기업들에게 갖가지 특혜를 부여하고 기업들은 대가로 정권을 지지하며 정치 비자금을 제공했다. 이러한 정경유착은 군사쿠데타로 정권을 잡고 독재체제를 구축한 박정희 정부의 장기 통치하에서 필연적으로 나타났다.

기업들은 정권을 지지하고 지원하면 사업의 인허가, 금융과 세제지원 등의 혜택을 받아 원하는 사업을 자유롭게 할 수 있었다. 반대로 정권에 호응하지 않거나 협조하지 않는 기업들은 사업의 인허가나 특혜대상에서 제외됐다. 정치권력과 기업들의 정경유착이 대기업들을 중심으로 이뤄짐에 따라 우리경제는 수많은 계열기업을 거느리고 시장을 독과점하는 소수 재벌들의 지배하에 들어갔다. 재벌기업주들은 정부의 독재체제와 같은 제왕적 총수경영체제를 구축했다.

비자금을 매개체로 하는 정치권력과 재벌기업간의 불법유착과 비리는 상상을 초월했다. 골프장 건설허가, 금융기관 신규인가, 자동차산업 진출허용 등 대형 사업에 대한 인·허가를 둘러싼 비리자금 수수는 당연한 것이었다. 율곡사업, 경부고속전철, 영종도 신공항 건설 등 국책사업은 비자금의 중요한 원천이었다. 더 나아가 한국이동통신, 데이콤, 한국비료, 제2이동통신 등의 공기업이 재벌소유로 넘어가는 과정에서 비자금 수수 없이 그냥 넘어갔다는 것은 믿을 수 없는 일이다.

정경유착 체제하에서 기업들은 정치권력의 하수인 역할을 했다. 기업은 정치권력에 저항을 하거나 비자금을 제공하지 않으면 생존이 어려웠기 때문이다. 정치권력에 잘못 보인 죄로 금융이나 조세보복을 당한 기업도 있고 하루아침에 공중분해 된 기업도 있었다. 비자금이 대규모로 조성된 것은 말할 것도 없었다.

박정희 정부 때 정치권력이 받은 비자금 규모는 정확히 알려지지 않고 있다. 1979년 12.12 군사반란을 다시 일으켜 집권한 전두환 정부와 뒤를 이은 노태우 정부가 기업으로부터 받은 비자금 규모는 김영삼 정부 때 수사와 재판을 통해 드러났다. 기업들이 불법 정치권력의 먹이희생물이었다는 사실이 단적으로 드러났다.

1995-1997년 12.12사태와 비자금사건으로 전두환, 노태우 전직 대통령이 나란히 재판을 받고 유죄판결을 받았다. 당시 대법원에서 확정된 전, 노 전직 대통령의 불법 비자금 추징금은 각각 2,205억 원과 2,628억 원이었다. 그러나 이 금액은 검찰이 확인한 비자금 중 법적으로 추징이 가능한 금액일 뿐이었다. 실제 두 전직 대통령이 기업으로부터 받은 비자금은 각각 1조 원대에 이르렀다는 것이 공공연한 사실이었다. 전두환, 노태우 정부 당시 평균 정부예산규모가 각각 11조원과 18조원대인 것에 비하면 비자금규모는 기업은 물론 나라를 좌지우지하는 천문학적인 규모였다.

군사정권은 정경유착을 민주화를 탄압과 독재정권을 연장하는 수단으로 이용했다. 재벌기업은 독재권력을 지지하고 비자금을 제공하는 대가로 경제력을 집중했다. 시간이 흐름에 따라 경제력 집중이 심화해 경제와 사회가 재벌기업의 지배를 받자 오히려 재벌기업은 정권보다 수명이 긴 재벌불패를 낳았다.

정권은 유한하고 재벌은 무한한 나라가 된 것이다. 실제로 새로운 정권이 들어설 때마다 권력유지를 위해 재벌기업을 껴안는 것이 정치 공식이 되었다. 그러자 거꾸로 재벌기업이 정권에 영향을 미치는 힘을 발휘하고 묵시적으로 권력이 정권에서 재벌에게 이동하는 모순이 나타났다. 선거 때마다 정치자금을 살포하지 않고는 집권이 어렵고 또 집권을 유지하기 위해서는 막대한 통치자금과 준조세가 필요한 정치현실 속에서 정권에게 재벌기업의 도움은 절실했다. 따라서 어느 정권이건 내면적으로 재벌기업에게 도움을 청하고 반대급부로 가진 권력을 재벌기업을 위해 대리로 행사하는 현상이 나타났다.

특히 재벌기업들이 막강한 힘을 발휘하는 것은 경제가 어려울 때다. 경제가 어려워 지지율이 떨어지면 정권은 어쩔 수 없이 재벌기업에 투자와 고용을 요구하고 재벌기업은 이를 기화로 원하는 법과 제도, 그리고 정책을 관철한다. 재벌기업들은 명실공히 무소불위의 힘을 갖고 정치와 경제는 물론 사회, 문화, 체육 등 모든 분야에서 다양한 단체와 조직을 만들어 막강한 힘을 행사하고 있다. 자신들의 이익에 부합하지 않는 경우 재정적 지원을 중단하거나 해체하는 경우가 다반사다. 심지어 언론사에 대해 광고를 볼모로 해 부정비리를 감추거나 합리화하도록 하는 일도 흔했다.

재벌기업의 부정비리는 심지어 국가안보까지 위협한 일이 있었다.[1] 1990년대 중반 재벌그룹의 한 항공제조회사는 기업이익을 위해 군기밀을 절취한 사건이 일어났다. 현역장교의 전역 후 취업을 미끼로 군 무기체계에 관한 기밀을 빼내 무기 수주에 이용했다. 가공할 정도의 정보 조직력을 가지고 회사이익을 위해 국가안보까지 제물로 만드는 재벌기업의 극단적인 비행을 적나라하게 드러냈던 사례다.

박정희 정부는 개발독재를 통한 영구집권 획책에 따른 국민적 비난을 경제성장률 향상을 통해 희석시키고자 노력했다. 이를 위해 수출산업을 집중육성하고 기업들을 압박하는 강력한 수출드라이브 정책을 폈다. 경제가 불안하고 삶이 어려워지면 독재정권에 대한 비판과 저항이 클 수 있기 때문이었다.

이 과정에서 나타난 경제가 일본에 의존하는 '가마우지경제'다. 한국경제가 일본경제에 실제로 예속되었다는 뜻이다. 해방과 함께 우리

---

1) 이필상, "안보 흔드는 재벌", 조선일보, 1996. 7. 25. 참조

나라는 일본으로부터 정치적인 독립은 했으나 경제적으로 식민지상
태를 면하지 못했다. 고도성장과정에서 우리경제는 자본은 물론 기
계, 원자재, 소재, 부품 등을 일본에서 수입해 조립한 상품을 해외에
수출하는 '조립경제'의 성격을 띠었다. 이런 구조 하에서 우리 기업
들은 해외에 나가 온갖 수모를 다 당하며 피땀 흘려 수출을 해도 이
자, 기술료, 기계값, 원자재와 부품대금 등으로 많은 이익을 빼앗겼
다. 이 때문에 우리경제는 목에 끈이 묶여 물고기를 잡아도 삼키지
못하고 계속 어부에게 물고기를 잡아주는 가마우지에 비유되었다.

제2차 세계대전이 끝난 후 경제재건을 위해 총력을 다해 1980년
대에 이르러선 미국경제를 누르고 세계 최강을 자랑하던 일본경제의
발전에 한국경제가 보이지 않은 희생을 당한 것이다.

먹이사슬 사회

정치권력과 재벌기업의 정경유착은 독재의 연장은 물론 경제와 사
회를 지배하는 '보이지 않는 손'으로 작용했다. 이는 실로 심각한
문제를 야기했다. 사회가 계급사회로 바뀌고 먹이사슬구조가 된 것이다.
자본주의 경제는 '기회균등'과 '공정경쟁'을 생명으로 한다.[2] 기회가 균등
해야 누구나 자신이 원하는 교육을 받고 일을 해 돈을 벌 수 있다. 또 경쟁이
공정해야 누구나 노력과 능력에 따라 정당한 보상을 받을 수 있다. 이런 조
건 하에 사회 구성원 모두가 잘 살기 위해 노력할 경우 경제는 누구나 이득
을 보고 잘 사는 '플러스 섬(plus sum)'의 체제가 된다.

---

2) 이필상 외, 〈사회를 말하는 사회〉, 북바이북, 2014, pp.180-187 참조

문제는 기회가 편중되거나 시장이 불공정 하면 어떤 사람이 이익을 벌 때 다른 사람은 손해를 보는 '제로 섬(zero sum)' 체제가 되는 것이다. 이렇게 되면 사회가 승자와 패자로 나뉘어 갈등과 분열을 하고 경제는 방향감각을 잃는다.

 고도성장을 한 우리경제는 국민소득이 급격히 증가하고 부가 빠른 속도로 쌓여 경제 전체적으로 볼 때 당연히 대규모의 '플러스 섬(plus sum)' 경제다. 그러나 경제 주체별로 볼 때 대기업은 중소기업보다, 고소득층은 저소득층보다, 힘이 있는 계층은 힘이 없는 계층보다, 교육수준이 높은 계층은 교육수준이 낮은 계층보다 더 많은 것을 각각 차지해 상대적 박탈이 심하다. 이렇게 되자 피해를 보거나 소외를 당하는 계층은 '마이너스 섬(minus sum)'의 경제에 살고 있는 것으로 판단한다. 그로 인해 사회 양극화가 심화하고 계층간 적대적인 대립이 치열해졌다. 사실상 경제와 사회가 스스로 분화하는 함정에 빠진 것이다.

 경제는 정치권력과 관료들의 이해관계에 따라 희생이 크다. 정치인들과 관료들이 법과 제도, 경제정책 등에서 불패의 권력을 행사하며 경제를 지배하거나 통제하려 하기 때문이다. 선거 때마다 나타나는 공약과 선심정책은 경제발전을 집권층에게 유리하게 집중하고 부동산 투기, 물가불안, 지역격차 등 국민경제적 피해를 낳는다. 특히 선거승리나 정권유지를 위해 펴는 재정과 통화의 팽창정책은 심각한 경제불안을 초래한다.

 과도하게 풀린 자금이 산업투자보다는 증권과 부동산 투기 등으로 흘러 부작용을 낳는다. 이때 이득을 보는 사람은 증권이나 부동산을 많이 가지고 있는 자본가나 권력층이다. 서민들은 물가상승의 덤터기를 쓰는 것은 물론, 증권투자에서 번번이 손해를 보고 내 집 마련조차 어려워지는 빈곤의 덫에 걸린다. 더욱이 공천 낙천자, 고위 정무직, 권력부처 출신 공무원 등의 공기업과 정부산하단체에 대한 낙하산 인사는 보편화 했다. 최근에는 사외이사라는 명분으로 민간기업의 경영진으로 가는 일도 허다하다. 경제를 직접 자신들의 '먹이희생물'로 만드는 처사다.

물론 우리경제가 고도성장을 한 것에 대해 그들의 공이 크다. 그러나 경제성장은 국가발전을 위해 헌신해야 하는 공직자들의 당연한 의무다. 경제는 일단 성장의 궤도에 들어서면 시장기능에 맡겨 스스로 발전하는 체제를 갖춰야 한다. 그리하여 모든 국민과 기업의 참여 하에 공정하고 투명한 발전을 해야 한다. 그렇지 않으면 권력의 경제 통제가 구조화해 부정부패와 비리의 수렁에 빠지고 만다.

우리나라는 고도성장체제에 들어선 후 경제를 시장에 올바르게 돌려주지 못했다. 그로 인해 어떤 결과가 야기되었는가?

정치인과 관료들은 갖가지 규제와 제도를 통해 경제를 먹이사슬로 결박하고 요직과 이익을 부당하게 차지하고 있다. 재벌기업들의 시장 독과점이 심각한 피해를 낳고 있고, 정치권력의 보호를 배후로 하는 재벌기업들은 무소불위의 시장지배력을 갖게 되었다.

대기업들은 산하에 중소기업들을 하청업체로 거느리며 비용을 떠넘기고 이익을 독차지하는 불공정거래를 일삼있다. 피나는 노력으로 가까스로 일어선 중소기업으로부터 기술과 인력을 탈취해 기업을 송두리째 빼앗은 일도 흔했다. 중소기업들은 아무리 노력해도 모든 것을 대기업에 공출하고 언제 쓰러질지 모르는 소모품으로 시한부 생명을 살았다.

더욱이 재벌기업들은 이익을 늘리기 위해 근로자들의 노동조합의 설립을 저지하고 탄압하는 것은 물론 인권을 유린하고 저임금 장시간 노동을 강요하는 일도 서슴지 않았다. 세계 최장의 노동시간, 최저수준의 저임금, 빈번한 산업재해가 독재개발시대 그 이면을 지탱한 근로자들이 어깨에 진 멍에였다. 더욱이 재벌기업들은 인건비를 줄이고 노사분규를 피하기 위해 생산의 자동화를 서둘렀다. 근로자들은 자동화가 될 때마다 기계와 로봇에 밀려 길거리로 쫓겨났다.

재벌기업들이 피와 땀으로 얼룩진 중소기업과 근로자들을 사지로 내몰고 경제를 사유화해 막강한 자본권력을 누리는 사이 우리경제는 점차 잠재성장능력을 잃어 모든 국민이 손해를 보는 '마이너스 섬(minus sum)'의 경제로 바뀌었다.

1980년대 들어서 불어 닥친 세계경제의 '신자유주의3)' 흐름은 우리경제가 국민이 땀 흘려 이룬 성장의 과실을 외국자본에 빼앗기는 국제적인 먹이사슬의 피해를 유발했다. '신자유주의'는 세계를 하나의 경제로 개방하고 자유경쟁을 강요함으로써 힘의 논리에 따라 부가 강한 나라에 집중되는 국제적인 불공정 체제다.

미국, 영국 등 강대국들은 신자유주의를 세계적으로 확산하면서 금융산업을 다른 나라 경제를 공략하는 수단으로 이용하고 있다. 첨단

---

3) 20세기 이후에 나타난 정부의 시장개입을 지양하고 자유로운 경쟁체제를 중시하는 경제 사상을 말한다. 19세기 이전의 자유방임주의와 비교하여 자유주의가 결함을 인정하고 공공의 이익을 위해서 정부정책의 역할을 일정범위 내에서 인정한다.

금융기법을 개발해 다른 나라 금융시장을 공격하여 부당이득을 취하고 기업을 사냥해 산업을 지배하는 전략을 펴는 것이다. 이 과정에서 금융산업이 낙후한 나라들은 금융시장을 외국자본의 기업사냥과 투기장으로 내주고 국부를 빼앗기는 희생을 당한다. 금융산업이 극도로 낙후한 우리나라가 희생의 대상이 된 것은 당연한 일이었다.

이러한 신자유주의의 자본전쟁은 스스로 거품의 모순에 빠져 1997년 아시아 외환위기, 2008년 미국발 금융위기 등을 초래했고 세계경제를 부도의 위기에 밀어 넣었다. 그로 인해 우리경제가 입은 피해는 상상을 뛰어 넘었다.

우리경제를 뒤흔든 신자유주의 피해는 여전히 현재진행형이다.

2 관치경제의 한계

정치의 금융장악[4]

5.16 군사쿠데타로 권력을 잡은 박정희 정권은 1962년 5월 '한국은행법'을 개정했다. 한국은행을 정권의 도구로 만들어 경제의 생명줄인 금융을 장악했다. 1950년 6월 12일 출범한 한국은행은 애초 미국의 연방준비제도(미국 중앙은행)를 본떠 만들었기 때문에 정치적으로 중립적인 형태였다. 박정희 정권은 이러한 한국은행을 정부부처인 재무부의 시녀로 만들었다.

실질적인 금융통화정책은 재무부가 결정하고 한국은행은 정책의 운영과 관리만 하게 했다. 금융통화정책의 최고 의결기구인 금융통화위원회의 명칭을 '금융통화운영위원회'로 바꾸고 위원장도 재무부 장관이 맡았다. 재무부장관은 한국은행의 감사임명권까지 가졌다.

---

4) 이필상, "금융자율, 경제민주화의 관건", 신동아, 1988. 7. 참조

더구나 외환정책업무는 아예 한국은행에서 떼어 재무부로 이관했다. 한국은행을 국내 금융통화정책만 담당하게 해 반쪽 중앙은행으로 만든 것이다. 사실상 한국은행을 유명무실하게 만들어 남대문 출장소로 전락시켰다. 중앙은행은 발권력을 가진 금융의 최고기관으로 모든 정책의 결정과 운영을 국민경제적인 차원에서 수행하는 자본주의 시장경제의 중추기구다. 이러한 중앙은행을 군사정권이 수하에 넣어 관치경제의 수단으로 삼은 것이다.

이후 들어선 정권들 역시 무슨 일이 있어도 돈줄은 놓을 수 없다는 정치논리로 한국은행의 독립을 허용하지 않았다.

군사독재를 종식시키고 문민정부를 선언한 김영삼 정부는 1997년 한국은행법을 개정해 독립성을 강화했다. 그러나 형식적으로 금융통화운영위원회를 '금융통화위원회'로 바꾸고 위원장을 한국은행총재가 맡는 것으로 했을 뿐 실질적인 내용이 바뀐 것이 아니었다. 오히려 한국은행으로부터 금융통화정책의 강력한 수단인 '은행감독권'을 빼앗아 한국은행을 이빨 없는 호랑이로 만들었다. 한국은행 산하에 있었던 은행감독원은 정부산하에 새로 만든 금융감독위원회와 금융감독원에 넘겼다. 2003년 김대중 정부는 다시 한국은행법을 개정했으나 한국은행이 사용하는 예산의 편성권을 한국은행에 돌려준 것이 고작이었다.

한국은행이 정권의 시녀로 전락한 후 일반 시중은행과 여타금융기관들이 정부의 통제 하에 들어간 것은 당연한 일이었다. 금융기관 설립의 인허가는 물론 금리결정, 은행예금과 대출, 증권발행과 거래,

보험상품판매 등 모든 금융거래를 정부가 관장하는 관치금융체제를 만들었다. 한국은행은 돈을 찍어내는 통화인쇄기관으로, 일반은행과 여타 금융기관들은 정부지시에 따라 자금을 배분하는 창구로 기능을 발휘했다. 정부는 외국에서 빌려온 해외차관과 한국은행이 발행한 통화를 정책금융의 형태로 특정기업, 특정지역, 특정계층에 집중적으로 배분했다. 이는 경제성장이 수도권과 일부지역을 중심으로 이뤄지고 산업은 재벌기업 중심으로 기형적 발전을 하게 되는 결과로 이어졌다. 이에 따라 지역간 국민분열이 나타나고 기업간, 소득계층간 갈등이 커졌다.

정치권력의 금융장악은 정경유착의 핵심고리를 만들었다. 정치권력은 경제를 통제해 통치기반을 확고히 하고 금융특혜로 일어선 재벌기업들은 반대급부로 대규모의 비자금과 준조세를 제공했다. 자연히 산업발전과 경제성장은 파행적으로 이뤄졌다.

자본주의 시장경제에서 금융은 '경제의 심장'이라 부른다. 사람의 몸에서 심장이 몸 전체에 피를 골고루 배분해 생명을 유지하고 건강한 삶을 살게 하는 것과 마찬가지로 금융은 경제 전체에 돈을 골고루 배분해 경제를 발전, 순환시키고 경제활동과 삶을 가능하게 한다. 정부의 강력한 관치금융 체제는 돈의 흐름을 경제수요에 따라 효율적으로 결정하는 금융시장의 심장기능을 근본적으로 막았다.

재벌기업 중심의 경제성장에서 특히 문제가 된 것은 재벌기업이 해외에서 부품과 소재를 수입해 경제성장률을 높이는 데만 급급함으로 인해 자체적인 기술과 상품개발이 부실한 것이었다. 중소기업은 재벌기업에 극히 저렴한 비용으로 단순한 부품과 소재 생산을 대신

해주는 하청업체 역할을 했다. 그 결과 중소기업은 재벌기업에게 착취를 당하는 구조로 전락하여 대기업이 일감을 끊으면 하루아침에 망할 수밖에 없다.

중소기업은 기술과 고용의 창출자로서 경제성장의 중추적인 기능을 한다. 산업의 하부구조를 다원적으로 발전시킴으로써 경제성장의 원동력이 되며 고용창출의 기반이 된다. 또한 지역별로 특성화 할 수 있는 장점이 있어 지방경제 활성화와 나라의 균형발전에 핵심적인 역할을 한다. 중소기업발전이 재벌기업의 통제 하에 숨통이 막히게 되면서 우리경제는 상체만 허약하게 크고 하체는 부실하여 빈약한 기형적 구조로 성장했다.

경제의 불균형적 성장과정에서 제일 큰 손실 중 하나는 우리민족의 역사와 삶의 기반이었던 농촌경제의 황폐화다. 농업은 일반적으로 공업화가 진행되는 과정에서 자연히 낙후하는 산업이기 때문에 정부가 정책적 지원을 함께하는 것이 보통이다. 그럼에도 불구하고 과거 우리나라 정부는 물가를 자극한다는 이유로 농산물 가격을 억제하는 등 반농업적인 정책을 폈다.

일부 특권기업과 특권계층을 위해 통화발행과 물가상승이 얼마든지 정당화된 반면, 수많은 농민들에게는 한 치의 농산물 가격인상도 허용이 안 되는 불의가 강요됐다. 빈곤의 심화를 느낀 농민들이 산업화에 합류하기 위해 대거 도시로 몰렸고 이들 중 상당수는 도시 저소득층을 형성했다.

물가와 투기의 악순환

정치권력의 금융장악이 빚은 또 다른 문제는 〈물가와 투기의 악순환〉이다. 중앙은행의 생명은 통화의 안정공급에 있다. 중앙은행의 독자적이고 전문적인 결정에 따라 화폐의 양이 경제의 상황에 맞게 효율적으로 공급될 경우 경제는 각 부문별로 제 기능을 발휘하며 건전하고 안정적인 발전을 한다. 한국은행이 정치권력의 통제 하에 들어가자 고도성장을 위한 통화팽창이 무분별하게 이뤄지고 특정부문이나 계층이 집중적인 혜택을 받았다.

물론 통화증발이 높은 인플레이션에도 불구하고 경제의 고도성장에 기여한 것은 사실이다. 기본적으로 경제성장을 할 수 있는 금융시장의 발전이 없는 상태에서 정부는 재벌기업을 대상으로 정부가 저금리의 선별적 대출정책을 펴 산업발전을 독려했는데, 이러한 정책금융에 힘입어 재벌기업들은 수출경쟁력을 확보하고 경제성장의 원동력을 제공할 수 있었다. 그러나 돈이란 것은 쉽게 얻으면 쉽게 쓰기 마련이다.

재벌기업들은 정부에 의해 대출특혜가 주어지자 기술혁신이나 신상품개발보다는 손쉽게 수출고를 높일 수 있는 부품조립산업에 집중투자했다. 재벌기업의 이러한 수출증대 전략은 정치적으로 국민들의 지지기반 확대를 위해 경제성장이 급했던 정부의 이해관계와 맞아떨어졌다. 이로 인해 우리나라 산업구조는 일본 의존도가 절대적인 치욕스런 구조를 갖게 되었다.

중요한 사실은 인플레이션은 국민의 의사와 관계없이 '빈익빈 부익부'라는 불의한 현상을 유발한다는 점이다. 물가가 오를 경우 일반 근로자와 서민들은 그만큼 구매력을 잃어 자신도 모르는 사이 연속적으로 소득감소처분을 받는다. 이렇게 해서 감소 처분된 소득은 다른 사람들의 불로소득으로 이전된다.

인플레이션으로 우선 혜택을 보는 사람들은 금융기관에서 대출을 받은 채무자들이다. 인플레이션이 나타나면 통화가치가 떨어져 그만큼 부채탕감을 받는다. 인플레이션 때문에 더 큰 이득을 보는 사람들은 부동산 소유자들이다. 인플레이션이 고조되면 토지와 건물 등 부동산 가격은 일반상품의 가격상승률보다 훨씬 빠른 속도로 오르기 때문이다.

국토가 좁아 토지의 공급이 제한된 상태에서 국민들의 부동산 소유욕구가 커지면 가격상승이 수시로 나타난다. 경제가 성장할 때 부동산 가격상승률은 일반 가격상승률의 3배가 넘었다. 따라서 부동산을 보유한 사람들은 인플레이션이 심하면 재산가치가 급등한다.

결국 인플레이션으로 가장 큰 혜택을 보는 사람들이 누굴까? 물가가 오르면 부채탕감과 부동산가격 급등의 혜택을 동시에 누리게 되는 이들, 곧 금융기관에서 대출을 받아 부동산을 구입하는 투기자들이다. 1970-80년대 경제가 고속성장을 할 때 연간 물가상승률이 20- 30%의 높은 수준에 달했다. 노동자, 농민 등 서민계층은 아무리 열심히 일해도 구매력의 현상유지가 어려운 것은 물론 평생 땀흘려 일을 하고 저축을 해도 내 집 마련이 어려웠다.

이에 반해 일부 특권계층은 은행대출을 받아 부동산 투기를 하며 인플레이션의 전적인 특혜를 받았다. 권력주변의 사람과 재벌기업 관련자 상당수가 저금리의 대출자금을 생산이나 투자보다는 부동산 투기에 활용해 부를 부당하게 축적하는 반사회적인 행위를 했다.

경제의 고도성장과정에서 나타난 투기열풍은 다시 인플레이션을 자극해 문제를 악화했다. 투기가 만연해 부동산 가격이 오를 경우 전월세 및 임대료가 오르면서 일반 물가가 따라 오른다. 그러면 인플레이션과 부동산 투기는 서로 꼬리를 물고 계속 확산하는데, 이것이 바로 경제의 숨을 막는 '인플레이션과 투기의 악순환(inflation speculation spiral)'이다. 이 악순환은 서민들의 생활고를 가중하는 것은 물론 정상적인 재산형성과 내 집 마련을 어렵게 해 사회를 계급화하고 갈등을 심화했다. 더욱이 이 악순환은 근로자와 서민들의 근로의욕을 떨어뜨리고 좌절에 빠뜨렸다. 더 나아가 중소기업과 창업자들의 투자의욕을 꺾어 창업과 경제발전의 저변을 무너뜨렸다.

인플레이션과 부동산 투기의 악순환이 나라를 망치는 '망국병'으로 한국경제를 압박했다. 1970년대 말부터 1980년대 초까지 불어 닥친 연간 30%에 가까운 인플레이션과 그에 따른 부동산 투기 열풍은 경제를 극도로 혼란에 빠뜨리고 질식시키는 허리케인과 같았다.

지하금융의 확산

자본주의 시장경제에서 가격을 통제할 경우 자연적으로 발생하는 것이 '지하시장'이다. '시장'은 소비자가 원하는 상품의 수요와 기업이 생산해서 판매하는 상품의 공급이 일치하도록 가격을 결정해서 상품을 거래하는 곳이다. 정부가 상품의 가격을 인위적으로 낮춰 정하면 소비자는 지불해야 하는 가격이 싸니까 상품수요가 증가한다. 반면에 기업은 받게 되는 가격이 낮아 손해를 볼 수 있으므로 상품공급이 감소하거나 중단된다.

이때 상품의 소비가 꼭 필요한 소비자는 시장에서 상품을 사기가 어려워 고통을 받을 수 있다. 그러면 정부에서 정한 가격보다 높은 가격에 상품을 사고자 노력한다. 기업은 시장에 상품을 파는 대신 이 소비자에게 팔면 높은 가격을 받고 이익을 벌 수 있다. 당연히 시장에 공급을 줄이고 필요한 소비자에게 상품을 음성적으로 판다. 이렇게 해서 암암리에 형성되는 시장이 '지하시장'이다.

이렇게 되면 원래의 시장은 점차 거래가 줄고 지하시장은 거래가 늘어 지하시장이 원래 시장을 대체하는 현상이 나타난다. 즉 '악화(惡貨)가 양화(良貨)를 구축하는(시장에서 밀어내 버리는) 일'[5]이 발생하는 것이다. 금융시장은 자금이 상품이고 금리가 가격이다. 자금의 수요와 공급이 일치해 금리가 결정되고 자금거래가 이뤄지면 소비와 투자가 시장기능에 의해 결정된다. 이를 기반으로 기업과 산업이 공정하게 발전하고 경제가 성장해 국민들의 소득이 증가한다.

우리나라의 관치금융은 이와 같은 금융의 시장의 기본 메커니즘을 부정했다. 대신 정부가 판단해 금리를 결정하고 자금을 배분했다. 정부는 경제의 고도성장을 빠른 시일 내에 달성하기 위해서 재벌기업들에게 자금을 집중적으로 공급하고 동시에 금융비용을 줄여줘야 한다는 논리로 금리를 낮게 결정해서 부과했다.

이로써 금융기관들이 재벌기업의 사금고가 되다시피 했다. 일반 가계대출이나 개인 대출은 특권층이 아니면 불가능에 가까웠다. 만성적

---

5) 그레셤의 법칙(Gresham's law) : 16세기에 영국에서 활동했던 금융가 토머스 그레셤이 제창한 것으로, "시장에서 「은 함량이 낮은 돈(악화)」 사용을 선호하다 보니 「은 함량이 높은 돈(양화)」이 자취를 감추게 됨(Bad money drives out good)"을 의미한다.

인 경영불안 속에서 빚을 얻지 못하면 부도가 나는 기업들은 비싼 이자라도 감수하는 자금원을 찾을 수밖에 없었다. 일정한 직업이 없거나 소득수준이 낮아 생활고에 시달리거나 자녀 교육비 마련이 어려운 서민들도 자금 구하는데 애가 탄 것은 마찬가지였다.

상황이 이렇게 되자 고리대금을 거래하는 지하 사채시장이 독버섯처럼 자라났다. 일단 사채시장이 지하에서 발전하기 시작하자 여유자금이 있어 금융기관에 저축을 하던 일부 기업주와 부유층까지도 많은 이자를 버는 사채시장에 자금을 공급했다. 악화가 양화를 구축하는 현상이 급속히 진행되면서 지하금융이 제도금융을 압도하는 주객전도현상이 나타났다. 수십 퍼센트에서 수백 퍼센트에 이르는 불법 고금리로 인해 수많은 기업과 서민들이 부도위기에 처해 경제의 정상적인 발전이 어려웠다.

급기야 1972년 8월 모든 사채를 동결하는 초법적 초치가 나왔다. 그러나 사채시장 문제는 그것으로 끝나지 않았다.

정부는 돈줄이 끊겨 경제가 마비되는 부작용을 막기 위해 단자회사의 설립을 통해 사채시장을 단기금융시장으로 양성화하는 조치를 취했다. 이로 인해 사채시장이 합법적으로 금융시장을 지배하는 현상이 나타났고 급기야 사채시장이 경제의 자금흐름을 결정하는 중추적인 역할을 하게 되었다. 이러한 금융환경 하에 일반기업들의 자금조달 형태로 고금리의 단기 유동부채가 주류를 이뤘다. 자칫하면 원리금을 상환하지 못해 부도를 당해야 했다. 가계부문도 마찬가지였다. 수시로 닥치는 부채상환 압박 때문에 살림이 살얼음판을 딛듯 위태로웠다.

관치금융의 혜택을 집중적으로 받는 재벌기업과 특권계층의 사람들은 자금걱정이 없는 편이었다. 오히려 여유자금으로 부동산 투기를 하는 등, 부의 증식에 열중했다. 반면 극도의 자금난을 겪어야 하는 중소기업, 영세 상공인과 서민들은 아예 자금공급을 받지 못해 상시적인 파산위험에 처했다.

1980년대에 들어 사채시장은 비리의 온상이 되었다. 이철희 장영자 부부 어음사기 사건, 명성그룹 사건, 영동개발진흥 사건 등 전대미문의 대형 금융부정사건들이 연이어 터졌다.

1982년 5월에 발생한 이철희 장영자 부부의 어음사기 사건은 지하금융시장에서 나타난 대표적인 권력형 비리로 꼽힌다. 장영자는 전두환의 처삼촌인 이규광의 처제다. 정치권력을 배후로 이철희 장영자 부부는 자금난을 겪고 있는 기업들에 무이자로 현금을 빌려주고 최고 9배에 이르는 약속어음을 받았다. 장영자는 이 어음을 시중에 유통시키고 사기로 돈을 착복했다. 총 6천400억 원의 어음을 유통시켜 1천400억 원의 부당이득을 취했다.

명성그룹 사건은 1979년 4월부터 1983년 7월까지 회장이 은행예금 횡령, 고위관리에게 뇌물제공, 조세포탈 등의 범죄를 저지른 사건이다. 이 사건을 이유로 당시 전두환 정부는 명성그룹을 전격 해체했다. 1983년 9월에 터진 영동개발 진흥사건은 회장이 은행지점장 등과 짜고 어음부정보증, 부정결제 등 총 1천700억 원 규모의 금융사고를 낸 사건이다. 이처럼 금융시장이 지하 사채시장에 밀려나고 비리의 온상이 되었다는 것은 경제의 심장이 병들어 언제 숨이 막힐지 모르는 상황이었다는 것을 의미한다.

부실채권의 재앙

정 경유착의 테두리 안에서 운영된 관치금융은 자연히 경제적 병폐를 낳았는데 심각한 문제로 등장한 것이 '부실채권'이었다. 금융기관 대출은 엄격한 타당성 조사를 바탕으로 금융기관 책임 하에 이뤄지는 것이 원칙이다. 기업의 재무상태, 투자의 전망과 수익성, 부채상환 능력 등을 전문적으로 판단해 금융기관이 결정해야 한다. 하지만 우리나라 금융기관 대출은 경제의 고도성장 전략에 의해 정부의 지침에 따라 결정되는 것이 보통이었다. 더 큰 문제는 금융기관대출이 정치논리에 따라 재벌기업에 특혜로 제공되는 경우가 많았다는 것이다.

원리금 상환이 제대로 될 리 만무했다. 원리금을 상환 받지 못하는 금융기관의 부실채권은 해당 기업과 금융기관을 한꺼번에 부도위험에 밀어 넣는 금융의 암세포다. 1960년대 이후 30여 년 동안 우리나라 금융기관의 부실채권은 전체 대출의 25%에 달했다. 경제가 내면적으로 병이 들어 언제 위기를 겪을지 모르는 불안한 구조였다.

그렇다면 누구의 돈이 이렇게 부실채권으로 희생당하는 것이었나? 당시 금융기관의 대출금은 대부분 외국에서 빌려 온 차관과 한국은행에서 찍어낸 통화였다. 전적으로 국민이 갚아야 하는 부채이고 국민이 주인인 돈이었던 것이다.

문제는 정부가 '구제금융제도'를 만들어 부실채권을 스스로 양산했다는 것이다. 이는 금융기관 대출금으로 기업이 사업을 하다가 경영이 부실해져 부도위기를 맞으면 금융기관이 한국은행의 지원을 받아 추가적으로 대출을 해줘서 그 기업을 살려주는 제도다.

기업이 부도위기를 맞을 때 구제금융을 제공하는 것은 부실경영의 책임을 금융기관에 전가하고 국민에게 덤터기를 씌우는 것이다. 이러한 구제금융제도는 금융기관을 기업의 사금고화 시키는 심각한 폐단을 낳았다. 부실채권이 산더미처럼 쌓이자 책임을 회피하고 부실기업을 정리한다는 논리로 다시 자금을 투입하는 정책을 폈다. 부실기업은 대부분 내정한 재벌기업에 헐값에 넘어가고 부실기업을 살리라는 명분을 들어 대규모의 특혜대출을 다시 해줬다.

관치금융의 결과로 빚어진 부실채권의 누적은 비리가 다시 비리를 확대 재생산하는 연쇄반응을 일으켜 국민경제의 희생을 요구했다. 이 과정에서 정치권력과 재벌기업은 또 다른 정치거래를 하는 것이 보통이었다. 결국 자본주의 경제의 기본 수칙이라 할 수 있는 자율시장 원리를 무시한 대가로 대한민국 금융산업은 정치권력과 재벌기업의 사금고로 전락하고 부실경제의 무거운 짐이 국민의 어깨 위에 올려졌다.

재벌기업들에게 있어 금융기관 대출금은 노다지나 다름없었다. 장기대출에 이자율이 극도로 낮아 비용부담이 극히 낮았을 뿐만 아니라, 치솟는 인플레이션이 돈 가치를 떨어뜨려 원금을 갚을 때는 거의 무상이나 다름없었다. 게다가 일부 기업들은 금융기관 대출금을 부동산 투기에 활용해 엄청난 치부(致富)를 하기도 했다.

수출의존형 경제성장 국가에서 필수적인 것이 '기업의 국제경쟁력'이다. 국제경쟁력을 높이기 위해 기업들은 기술혁신과 신상품개발에 사활을 걸어야 한다. 그러나 우리나라 재벌기업들은 그럴 필요가 없었다. 해외에서 부품과 원자재를 수입해서 값싼 노동력을 투입해 상품을 조립하면 쉽게 수출을 할 수 있었기 때문이다. 당시 해외시장은 제2차 세계대전이 끝난 후 시작된 경제부흥에 힘입어 빠른 성장세를 기록해 우리나라 수출기업들에게 좋은 기회를 제공했다.

더욱이 재벌그룹들은 정치권력에 정경유착의 대가만 지불하면 금융기관의 특혜대출을 받아 얼마든지 새로운 기업을 세우거나 다른 기업을 인수할 수 있었다. 따라서 시장을 독점하고 폭리를 취하는 문어발식 확장에 노력을 집중했다. 동시에 국토를 대대적으로 매입해 엄청난 재산을 축적했다. 이로써 경제자체가 몇몇 재벌기업집단에 의해 점령을 당하는 상황에 이르렀고, 대한민국은 '재벌공화국'이라는 별명이 붙었다.

정경유착과 관치금융이 만들어 낸 금융산업의 낙후는 스스로 위기를 잉태했다. 가장 큰 위협으로 닥친 것이 '금융개방'이다. 1980년대 후반부터 '신자유주의'가 세계경제의 전반적인 조류로 나타났다.

신자유주의는 경제개방과 자유경쟁을 기본 기조로 한다. 이러한 신자유주의 기조는 강대국 경제가 약소국 경제를 지배하는 힘의 논리를 허용한다. 1990년대 들어 우리나라는 신자유주의에 따라 미국 등 선진국으로부터 강한 금융개방 압력을 받았다. 어쩔 수 없이 정부가 점차 금융개방을 허용하자 관치금융의 체계 하에서 자율적인 경쟁능력이 진무한 우리나라 금융산업은 설 땅을 잃었다.

자본주의 경제에서 금융산업을 지키지 못하면 경제주권을 잃는 대단히 심각한 문제에 봉착하게 된다. 외국은행이 국내에 진출해 국내은행들을 제친 채 예금을 받고 대출을 해주면 국민의 저축과 경제발전이 외국은행의 영향력 하에 들어간다. 또한 외국자본이 들어와 우리나라 주요기업들의 주식을 매입해 대주주가 되면 우리나라 산업

발전을 좌지우지하고 국부를 자유롭게 유출할 수 있다.

이 같은 상황이 되었을 때 세계경제가 뜻하지 않게 불안해져 외국
자본이 일시에 빠져나가면 국가는 부도위기에 처하고 마는 것이다.

금융실명제 실시

1990년대 초 대형 금융비리 사건이 연이어 터졌다. 1992년 7월 정보사[6] 땅 사기사건으로 나라가 떠들썩했다. 사기단들이 정보사 땅을 제일생명회사에 허위로 팔아 500억 원의 큰돈을 사취한 사건이었다. 같은 해 11월에는 당시 5대 시중은행의 하나였던 상업은행의 명동지점장이 양도성 예금증서(CD)를 사채거래 수단으로 불법 이용해 불법예금유치 경쟁을 벌이다가 자살한 사건이 벌어졌다. 1993년 5월에는 불법대출 및 비자금조성과 관련해서 엄청난 비리사실이 들어나 동화은행장이 구속되었다. 같은 달 정치인, 검찰, 경찰관계자 등이 연루된 대형 금융비리 사건으로 슬롯머신(slot machine) 사건이 일어났다. 실로 나열하기 힘들 정도의 금융비리 사건들이 여기저기서 터져 나왔다. 우리나라 금융시장이 더 이상 비리를 지탱할 수 없을 만큼 막바지 단계에 이르고 있었다.

1993년 8월 13일 김영삼 대통령은 '금융실명거래 및 비밀보장에 관한 긴급명령'을 발동해 '금융실명제' 실시를 전격 선언했다.

금융실명제란 금융거래를 할 때 가짜 이름이나 남의 이름이 아니라 자기이름만 쓰도록 하는 제도로, 금융비리와 부정거래를 차단할 수 있는 기본적인 장치다.

6) 국군정보사령부의 약칭으로, 대한민국 국군 국방정보본부 예하 군사첩보사령부다.

금융의 실명거래는 투명한 거래를 생명으로 하는 자본주의 시장경제의 원칙이다. 1993년에 금융실명제가 실시되었다는 것은 1960년대에 시작한 30년 동안의 경제고도성장이 금융시장의 비리구조 하에서 불건전하게 이뤄졌다는 사실을 반증했다. 금융실명제는 1982년 5월에 이철희 장영자 부부의 어음사기 사건이 터진 후 처음 실시 논의가 있었다. 그러나 기득권계층의 완강한 거부로 무산됐다. 이후 전두환·노태우 정부의 정경유착 비리는 극도에 달했다.

1993년 2월 문민정부를 선언하고 출범한 김영삼 정부는 정경유착의 고리를 끊고 비자금, 투기, 탈세 등 지하금융의 척결하는 것을 주요 개혁과제로 추진했다. 그 결과 전격적으로 나온 것이 바로 '금융실명제' 실시였다.

금융실명제 실시의 기대효과는 다양했다. 첫째, 정경간 부도덕한 유착관계를 끊고 정치자금과 반대급부의 암거래를 차단해 정치와 경제의 건전한 발전을 동시에 꾀할 수 있다. 둘째, 투기와 물가의 악순환을 제거해 기득권층에 의한 국민재산의 박탈을 막을 수 있다. 자금흐름이 '투기'에서 '투자'로 정상화함에 따라 산업발전의 원동력을 되찾을 수 있게 된다. 셋째, 재벌기업의 불법상속과 증여를 막아 부의 부당한 세습과 기업의 사금고화를 막을 수 있다.

금융실명제 실시에 대한 반대론자들의 주장도 만만치 않았다. 금융실명제를 실시하면 자금이 대거 제도금융권을 이탈해 사금융이 확산하고 해외도피, 부동산투기 등으로 몰린다는 이유였다. 이에 따라 지하금융이 오히려 확대되는 것은 물론 증권시장이 붕괴하고 경기침체가 가속화 되어 경제가 침몰할 수 있다는 주장이었다. 기득권계층은 금융실명제 반대논리로 이런 주장을 강력히 폈다. 그러나 그들의 주장은 금융실명제 자체를 부정할 만큼 중대한 사유가 될 수 없었다.

우선 금융실명제 실시로 국내자금이 해외로 빠져나갈 것이라는 주장은 설득력이 약했다. 자금은 수익률이 낮은 곳에서 높은 곳으로 흐를 뿐이다. 당시 우리나라 금리는 다른 나라에 비해 2배나 높은 상황이었다. 더구나 대부분의 다른 나라들은 오래 전부터 금융의 실명거래를 당연시해 자금의 지하 음성거래가 발을 붙이기 어렵다. 증권시장의 경우 금융실명제를 실시하면 기업의 정보를 사전에 알고 거래하는 내부자거래나 큰 손에 의한 주가조작을 막을 수 있어 오히려 건전한 자금유입을 활성화할 수 있다.

금융실명제 실시로 부동산 투기가 거셀 것이라는 주장도 근거가 약했다. 금융실명제의 실시는 부동산 거래의 자금출처조사를 명확히 함으로써 부동산 투기의 근원을 제거하는 것이 목적의 하나였기 때문이다. 금융실명제 실시 후 경제는 오히려 높은 성장률을 기록했다. 1992년 6.2%에 머물던 경제성장률이 1993년 6.8%로 오르고 1994년과 1995년에는 각각 9.2% 와 9.6%로 올랐다.

김영삼 정부의 금융실명제 실시는 정경유착과 관치금융의 덫에서 경제가 다시금 건전하게 발전할 수 있는 토대를 마련했다는 차원에서 의미가 컸다. 그러나 기본적으로 과거의 재산축적과정을 불문에 붙이고 차명거래를 허용해 허점이 많았다. 더구나 역대 정권에 걸쳐 뿌리가 내린 정경유착의 틀을 제거하는데 한계가 있었다.

그러다 보니 금융실명제를 실시한 김영삼 정부는 물론 이후 들어선 정부에서도 정경유착비리는 예외 없이 이어졌다. 김영삼 정부 하에서 해외무기도입과 관련해 군관계자와 무기거래상이 뇌물을 주고받은 율곡비리 사건, 한보그룹이 정치권과 금융계 실력자들을 대상으로 광범위하게 뇌물을 제공하고 로비를 벌인 한보비리사건 등이 터졌다.

김대중 정부 때는 검찰총장과 재벌들이 연루된 옷로비 의혹사건, 벤처기업과 정관계 인사들이 연루된 정현준, 진승현, 이용호 게이트 등의 사건이 일어났다. 이명박 정부 때는 BBK주가 조작사건, 다스 실소유자 사건 등이 터졌고, 박근혜 정부에서는 최순실 및 권력측근의 국정농단과 기업관련 비리가 드러났다.

매 정권마다 암초처럼 자라나는 이러한 일련의 정경유착형 금융 비리사건들은 절대권력을 통제할 수 있는 정치개혁 및 법과 제도가 마련되지 않는 한 척결이 어렵다.

3 국가부도 위기

3저 호황의 거품

7 0년대 말과 80년대 초 우리나라 경제는 경기침체와 물가상승이 동시에 나타나는 '스태그플레이션(stagflation)'을 겪었다. 주력 산업이었던 신발산업이 부진에 빠지고 해외건설과 무역이 퇴조해 경기가 침체하기 시작했다. 설상가상으로 제2차 석유파동이 닥쳐 물가급등이 겹쳤다.

1981년 출범한 전두환 정부는 반민주적인 군사독재정권임에도 불구하고 뜻밖으로 시장논리에 따른 경제안정 정책기조를 택했다. 전두환 정부는 김재익 등의 경제관료를 등용해 구조조정 정책과 물가안정 정책을 동시에 폈다. 한편으로 해운과 건설 분야에 대한 구조조정을 실시해 경제의 부실화를 막았다. 다른 한편으로 역대 어느 정부도 추진하지 못했던 긴축정책을 펴 물가를 잡았다.

전두환 정부 출범 전 30%를 육박했던 물가상승률이 긴축정책을 펴자 5% 이내로 꺾였다. 해방 이후 40년 가까이 고질적으로 경제를 괴롭혔던 인플레이션을 단숨에 잠재우는 성과를 남긴 것이다. 산업정책 측면에서 전두환 정부는 박정희 정부가 추진한 중화학 공업의 지속적인 발전을 꾀하고 더 나아가 전자와 반도체 등 정보통신을 육성하는 정책을 폈다. 전두환 정부는 김재익 경제수석이 강력하게 주장한 금융실명제 실시를 승인하기도 했다. 그러나 정권 안팎을 둘러싼 기득권층의 강력한 반대에 부딪쳐 금융실명제 실시에는 실패했다. 수구 독재정권의 한계였다. 하지만 전문가에게 맡겨 올바른 경제정책을 폈다는 평가를 받았다.

박정희 정부와 전두환 정부는 정치적으로는 철권독재정책을 펴 민주주의를 파괴했으나, 경제의 측면에서 볼 때 전문가의 의견을 들어 경제를 살리는 정책을 폈다는 면은 평가받을 만하다는 공통점이 있다. 전두환 정부는 박정희 정부가 개발한 급성장한 산업발전능력을 바탕으로 높은 성장률을 이어 나갔다. 1980년 제2차 석유파동으로 -1.7%까지 떨어졌던 경제성장률이 1981년 7.2%를 기록한 후 1982년과 1983년 각각 8.3%와 13.2%로 상승했다.

전두환 정부 후반기였던 1986년부터 1989년까지 우리경제는 뜻하지 않게 원화가치 하락, 저물가, 저금리의 '3저 호황'을 맞았다.

1985년 9월 미국은 일본의 수출증가로 인해 무역적자가 쌓이고 국내 산업이 부실해지자 '플라자협약7)'을 맺어 달러당 250엔이 넘던

---

7) 플라자협약(PLAZA agreement) : 1985년 9월 21일 뉴욕 플라자호텔에서 선진 5개국인 미국, 독일, 일본, 영국, 프랑스가 상호환율조정을 위해 체결한 협약으로, 일본의 엔화

엔달러 환율을 달러당 130엔 수준까지 떨어뜨렸다. 이에 따라 우리나라 원화가치가 일본 엔화가치의 상승비율만큼 떨어졌다. 수출산업이 행운을 만난 것이다.

여기에 금상첨화로 세계경제 추세에 따라 나타난 저금리와 저유가는 우리나라 기업의 금융비용과 생산비용을 낮춰 수출의 가격경쟁력을 높였다. 동시에 국내 소비를 늘려 내수도 활성화하는 효과를 발휘했다. 이렇게 되자 전두환 정부의 구조조정과 물가안정 정책으로 힘을 축적한 우리경제가 날개를 달면서 역대 최대 호황을 맞았다.

특히 대외적으로 수출이 대규모로 늘어 연간 100억 달러 이상의 사상 최대 규모의 무역흑자를 3년 연속 기록했다. 이에 반해 일본경제는 달러대비 엔화가치가 거의 두 배에 이르자 수출산업이 결정적인 타격을 받았다. 국제경쟁력이 떨어진 일본경제는 1990년대 들어 부동산 투기거품이 꺼지면서 소위 '잃어버린 20년'에 빠졌다. 그러나 3저 호황의 축복은 거기서 끝났다. 축복이 곧 화로 바뀌었다.

당시 우리경제는 무역흑자 등 3저 호황의 여유를 신산업 발굴, 기술혁신, 벤처와 중소기업 육성 등에 집중 투자해 중화학공업을 잇는 제2의 성장동력 창출에 사용해야 했었다. 그리하여 주저앉고 있던 일본경제를 제치고 세계적인 경제강국으로 도약하는 기회로 활용했어야 한다. 그러나 당시 전두환 정부와 그 뒤를 이은 노태우 정부는 88올림픽을 화려하게 치르며 해외여행 자유화, 선거 선심용 지출 등으로 3저 호황의 과실을 소비를 활성화하는데 치중했다. 특히 경기를 활성화한다는 명분으로 재정과 통화를 팽창하고 주택 200만호 건설,

---

와 독일의 마르크화를 절상하는 것이 기본 내용이다.

경부고속전철 건설 등 국책사업을 대대적으로 추진했으나 그 부작용으로 인플레이션과 투기에 불을 지른 결과를 낳았다.[8]

실로 큰 문제는 갑자기 증가한 시중 자금이 부동산시장과 증권시장으로 유입해 투기열풍을 일으킨 것이었다. 1986년부터 1989년까지 3년 동안 전국의 평균 부동산 가격이 5배가량 올랐다. 1985년 12월 130포인트에 머물던 주가종합지수는 1989년 4월 1,007포인트를 기록해 거의 8배로 뛰었다. 경제가 투기거품으로 들떴다.

1990년대 들어 투기거품이 꺼지면서 경제가 점차 불안한 양상으로 치달았다. 해외수출이 줄고 경상수지는 적자였다. 1988년 올림픽 이후 나라를 들썩이게 한 부동산 투기열풍이 급격히 냉각되었다. 경기침체가 본격화했다. 이 가운데 금융시장이 불안에 휩싸였고 증권시장이 추락하기 시작했다. 주가가 하락하자 무역흑자 때문에 주가가 계속 오를 것이라는 증권회사와 기관 투자자들의 말만 믿고 주식투자에 뛰어든 일반 투자자들의 손실이 눈덩이처럼 늘어났다.

상황이 급박해지자 주식투자에서 손실을 본 투자자들을 지원하고 증권시장을 안정시키기 위해 한국은행은 1992년 5월 한국투자신탁, 국민투자신탁, 대한투자신탁 등 3대 투자신탁회사에 2조 9천억 원 규모의 특별융자를 수혈했다.[9] 그러나 이러한 조치 이후 오히려 주가는 폭락을 계속했다. 1992년 8월 종합주가지수가 456포인트를 기록해 반토막이 났다. 일반 투자자들의 손실은 더 커지고 한국은행이 국민의 돈을 풀어 큰손들에게 쥐어 주고 시장을 빠져나가게 했다는

---

8) 이필상, "경제안정바탕 개혁 추진해야", 한국경제신문, 1993. 3. 23. 참조
9) 이필상, "투기에 들뜬 돈흐름 바로잡자", 한겨레신문, 1990. 1. 10. 참조

비판이 거셌다. 더구나 투자신탁회사들이 이 돈을 못 갚아 부도위기에 처하고 증권회사와 은행의 자금난이 가중해 금융공황의 불안까지 나타났다. 이때부터였다. 한국경제는 서서히 1997년 'IMF외환위기'를 잉태하고 있었다.

일본이 '잃어버린 20년'에 빠진 것은 일본정부 경제정책의 잘못이 크다. '플라자협약'에 따라 엔화가치가 급격히 상승하여 수출이 감소하고 불황이 찾아오자 일본정부는 경기부양정책으로 리조트개발 등 건설사업을 대규모로 추진했다. 기업들은 경영실적이 악화하자 생산투자보다 자산투자에 열중했다. 자연히 경제가 거품으로 들떴다. 그러나 거품이 꺼지면서 은행과 증권회사의 파산이 줄을 잇고 경제는 장기간의 디플레이션 수렁에 빠졌던 것이다.

'잃어버린 20년' 동안 일본은 중산층이 무너지고 정리해고, 소득격차, 자살증가 등 극도의 고통을 겪었다. **이러한 일본경제의 추락은 강 건너 불이 아니었다.** 결국 우리나라 경제는 1997년 12월 IMF위기를 불러왔고 '경제의 6.25동란'을 겪게 되었다.

신경제계획의 실패

김영삼 정부는 정치적으로 군정을 끝내고 민주주의를 다시 일으켰으나, 경제적으로 IMF(International Monetary Fund, 국제통화기금) 외환위기를 가져와 '국가부도사태'를 초래했다. 1997년 12월 우리나라는 사상 초유로 IMF의 구제금융 받으며 경제신탁통치에 들어갔다. 우리경제가 IMF외환위기를 일으킨 주요원인은 〈신경제 5개년계획〉

의 실패였다.[10]

〈신경제 5개년계획〉이란 경제사회의 선진화와 민족통일을 지향한다는 기본목표 아래 기업경쟁력강화, 균형발전, 세계화 등을 기본전략으로 추진한 경제정책이다. 특히 경제의 개방과 국제화를 위해 금리자유화, 농업과 서비스시장 개방, 선진국 모임인 OECD가입 등을 추진했다.

김영삼 정부 출범 당시 우리경제는 대규모의 투기거품이 꺼진 후 국제경쟁력 상실과 물가불안이라는 이중고에 시달렸다. 이런 상황에서 필요한 정책은 경제의 안정기조를 견지하며 경제구조를 개선해 성장 잠재력을 높이는 것이다. 그럼에도 불구하고 김영삼 정부는 경기활성화에 급급해 신경제 5개년계획을 내세워 거의 무제한적으로 통화공급을 확대했다. 이에 따라 야기되는 물가불안을 잠재우기 위해 근로자의 임금인상을 억제하고 공산품가격을 동결하는 고통분담정책을 추진했다.

생산과 투자기반이 무력화한 상태에서 돈을 풀고 고통분담만 강요하는 정책은 경제의 자생적인 활성화 보다는 구조적인 내부불안을 가중하는 작용을 했다.

결과적으로 〈신경제 5개년계획〉은 구조적인 취약으로 허덕이는 경제에 거대한 돈 거품을 다시 불어넣는 꼴이 됐다. 시중에 풀린 돈은 투자나 소비로 흐르지 않고 증권시장으로 몰렸다. 이 때문에 주가지수가 1994년 초 1천 포인트에 육박했다. 여기에 해외투기자금이 몰려와 증권시장은 걷잡을 수 없는 과열로 치닫게 되면서 제2의 투기

---

10) 이필상, "성급한 경기부양 고물가 불렀다", 한국일보, 1994. 2. 28. 참조

거품이 언제 터질지 모르는 상황으로 바뀌었다.

물가상승과 투기의 재연은 곧 노조의 임금인상을 자극하면서 노사분규를 확산하는 요인이 되기도 했다. 〈물가-투기-임금〉이 삼각의 악순환을 형성해 회복기미를 보이던 경제의 숨통을 막았다.

김영삼 정부가 금융실명제의 전격실시, 공직자 재산공개 등 무혈혁명이라 할 만큼 과감한 개혁조치를 취함에도 불구하고 경제를 혼란과 불안으로 몰아 간 근본적인 원인은 정부의 태생적인 한계에서 찾을 수 있다. 김영삼 정부는 3당 합당을 통해서 확보한 보수 기득권층의 힘을 정치기반으로 했다. 따라서 경제관료들 대부분이 5,6공화국 때의 관변학자나 고위 공작자들로 구성되었다. 그로 인해 경제정책이 기득권층 이익보호의 한계를 벗어나지 못했다.

결국 인사가 만사를 그르친 형국이 되었고 최악의 경제참사의 폭풍을 피할 수 없었던 것이다.

김영삼 정부의 결정적인 실책은 OECD 조기 가입이었다. 1996년 12월 12일 우리나라는 29번째 OECD회원국으로 정식 가입했다. OECD가입은 우리경제의 국제적 위상을 높여 국제경쟁력을 강화하고 세계중심권 선진국으로 도약하는 발판이 된다. 특히 OECD가입은 외국자본의 유입을 자유롭게 해 경제의 세계화를 촉진하고 기존의 낙후한 경제운용제도나 관행을 고치는데 있어 거부할 수 없는 외부압박 요인을 갖추는 것이 된다.[11]

1995년 우리나라는 사상 처음으로 1인당 국민소득이 1만 달러를 넘겨 1만823달러를 기록했다. 김영삼 정부는 OECD가입을 위해 외

---

11) 이필상, "OECD가입과 금융낙후", 한국경제신문, 1995. 4. 4. 참조

환시장에 수시로 개입해 다량의 외화를 시중에 방출하고 국민소득 1만 달러를 유지했다. 또 금융개방을 서둘러 OECD가입 조건을 맞추는데 노력했다. 그러나 당시 방어능력이 부족했던 우리나라의 성급한 OECD가입은 경제를 국제적 위험에 밀어 넣을 가능성이 컸다.

OECD에 가입하면 가장 우려되는 문제는 국제투기자본이 들어와 우리경제를 공격하는 것이었다. 우리경제는 자생적인 기반이 취약하고 금융산업이 낙후한 상태였다. 경제는 통화증발로 인한 인플레이션과 투기의 악순환을 겪고 기업은 고금리와 자금난의 악화로 경영이 어려웠다. 이런 상태에서 OECD가입으로 해외자금이 대거 유입할 경우 제2의 통화증발이 이뤄지는 것은 물론 금융시장 교란으로 기업경영이 더 어려워진다. 더군다나 OECD에 가입하면 개발도상국의 지위를 잃어 수출경쟁력이 떨어질 수 있다. 경제가 투기로 들뜨면서 부는 해외로 유출하고 수출은 감소하며 경제가 부실해져 부도위기에 처할 수 있다.

우리경제의 취약은 근본적으로 금융의 낙후에 있었다. 우리나라의 경우 OECD 금융부문의 의무규약 준수능력이 현저하게 부족했다. 〈자본이동자유화규약〉 91항목 중 11개 항목만 충족한 상태였다. 또 자본거래 자유화율은 60% 수준이었는데, 이는 선진국의 일반수준인 90%대에 비해 턱없이 낮은 수준이었다.

1994년 3월 OECD에 가입한 멕시코가 같은 해 12월 국가부도위기를 맞아 IMF구제금융을 신청했다. 우리나라의 OECD가입은 멕시코의 전철을 밟을 것이라는 우려가 컸다. 우리나라는 GDP 대비 대외부채와 무역적자비율이 멕시코보다 낮아 위기의 가능성은 낮다는 것이 OECD가입 찬성론자들의 주장이었다. 그러나 이것은 지나친 낙관이었다. IMF위기는 우리나라가 OECD에 가입한지 1년도 안되어 현실로 닥쳐왔다.

IMF 신탁통치

IMF외환위기의 도화선이 된 것은 종합금융회사들의 단기외채 차입이다. 김영삼 정부는 OECD가입을 위해 금융시장 개방, 금리자유화, 외환거래 자유화 등의 조치를 취했다. 이 과정에서 큰 실책을 범했다. 외국자본 유입에 따른 경제위험을 줄인다는 차원에서 단기자본의 도입은 자유화하고 장기자본의 도입은 규제를 유지했던 것이다. 당연히 금융기관들은 규제가 없고 차입금리가 낮은 단기외화를 집중적으로 차입해 국내외기업들에게 금리가 높은 장기대출을 했다. 이것이 오히려 경제의 부도위험을 높이는 악재가 되었다.

장기대출은 장기간에 걸쳐 원리금을 받지만 단기외채는 1년 안에 원리금을 갚아야 한다. 따라서 단기외채 차입을 연속적으로 반복하지 않으면 금융기관은 지급불능사태를 맞는다. 이러한 위험을 무시한 채 국내은행의 해외지점과 종합금융회사들이 대거 단기외채 차입에 나섰다. 1990년대 초 우리나라의 총 외채는 400억 달러 수준이었다. 이중 단기외채는 40%정도였다. 이후 외채가 급격히 늘어 1996년 1천억 달러를 넘었다. 이중 1년 안에 갚아야 하는 단기외채는 60%에 달했다. **특히 문제가 된 것이 종합금융회사들의 무분별한 단기외채 도입이었다.**

1997년 10월 IMF위기가 본격화하기 직전 30개에 이르는 종합금융회사들의 외채는 200억 달러가 넘었다. 이중 1년 안에 갚아야 하는 단기외채는 65%나 차지했다. 외환보유액이 부족하면 언제든지 부도가 날 수 있는 심각한 만기 불일치였다. 이 와중에 경제가 경쟁력을 잃고 부실해져 1997년 중견 재벌기업들이 연이어 부도사태를 맞았다. 1월 한보그룹, 4월 진로그룹과 삼미그룹, 5월 한신공영그룹에 이어서 급기야 7월 재계 8위였던 기아그룹이 무너졌다.

이에 따라 국가신인도가 급격히 떨어지자 해외자본이 물밀듯이 빠져나갔다. 점차 외환보유액이 줄기 시작했다. 1997년 10월 우리나라의 실질적인 외환보유액은 150억 달러였다. 단기외채 금액의 5분의 1에 불과했다. 같은 해 11월 결국 외환보유액이 80억 달러로 떨어져 국가부도위험이 커지자 어쩔 수 없이 정부는 'IMF 구제금융'을 신청하기에 이르렀다.

IMF는 구제금융을 해주는 대가로 재정긴축, 금리인상, 금융회사 구조조정, 금융시장 추가개방, 대기업의 상호지급보증 해소 등을 이행하라는 조건을 달았다. 자금지원에 앞서 이행해야 할 〈이면각서〉에 담은 내용은 가히 충격적이었다.

콜금리 연 25%로 인상, 제일은행과 서울은행의 퇴출, 9개 부실 종합금융회사의 영업정지, 외국인의 적대적 기업인수 허용, 외국금융회사의 국내금융회사 인수 허용 등 상상을 초월하는 내용이었다. IMF는 김대중, 이회창, 이인제 등 유력 대선후보들에게도 '자금지원 협정준수 이행각서'에 서명하도록 요구했다.

김영삼 정부는 IMF와 구제금융을 협상하는 과정에서 잠시 저항하다가 버틸 수 없는 지경에 이르면서 강력한 압박에 무조건 굴복하는 바람에 더 큰 대가를 치렀다.

　1997년 11월 외환위기의 조짐이 확산하자 강경식 경제부총리는 대통령에게 IMF구제금융 신청 계획을 보고했다. 김영삼 대통령은 별 이견 없이 강 부총리의 계획을 재가했다. 강 부총리는 IMF와 구제금융을 신청하기로 합의한 후 어떤 내용의 신청인지에 대한 합의내용을 발표하기로 했다. 그런데 김영삼 대통령은 강 부총리가 IMF와 구제금융을 신청하기로 합의한 사실을 무시하고 통상산업부 임창열 장관을 경제부총리로 새로 임명했다.

　새로 부임한 임 부총리는 IMF의 도움 없이도 국난을 해결할 수 있다는 입장을 밝혔다. 강 부총리가 한국을 대표해서 국제기구인 IMF와 합의한 사실을 부정한다는 것은 국제관례상 있을 수 없는 일이었다. 더구나 우리나라는 국가부도위기를 맞아 구제금융을 요청하고 IMF의 동의를 받아야 하는 수세적인 입장이었다. 임 부총리는 일본에 대표를 파견해 긴급 자금지원을 요청하는 등 나름대로 해외자금을 조달해 국가부도를 막으려는 노력을 했다. 그러나 국가부도위기로 국제신인도가 떨어질 대로 떨어지고 IMF와 합의까지 파기한 상태에서 해외자금 조달이 가능할 리 만무였다.

　급기야 1997년 12월 3일 김영삼 정부는 IMF로부터 200억 달러의 구제금융을 받기로 하고 IMF가 요구하는 '모든 내용'을 받아들이며 경제주권을 포기하는 내용의 합의문을 발표했다. IMF에 저항하다가 완전히 굴복한 것이었다. 나라가 일본에 넘어간 1910년 경술국치 이후 최악의 국치를 기록한 날이었다.

　IMF합의 후에도 국가부도위기는 멈추지 않았다. IMF가 구제금융을 제공하는 조건으로 제시한 금융시장의 개혁과 완전개방을 이행해야 한다고 못 박고 자금제공을 거절했다. 이렇게 되자 해외 금융회사들은 계속해서 만기연장을 거부하고 자금을 빼갔다. 12월 말 금융시장이 공황에 빠졌다. 종합주가지수는 300선으로 주저앉고 환율은 달러당 2,000원에 육박했다. 기업어음 금리는 40%에 육박했다.

국가부도가 현실로 다가왔다. 어쩔 수 없이 당시 김대중 차기 대통령 당선인이 한국정부가 IMF와 합의한 조건을 어김없이 이행하고 IMF의 요구대로 한국경제의 구조와 체질을 바꾸겠다고 약속했다. 그러자 IMF와 미국, 일본 등이 비로소 자금지원에 나서며 마지막 순간에 국가부도위기를 막았다.

경제의 피눈물

I MF 구제금융 이후 한국경제는 피눈물을 흘려야 했다.[12] 김대중 정부는 IMF의 요구에 적극적으로 응했다. 그러자 IMF 구제금융이 경제를 살리는 것이 아니라 붕괴를 촉진하는 부작용을 낳았다. 10%대였던 은행금리가 별안간 30%대로 오르자 그렇지 않아도 부채가 많아 부실한 기업들이 무더기로 쓰러졌다. 또 살생부를 작성하여 부실기업들을 정리함에 따라 산업현장이 극도로 혼란에 빠졌다.

그 결과 30대 대기업집단 중 16곳과 26개 주요은행 중 16곳이 우르르 무너지는 참사가 일어났다. 중소기업과 자영업은 집단 붕괴의 수렁에 빠졌다. 10가구 중 4가구는 실직이나 부도를 경험했다. 수많

12) 이필상, "이러다 경제주권 또 잃는다", 신동아, 2018. 11. 참조

은 근로자들이 길거리로 쫓겨나왔다. 1997년 말 50만 명에 머물던 실업자가 1998년 2월 180만 명을 돌파했다. 1998년 경제성장률은 -5.5%로 곤두박질했다.

천신만고 끝에 한국경제는 195억 달러의 구제금융을 받아 부도를 막았다. 내부적으로 168조원의 공적자금을 조성하여 구조조정에 썼다. 우리 국민은 외채를 내손으로 갚겠다며 금 모으기 운동을 벌였다. 3년 8개월의 고난 끝에 한국은 IMF 자금차입을 조기에 상환하고 경제주권을 되찾았다. 그러나 IMF 외환위기의 피해여파는 끝나지 않았다. 1997년 12월 우리 경제가 IMF 구제금융체제에 들어간 후 주가가 하락하기 시작하여 1998년 5월 종합주가지수가 270선까지 떨어졌다. 그러자 IMF가 요구한 자본자유화 조치에 따라 들어온 외국자본이 주요기업의 지분 50%이상을 헐값에 사들이는 기업사냥을 벌였다. 우리나라 대표적인 기업인 삼성전자의 외국자본 지분은 70%에 달했고 대표은행인 국민은행의 외국자본 지분은 무려 85%나 됐다.

주식회사 대한민국이 외국자본의 지배에 들어갔다. 외국자본의 압박 하에 기업들이 강력한 구조조정 정책을 펴자 주가가 치솟아 종합주가지수가 2007년 10월 2000선을 넘었다. 외국자본이 차익을 독차지해 국부의 대규모 유출을 허용했다.

IMF위기 이후 한국경제는 산업구조를 근본적으로 바꾸고 지속적으로 성장동력을 창출하는 체제를 구축하는데 실패했다. 구조조정을 강력하게 하라는 IMF의 요구에 따라 김대중 정부는 우리나라 3대 재벌그룹의 하나였던 대우그룹을 공중분해 시켰다. 1967년 설립된 대우실업을 필두로 대우건설, 대우증권, 대우전자, 대우조선, 대우자동차 등 굴지의 기업들을 일으키며 세계경영을 선언하고 해외시장을 공략했던 재계 2위의 재벌그룹이 IMF위기 앞에 무릎을 꿇고 허무하게 몰락했다. 대우그룹이 쓰러진 결과 한국의 산업구조는 나머지 재벌그룹이 나눠 먹기식으로 재편하면서 기업의 경제력 집중이 더욱 심해졌다.

김대중 정부는 IMF위기로 황폐화한 한국경제의 새로운 성장동력으로 '정보통신산업'을 적극 육성했다. 정보통신산업은 빠른 속도로 발전하여 IMF위기 극복에 기여했다. 그러나 무분별한 정부지원과 기업들이 난립함에 따라 거품으로 들떴다. 정보통신산업의 거품이 꺼지자 한국경제는 다시 성장동력을 잃었다. 조선, 해운, 전자, 철강 등 대기업들이 이끄는 주요산업의 부실이 드러났다. 중소기업은 빈사상태에 빠졌다. 경제가 성장동력을 잃어 잠재성장률이 빠른 속도로 떨어졌다. IMF위기 이전 8%를 넘던 잠재성장률이 5%대 이하로 떨어졌다. 경제가 고용창출 능력을 잃기 시작했다.

IMF는 구제금융의 조건으로 강력한 구조조정을 요구했다. 시장원리에 따라 부실한 기업과 금융기관을 정리해야 한다는 신자유주의 논리였다. 1980년대 본격적으로 시작된 신자유주의는 경제가 전적으로 시장기능에 의해 움직여야 한다는 시장근본주의다. 자유화와 세계화를 추구하고 정부개입과 규제를 최소화함으로써 적자생존의 경쟁과 효율의 극대화를 기본이념으로 한다. 재벌기업 중심의 성장으로 인해 가뜩이나 경제력 집중이 심한 상태에서 IMF의 신자유주의 구조조정 요구는 자연히 '경제와 사회의 양극화'를 불러왔다.

IMF 사태가 빚은 중소기업과 자영업 붕괴, 실업자 급증, 비정규직 양산, 가계부채 증가 등은 소득분배를 급속도로 악화하고 삶의 질을 떨어뜨렸다. 1997년 IMF위기가 오기 전 상위 20% 계층의 평균소득을 하위 20% 계층의 평균소득으로 나눈 '소득5분위 배율'은 4.0미만 이었다. IMF이후 이 배율이 급격히 상승해 1998년 4.5배로 오르고, 이후 계속 상승해 2010년대 들어서는 5.0을 훌쩍 넘었다. 경제와 사회가 양극화의 덫에 걸려 갈등과 분열이 큰 구조로 바뀌었다.

IMF위기의 씨앗 [13)

세 계적으로 유래를 찾기 힘들 정도의 고도성장을 자랑하던 우리경제가 갑자기 IMF위기를 맞은 근본적 원인은 무엇인가?
IMF위기의 씨앗은 바로 '개발독재'였다. 박정희 정부의 경제개발정책은 우리 국민을 빈곤에서 벗어나게 했다는 면에서 공이 크다. 그러나 자본주의 시장경제는 민주주의와 함께 발전해야 올바르게 발전하고 지속이 가능하다. 박정희 정부의 경제발전은 정치적으로 민주주의를 파괴하고 경제적으로 재벌 독과점체제를 만들었다. 따라서 정치는 항상 국민의 저항을 받고 경제는 자생적으로 발전할 수 있는 시장기능을 기르지 못했다. 국가가 정치적으로 불안하고 경제발전의 위험도가 높아 나라가 언제든지 위기에 처할 수 있는 구조였다. 이런 견지에서 IMF위기는 예견된 것이나 다름없었다.

아무리 개발독재라 해도 박정희 정부의 경제업적은 다음과 같은

---

13) 이필상, "박정희 개발독재는 시장경제발전의 암세포", 신동아, 2000. 12. 참조

이유로 부정하기 어렵다. 첫째, 박정희 정부는 6.25전쟁을 거치며 암울한 폐허 속에서 극도의 가난에 시달렸던 국민들을 구제할 길을 열었다. '하면 된다'라는 긍정적 희망을 국민에게 안기고 새마을 운동을 벌이며 그토록 어려웠던 보릿고개를 극복했다.

둘째, 박정희 정부는 경제발전의 개척자 정신을 발휘했다. 박정희 정부는 산업발전의 대동맥으로 경부고속도로를 건설했다. 건설비용이 1년 동안 국가예산보다 많았다. 공사기간 중 수백 명의 사상자를 냈다. 수많은 반대여론을 무릅쓰고 끝내 완공함으로써 우리도 해낼 수 있다는 자신감을 불어넣었다. 셋째, 우리 경제가 상상하기 어려웠던 수출입국을 이뤘다. 국토는 좁을지라도 경제영토는 전 세계가 될 수 있다는 가능성을 열었다. 가발, 합판 등 경공업으로 수출을 시작해 철강, 자동차, 조선, 화학 등 중화학공업을 일으켜 우리 경제가 세계적으로 도약하는 발판을 만들었다.

문제는 이러한 경제업적 뒤에 개발독재의 폐해가 독버섯처럼 자란 것이었다. 첫째, 박정희 정부는 우리경제의 가장 큰 해악이 된 '정경유착'이라는 불법체제를 만들었다. 정통성을 결여한 정권과 수단과 방법을 가리지 않고 돈을 벌겠다는 재벌기업들은 공생관계로 결탁하여 정치, 경제, 사회, 문화를 좌지우지하는 지배계층을 형성했다. 나라가 결코 올바르게 발전하기 어려웠다.

둘째, 박정희 정부는 무조건 고속성장을 해야 한다는 이유로 '성장제일주의'를 택했다. 이에 따라 물가가 폭등하고 부동산 투기열풍이 불며 빈부격차가 심화했다. 천민자본주의가 만연해 전통문화가 파괴되고 사회가 타락하는 현상이 나타났다.

셋째, '관치금융'으로 부채경제를 만들었다. 정부로부터 금융특혜를 받은 기업들은 은행돈으로 사업을 벌이다 보니 부채의존도가 절대적이었다. 기업이 어려워지면 한국은행 돈을 풀어 구제금융을 해주기도 했다. 금융특혜를 받은 기업에 자꾸 돈을 대주니 기업들이 빚으로 먹고 사는 공룡으로 변했다.

넷째, '대기업의 경제력 집중'을 유발했다. 재벌기업에 의존한 경제성장을 추진함으로써 중소기업 발전이 미약했다. 중소기업은 영세상태를 벗어나지 못하고 재벌기업의 하청기업으로 명맥을 유지했다. 경제가 자생적인 기술과 상품개발로 대외의존도를 줄이고 국제경쟁력을 키울 수 있는 기반을 갖추지 못했던 것이다.

다섯째, '지역격차'를 낳았다. 경제성장을 수도권과 영남지역을 중심으로 추진해 타 지역과 격차가 커졌다. 농촌경제의 황폐화를 방치해 도농격차도 크게 만들었다. 심화된 지역격차는 지역감정을 일으키며 국민 분열과 갈등을 유발하는 요인으로 작용했다.

마지막으로, '부패공화국'이나 다름없는 나라가 되었다. 정치권력과 재벌기업이 경제를 독점하고 통제해 권력형 부패가 만연했다. 관료주의를 확대하고 규제를 양산해 뇌물이 판치는 사회를 만들었다. 이런 나라에서 어떻게 시장경제가 건전하게 지속적으로 발전할 수 있었겠는가.

박정희 개발독재의 패러다임은 뒤를 이은 정권에서도 바뀌지 않았다. 1979년 박정희 대통령이 서거한 후 들어선 전두환 정부는 오히려 독재체제를 강화했다. 이에 따라 경제의 정경유착 체제는 악화됐다. 노태우 정부로 넘어가면서 개발독재의 병폐는 더 깊어졌다. 각각

1조원이 넘는 것으로 추정되었던 전두환과 노태우 두 전직대통령의 비자금은 모두 피와 같은 국민의 돈이었다. 집권자들이 재벌보다 더 심한 악덕 재벌이었던 것이다.

문민정부인 김영삼 정부가 들어서자 개발독재의 패러다임이 바뀔 것이라는 기대가 컸다. 그러나 과거 정권의 뿌리를 이은 정치체제 속에서 관료주의의 구태는 여전했다. 금융실명제라는 개혁도 경제를 근본적으로 바꾸기에는 역부족이었다. 결국 김영삼 정부는 경제정책이 실패의 나락으로 떨어지는 것도 모르고 OECD가입의 환상에 빠져 IMF위기라는 미증유의 국난을 불러왔다.

4 외국자본의 전횡

IMF개혁의 모순

IMF 위기를 맞은 우리경제는 그야말로 침몰하는 난파선과 같았다. 외환보유액이 동나 국가가 부도상태이고 부실투성이 금융기관과 기업들이 한꺼번에 무너져 경제의 앞날이 캄캄했다. IMF 구제금융으로 파국은 겨우 면했지만 결코 위기가 끝난 것이 아니었다. 바로 닥친 문제가 우리경제의 주권상실로 인한 '경제의 외국자본 지배'였다.

IMF 위기를 극복하기 위해서 가장 절박했던 것이 올바른 구조개혁이었다. 그런데 김대중 정부의 구조개혁은 경제를 근본적으로 살리는 것이 아니었다. 오히려 외국자본의 횡포로 불안을 가중해 경제를 더 쓰러뜨리는 부작용을 낳았다.[14] 김대중 정부는 IMF가 구제금융을 대가로 제시한 요구사항을 무비판적으로 수용했다. 김영삼 정부 때 약

---

14) 이필상, "IMF 졸업은 했다지만…", 세계일보, 2001. 8. 29. 참조

속한 합의내용 때문에 어쩔 수 없었다. IMF가 외국자본 유입을 위해 요구한 고금리 정책은 시중금리를 30%이상으로 올려 그렇지 않아도 부도위험이 높은 기업들을 사지로 내몰았다. 기업과 금융기관들이 줄 줄이 흑자도산15)하고 주가는 폭락했다.

자연히 경기는 극도로 악화되었다. 뿐만 아니라 IMF요구에 따라 경제를 완전 개방하자 외국자본이 물밀듯이 밀려들면서 헐값에 마구 잡이로 기업사냥을 시작했다. 종합주가 지수가 270선까지 떨어진 상 태에서 삼성전자, POSCO, SK텔레콤, 국민은행, 주택은행 등 우리 나라 대표적인 기업과 금융기관들의 지분 절반 이상이 외국자본 손 에 넘어갔다. 구조개혁이 경제를 살리는 것이 아니라 외국자본에 넘 겨주는 모순을 낳았다.

이 과정에서 김대중 정부는 경제의 안방인 금융마저 외국자본에 내줄 수밖에 없었다. 당시 대표적인 우량은행인 국민은행과 주택은행 을 합친 합병은행의 외국자본 지분은 60%나 됐다. 최대 주주인 미국 의 골드만삭스와 네덜란드의 아이엔지가 마음만 먹으면 언제든지 경 영권을 차지할 수 있었다. 제일, 외환, 한미, 하나은행도 외국인이 최 대 주주였다. 이때부터 우리나라 은행산업은 사실상 외국자본 수하에 들어갔다.

외국자본의 유치는 원래 우리나라 금융산업의 회생과 발전을 위한 것이었다. 외국자본을 효과적으로 유치할 경우 외국자본은 부실채권 을 해소하고 구조조정을 추진해 부도위기에 처한 국내 금융산업을

---

15) 영업실적이 좋고 재무상으로도 문제가 없어 언뜻 보기엔 건전 경영을 하고 있는 기업이 갑자기 자금변통이 안되어 부도가 나는 것을 말한다.

회생시키는데 활용될 수 있다. 또 금융산업의 시장원리를 정착시키고 선진금융기법을 전수해 금융산업의 경쟁력을 강화할 수 있다. 더 나아가 우리 힘으로 어려운 관치금융을 타파하고 투명하며 자율적인 금융산업발전을 유도할 수 있다.

그러나 이러한 효과는 희망사항일 뿐이었다. 우리경제가 외국자본을 효과적으로 이용할 능력이 없어서 오히려 외국자본은 우리경제를 먹이희생물로 만드는 독약과 같은 기능을 했다. 아무리 좋은 보약이라고 환자가 보약을 소화할 수 있는 능력이 없으면 독이 되는 것과 마찬가지인 현상이 나타난 것이다.

외국자본의 본색은 다른 나라 금융산업과 경제를 발전시키는 것이 아니라 최단 시일 내에 최대 이익을 가져가는 단기이익 극대화가 목표다. IMF의 개혁정책을 빌미로 우리나라에 밀려들어온 외국자본은 쓰러지는 기업과 금융기관들을 사냥하는 '하이에나 자본'의 성격을 띠었다. 국내 금융산업과 경제를 지배해 산업을 고사상태로 만들고 국부를 대량으로 유출하는 펌프나 다름없었다. 제일은행의 희생이 대표적인 경우였다. 정부는 제일은행의 부도를 막기 위해 17조원의 공적자금을 투입했다. 그리고 단돈 5천억 원에 미국의 뉴브리지 캐피털에 넘겼다. 이후 제일은행은 철저한 이익추구 원칙에 따라 은행원들을 대거 해고하는 구조조정을 실시하고 소비자들을 대상으로 단기 고금리 대출에 치중했다.

우리나라 기업회생과 경제회복은 안중에도 없었다. 게다가 높은 수준의 보수와 스톡옵션 제공 등으로 국민의 피와 같은 공적자금을 가지고 돈 잔치를 벌였다. 여기서 더 큰 문제는 강력한 구조조정과 고금리 대출로 주가가 올라가면 지분을 팔고 철수하는 것인데, 그러면 우리경제는 외국자본에 의해 농락을 당하고 속이 텅 빈 도넛과 같은 '공동화 현상'16)을 겪게 되는 것이다. 그 결과 제일은행, 외환은행 등 주요은행들이 거래대상이 되어 다른 자본에 넘어갈 때마다 대규모의 국부유출이 일어났다.

외국자본의 금융산업 지배에 따른 피해는 국부유출로 끝나지 않았다. 단기적 투기이익을 추구하는 외국자본이 금융산업을 지배할 경우 정부의 경제정책과 전략은 무력화할 수밖에 없다. **특히 국가부도나 경제공황 같은 국가적 위기상황에서 이들이 정보를 독점하고 이익을 극대화하면 국가의 안보까지 위협을 받는다.**

1998년 말 김대중 정부는 경기부터 살리자는 정치논리에 밀려 중도에 우리경제가 필요한 실질적인 구조개혁을 중단하고 공적자금을 본격적으로 투입하는 팽창정책을 폈다. 이에 따라 1998년 -5.5%였던 경제성장률이 1999년 10.9%로 상승했다. 경쟁력 회복이라기보다는 돈으로 들뜬 '거품 회복'이었다. 1998년 9월 310선에 머물던 종합주가지수가 1999년 12월 1,028까지 치솟았다. 외국자본에게 잔칫상을 차린 셈이었다.

모든 피해는 고스란히 국민의 몫이었다. 더구나 국민들은 일자리가 부족해 생계기반까지 위협을 받았다. 평생고용의 개념이 사라지고 언제 쫓겨날지 모르는 임시직과 계약직이 절반을 넘었다.

---

16) 공동화현상(空洞化現象): 도넛처럼 외향은 있으나 속이 비어 있는 사회 경제적 상황으로 '도넛현상(Doughnut phenomenon)'이라고도 한다.

공적자금의 돈잔치[17]

구조개혁을 빌미로 외국자본이 공적자금을 빼가는 일은 용납하기
어려운 일이었다. 더 큰 문제는 우리나라 정부 공무원과 기업주,
금융기관 임직원들의 도덕적 해이와 집단이기주의가 심했다는 것이다.
공적자금을 투입한 은행들은 책임을 면하기에 급급하고 횡령까지 서슴지
않았다. 재벌기업들은 개혁을 거부하고 정부는 관료주의 철옹성을 지키며
책임을 회피했다.

2001년 11월 감사원이 밝힌 특별감사 결과에 따르면 정부 잘못으
로 11조원의 공적자금을 과다 집행했다. 또 기업과 금융기관 부실
책임자들이 7조원 이상의 재산을 은닉하거나 해외로 빼돌렸다. 그러
나 이것은 빙산의 일각일 뿐 비리의 실체가 얼마나 큰 것인지 가늠
하기조차 어려웠다.

이 와중에 일부 정부 공무원들은 공적자금을 밑 빠진 독에 물 붓
기 식으로 배분하고 부실기업주와 금융기관 임직원들은 거액의 회사
자금을 빼돌리며 호화소비를 일삼았다. 심지어 기업과 금융기관은 줄
줄이 쓰러지는데 이들은 주식과 부동산을 그대로 보유한 채 호의호
식하며 골프치기에 바빴다.

산더미 같은 부실채권에 눌려 기업과 금융기관이 동반 붕괴하는
긴박한 상황에서 국민들은 피를 토하는 극난의 고통에 절규했다. 직
장과 재산을 한꺼번에 잃고 거리를 헤매야 했다. 그래도 경제를 살리
고 나라를 살려야 한다는 절박한 마음에 대대로 물려받은 결혼예물
이나 자녀 돌 선물로 받았던 금붙이까지도 모두 들고 나왔다.

17) 이필상, "'공자금 도둑', 일벌백계를", 동아일보 2001. 12. 3. 참조

그럼에도 불구하고 정부와 기업, 금융기관들의 도덕적 해이는 끝이 없었다. 공적자금 투입과 관련해서 이들의 파행적 행태는 끝도 없이 이어졌다. 대표적인 예가 대우그룹에 대한 지원이었다.

외환위기를 불러온 대표적인 재벌그룹이 대우였다. 그러면 무엇보다 먼저 대우그룹에 대한 과감한 구조조정을 먼저 서둘러 실행한 뒤 필요한 공적자금을 신속하게 투입해야 했다. 그것이 대우그룹도 살고 경제도 사는 길이었다. 그러나 정부와 금융기관들은 대우그룹의 구조조정은 미룬 채 자금을 계속 지원했다. 정부와 금융기관의 이와 같은 정책은 대우그룹의 부실을 대규모로 키웠다. 결국 대우그룹의 부실을 확대재생산 해 병든 공룡으로 만들었고, 1999년 IMF의 압박 하에 대우그룹은 부도처리 됐다.

이렇게 되자 금융기관들이 다시 부도위기에 처했다. 그동안 투입한 공적자금은 허공으로 날아갔다. 이후 정부는 예금보험대상도 아닌 대우채를 환매하는데 18조원의 자금을 지원하는 등 공적자금 투입을 계속했다.

IMF위기를 초래한 원인제공자들에 대한 단죄는 없었다. 국민들만 경제를 쓰러뜨리지 않기 위해 공적자금을 끝도 없이 퍼부어야 하는 덫에 걸렸다.18) 우선 부실기업주에 대한 처벌이 유명무실했다. 기업이 부도가 임박하면 기업주나 채무관계자들은 재산을 가족에게 가등기하거나 증여하는 방법으로 재산을 빼돌리는 경우가 흔했다. 또 유령회사나 제3자를 통해 재산을 해외로 도피시키기도 했다. 심지어 법정관리를 신청하고는 공금을 횡령하는 경우도 있었다. 이 과정에서

---

18) 이필상, "'공자금 도둑', 일벌백계를", 동아일보, 2001. 12. 3. 참조

금융기관 관련자들이나 정부당국자들은 채권보전 조치조차 취하지 않은 것이 보통이었다.

한편 IMF위기를 초래하고 경제를 공적자금을 먹는 블랙홀로 만든 정책당국자와 금융기관 임직원에 대한 책임 추궁 역시 없었다. 한빛은행, 평화은행 등 6개 부실은행에 8조 3천억 원의 공적자금을 투입해서 허공에 날린 후 소액주주들의 주식을 100% 소각하면서도 책임지는 사람이 하나도 없을 정도였다.

의무와 책임이 필수적인 자본주의 시장경제에서 경제가 위기에 처해 공적자금을 투입할 때 책임자들에 대한 확고한 징계와 재발방지 대책 마련은 당연한 일이다. 특히 경제정책의 책임을 지고 있는 공직자들에 대한 책임은 분명히 밝혀야 했다. 경제를 무너뜨리고 국민을 도탄에 빠뜨린 정부가 아무런 책임을 지지 않는 것은 언어도단이다. 더구나 외국자본에 맹목적인 저자세를 취하며 금융기관과 기업을 헐값에 매각하고 공적자금을 마음대로 투입하는 일을 방치하면 절대 안 되는 일이었다.

미국 정부는 1980년대 말 저축대부조합이 부도위기에 처하자 2,227억 달러의 공적자금을 투입한 바 있다. 공적자금을 투입하자마자 연루자 5,500명을 법정에 세워 가혹한 처벌을 내렸다. 여기에는 관련 공무원은 물론 변호사, 회계사들도 포함했다. 미국정부는 과감한 구조조정을 실시하고 철저한 회수대책을 마련해 61.2%의 자금을 회수했다.

외국자본에 예속된 증권시장[19]

IMF의 요구로 금융시장이 열려 외국자본이 대거 들어오자 증권시장이 국부유출의 통로로 작용했다. 외국자본이 주식을 사면 무조건 주가가 오르고 팔면 순식간에 떨어졌다. 2002년 4월 말 주가지수 900선을 넘기며 기염을 토하던 증권시장이 3일 만에 주가지수가 830선으로 떨어지는 곤두박질 장세를 기록한 바 있다. 이유는 외국인 투자자들이 주식을 팔아 6천억 원이 넘는 이익을 취했기 때문이었다.

같은 해 5월에는 워버거라는 스위스계 증권회사가 삼성전자에 대한 기업보고서를 사전에 유출해 증권시장이 크게 흔들린 바 있다. 외국계 증권회사의 말 한마디에 증권시장이 극과 극을 오갔다.

증권시장은 자본주의의 심장이다. 증권시장은 기업의 가치를 평가하고 투자에 필요한 자금을 조달하는데, 수익성이 높고 경쟁력이 있는 기업은 계속 성장해 발전하게 만들고 그렇지 못한 기업은 도태의 길을 걷게 만든다. 적자생존의 시장논리를 적용해 건전한 경제성장을 이끄는 역할을 한다. 또한 증권시장은 국민에게 기업소유와 투자기회를 제공한다. 이에 따라 경제성장의 과실을 국민에 공평하게 배분한다. 기업과 국민의 투자의욕을 고취시켜 경제를 발전시키는 시장의 기능을 하는 것이다.

이러한 증권시장이 외국자본의 지배를 받으면 경제가 발전의 대상이 아니라 먹이의 대상이 될 수 있다. 증권시장이 외국자본의 투기와 국부유출의 메커니즘으로 변질되기 때문이다.

그러잖아도 증권시장의 발전이 낙후해 기능이 미흡한 상태에서

---

19) 이필상, "한국경제 속 빈 강정 우려", 한국일보, 2002. 5. 21. 참조

IMF위기 이후 외국자본이 몰려오자 곧바로 외국자본의 기업사냥과 투기놀이터로 전락했다. 시가총액 비중으로 외국인 투자가 차지하는 비중이 35%를 넘었다. 외국인 투자자들은 막강한 자금력과 정보력을 갖고 있어 언제든지 증권시장을 조작할 수 있는 시장지배력을 갖고 있었다. 더욱이 뛰어난 투자기법과 연구조사 능력을 갖고 있어 국내 투자자들이 당해 낼 도리가 없었다.

국내 투자자들은 요행을 쫓아 투자를 하다가 손해를 보는 경우가 대부분이었다. 또 외국인을 따라 추격매매를 하다가 스스로 재산을 넘겨주는 일도 허다했다. 이 과정에서 기업들은 속이 비어 무너지거나 통째로 외국자본에 넘어가기도 했다. 외국자본이 증권시장을 주도함에 따라 우리나라 증권시장은 더욱 투기판으로 변했다. 주가가 오름세를 보이면 묻지마식 투자가 줄을 이었고 주가가 내리면 투매가 성행했다. 코스닥 시장에서는 일확천금을 꿈꾸는 투자자들이 죽기 아니면 살기의 러시안 룰렛 게임을 벌이기도 했다. 급기야 코스닥 시장은 정부의 무모한 지원책으로 지하음성자금이 주도하는 벤처기업들의 도박시장으로 변했다. 벤처기업으로 등록만 하면 폭리를 취할 수 있는 여건이 조성됨으로 인해 벤처기업 자체가 투기 상품이었다.

IMF사태는 한국 금융시장에서 '유사금융'이 판치는 부작용도 낳았다. 은행이나 종합금융회사가 무더기로 퇴출당하자 중소기업이나 자영업자들이 자금을 조달하기가 극히 어려웠다. 이런 상황에서 고금리 대출로 급성장을 한 유사금융업체가 '파이낸스사'들이다. 파이낸스사는 투자자의 출자금을 운용해 이익을 벌어 배당을 하는 회사다. 그러나 중소기업과 자영업자들이 급전을 필요로 하자 이들을 대상으로 고금리의 수신, 대출, 어음할인 등 금융기관 업무를 편법으로 했다. 파이낸스사는 법적으로 금융감독원의 감시, 감독대상이 아니다. 또 투자형식으로 자금을 조달하기 때문에 예금보호 장치도 없다. 당연히 금융사고의 소지가 컸다.

1999년 9월 국내 최대 규모의 파이낸스사였던 삼부파이낸스가 고객의 투자자금을 횡령해 수천억 원대의 비자금을 만들고 이를 회장 개인용도로 착복한 사건이 드러났다. 비자금 중 일부를 정치자금으로 제공한 혐의도 받았다. 가뜩이나 공신력이 떨어지는 금융시장이 크게 흔들렸다. IMF위기가 진정되면서 시장금리가 30%대에서 10%대로 떨어졌다. 그러자 연금리 20-30%의 수익률과 원금보장을 내세워 투자자금을 모았던 파이낸스사들이 줄줄이 부도위기를 맞았고 금융시장을 혼란에 빠뜨렸다. 금융시장을 불안하게 만든 유사금융업체는 파이낸스사뿐만이 아니었다. 유사투자자문업체, 렌털사, 상조회사 등이 우후죽순 생겨나 언제 무슨 사고가 터질지 몰랐다.

경제를 무너뜨리고 IMF사태를 유발한 근본원인이 금융기관의 부실이었다. IMF사태와 구조개혁은 그 기대효과와 달리 거꾸로 우리나라 금융산업을 더 부실하게 만드는 역설을 낳았다.

2000년대 들어 중국경제가 본격적으로 성장하기 시작했다. 기업들의 분위기가 바뀌었다. 국내기업들이 국내투자를 줄이고 중국시장 진출을 서둘렀다. 당시 상공회의소 조사에 따르면 국내기업의 68%가 공장을 중국 위주로 해서 해외로 이전할 계획이라고 밝혔다. 사실상 우리경제의 생산거점을 중국에 빼앗기기 시작했다. 산업현장이 공동화의 불안에 휩싸였다. 우리나라 증권시장은 만신창이가 되어 국내투자와 산업발전을 올바르게 유도하지 못했다.

한국은행의 무력화[20]

정경유착의 틀 안에서 이뤄진 관치금융은 IMF위기를 불어온 주요 원인이다. 그러나 막상 IMF위기가 터져 경제가 파탄을 겪어도 관치금융을 개혁하려는 노력은 없었다. 금융시장이 전면적으로 개방된 상태에서 기존의 관치금융체제를 그대로 유지해 금융통화정책을 통제하고 금융자율화를 막는 것은 금융기관의 손발을 묶어 경제를 외국자본의 희생물로 만드는 것과 마찬가지다.

우선 문제가 되는 것이 해외 투기자본의 유출입으로 인해 한국은행의 통화정책기능이 무력화되는 것이다. 그렇게 될 경우 물가, 금리, 환율의 변동이 예측불허의 불안을 야기함으로써 경제가 투기거품에 빠져 방향감각을 잃을 수 있다. 멕시코 경제가 1994년 OECD가입 후 붕괴한 것은 바로 이러한 '악성 메커니즘'에 의한 것이었다.

한국은행은 1962년 군사정부에 의해 재무부의 산하기관으로 예속된 이후 물가안정이라는 고유기능을 상실했고 정치논리에 따라 통화를 증발하는 권력의 사금고로 전락했다.

정치적 불안이 계속된 1960년대 초부터 1990년대 초까지 30년간 우리나라 평균경제성장률은 8.6%인 반면 통화증가율은 29.8%나 됐다. 단순한 논리로 설명하면 돈을 필요한 깃보다 3배 이상 풀었다는 뜻이다. 이렇게 되자 경제는 기득권 중심으로 발전하고 일반 서민들은 물가상승을 떠맡는 모순이 발생했다. 서민들의 피해는 이것으로 끝나지 않았다.

부동산 가격이 물가의 3배 이상 올라 내 집 마련의 꿈을 잃어야

---

20) 이필상, "왜 '한은 독립'인가", 한겨레, 1994. 12. 21. 참조

했다. 이로 인한 상대적 박탈감은 사회를 빠른 속도로 양극화시키면서 황폐하게 만들었다. 빈곤층의 불만이 곳곳에서 쌓이는 가운데 가진 사람들에 대한 증오와 세상에 대한 혐오가 커지고 이에 따른 분열과 갈등, 그로 인한 사회범죄가 양산되었던 것이다.

발권력을 가진 중앙은행이 정치권력에 예속되는 것이 경제와 사회를 유린한다는 차원에서 얼마나 위험한 짓인가를 뼈아프게 경험했다. 그런데 문제는 이것으로 끝나지 않았다. 정치권력의 중앙은행 지배는 경제발전 측면에서 심각한 왜곡을 가져왔다. 정부는 금융통화정책을 정치수단으로 이용해 재벌기업 등에 집중적으로 지원했는데 이에 따라 경제력 집중과 경제불균형이 심화했다.

특히 경제성장의 저변을 이루는 중소기업발전을 빈사상태로 만들어 경제를 하부구조가 부실한 기형으로 만들었다. 경제가 외형적으로 성장률은 높았으나 점차 국제경쟁력 제고에 한계상황을 맞았다. 게다가 IMF사태가 터진 후 금융시장이 개방됨에 따라 외국자본의 대량유입으로 인한 통화 폭증이 수시로 나타날 수 있는 구조로 바뀌었다. 한국은행의 개혁 없이는 국민재산을 지키고 경제를 건전하게 발전시키는 것이 극히 어려웠다.

금융개혁의 후퇴

IMF사태 후 우리경제에 반드시 취해져야 했던 것은 '금융시장 개혁'이다. 우리나라는 한국은행 총재를 비롯해 주요 금융기관 임원에 대한 인사권을 정치권력이 통제하고 있다. 주요 금융기관 임원이 되기 위해선 정치권력의 하수인이 되지 않으면 어려운 것이 부정할 수 없는 사실이다. 정부의 뜻에 따라 한국은행이 발권력을 동원하고 금리를 조정하는 것이 보통이다. 일반 은행과 금융기관들은 모든 금융상품과 금융거래에 대해 인가와 허가를 받아야 함은 물론 상시적인 감시와 감독을 받는다. 정치권력이나 정부의 뜻과 다르거나 비위를 거스르면 가차 없이 제재를 받는다. 금융제도 자체가 범법조직의 성격을 띠고 있는 것이다.

금융에 대한 권력의 지배를 거부하며 국민의 재산을 지키고 경제를 건전하게 발전시킨다는 차원에서 통화를 발행하고 자금흐름을 유도하는 '금융제도의 자율화'가 절실했다. 그러나 IMF 사태 이후 위기 극복을 기화로 금융개혁은 거꾸로 방향을 틀었다.

특히 금융감독기구가 비리의 온상으로 변질했다.[21] 2000년 10월 정현준 게이트 사건이 터져 세상을 떠들썩하게 했다. 한국디지털라인 정현준 사장과 동방금고 이경자부회장 등이 수백억 원의 금고 돈을 횡령하는 과정에서 금융감독원, 검찰간부, 정치인 등이 개입했다는 의혹이 제기된 사건이었다. 사건의 열쇠를 쥔 금융감독원 간부는 도피생활을 하다가 목숨을 끊었다.

이 사건은 금융시장을 감시, 김독하는 금융감독원이 부정부패의 당사자가 되었다는 면에서 문제의 심각성이 컸다. 경제는 IMF사태로 인해 파국을 맞았는데 금융감독원까지 불법에 결탁해 대형 권력형 비리인 정현준 게이트 사건이 발생한 것은 용납될 수 없는 일이었다.

---

21) 이필상, "금융감독체제 개편 급하다", 동아일보, 2000. 10. 30. 참조

금융감독은 IMF사태의 원인인 권력형 비리와 불법금융거래를 막는 기본적인 장치다. IMF사태 이후 정부가 금융시장을 개방해 외국자본의 불공정한 기업사냥과 투기거래가 만연했는데 이를 막을 금융감독체제의 개혁이 없었다. 그러자 **정치권과 관료체제가 과거의 관치금융체제를 유지하며 비리와 불법의 주체로 남고 여기에 외국자본이 무소불위의 힘을 가진 큰 손으로 합류한 사태만 초래했다.**

금융감독원은 1998년 효과적인 금융시장의 감시와 감독을 위해 은행감독원, 증권감독원, 보험감독원, 신용관리기금 등 4개 감독기관을 통합해 만든 '공적 감독기관'이다. 당시 출범한 통합 금융감독원은 정부가 중립성과 자율성을 부여하지 않아 오히려 구조적 병폐인 관치금융을 강화하는 권력기관으로 제도화한다는 비판이 많았다.

이러한 금융감독체제의 개악(改惡)은 권력유지를 위해 돈 줄을 놓을 수 없다는 정치논리가 작용했다. 결국 통합 금융감독원은 금융감독의 역할이 아니라 관치금융을 관리하는 권력기관으로 군림하다가 출범 2년도 안 되어 정현준 사건이 터짐으로써 권력형 비리의 온상으로 변질했음을 스스로 보였다. 이후 저축은행들이 권력형 비리로 파산하는 등 대형 금융사고들이 꼬리를 이어 터져 나왔다.

경제가 IMF위기에 빠지게 받게 된 것에 대해 기본적으로 정경유착 하에서 관치경제를 고수한 정부의 책임이 컸다. 1997년 외환위기가 터지기 1년 전만 해도 OECD가입과 함께 선진국 진입을 자랑하던 우리경제가 부도위기에 처했다. 실로 국민의 분노, 좌절, 그리고 허탈로 인한 참담함은 이루 말할 수 없었다.

경제가 IMF위기에 처해 걷잡을 수 없는 상태로 치닫는 와중에도 정부는 안일한 태도를 보였다. 심지어 외환보유액을 부풀려 발표하고 IMF구제금융이 필요 없다는 거짓말까지 했다. IMF위기가 경제를 휩쓸고 난 후 외국자본은 물밀듯이 들어오는데 금융기관과 기업들은 다시 거미줄처럼 쳐진 정부규제의 망에 묶여 옴짝달싹도 못했다. 그러나 정부의 반성과 개혁은 없었다.22)

---

22) 이필상, "정부잘못 스스로 반성부터", 동아일보, 1997. 12. 3. 참조

5 성장동력의 상실

정치이념의 덫

I MF위기를 벗어난 이후 한국경제는 또 다른 암초를 만났다. 바로 보수와 진보라는 '정치이념의 덫'이다. 보수정권은 '성장', 진보정권은 '분배'라는 2분법이 경제정책의 성격을 좌우했다. '경제정책의 양분현상'은 IMF위기 이후 두드러졌다. 김대중 정부와 노무현 정부는 복지를 중시하여 '분배정책'을 강조했다. 이명박 정부와 박근혜 정부는 낙수효과를 추구하며 '성장정책'에 치중했다.

문재인 정부는 작은 정부가 선이라는 것은 고정관념이라고 비판하며 국가예산으로 일자리를 만들고 소득을 지원하는 '분배정책'을 집중적으로 펴고 있다. 이렇듯 정권이 바뀔 때마다 추구하는 이념에 따라 정책기조가 바뀌고 시장기능이 위축한 결과 우리경제가 성장동력을 잃게 된 것이다.

김영삼 정부 때 7.8%였던 연평균 경제성장률이 김대중 정부 때 5.3%였다. 물론 김대중 정부 때는 IMF위기 때문에 경재성장률이 높게 나오기 어려웠다. 문제는 다음 정부부터 경제성장률이 수직 하강한 것이다. 노무현 정부 때 4.5%로 떨어진 연평균 경제성장률이 이명박 정부 때는 3.2%로 다시 떨어졌다. 박근혜 정부 때는 더 떨어져 2.9%를 기록했다. 그리고 문재인 정부 기간 연평균 경제성장률은 1%대를 지키기 어려울 전망이다. 전혀 예상치 못한 '코로나19'사태까지 맞은 상황이라 마이너스 성장률을 기록할 것이라는 비관론도 만만치 않다.

민주적 시장경제

김대중 정부 본연의 경제정책 기조는 '민주적 시장경제'였다. 과거의 독재개발과 성장제일주의에서 벗어나 민주화에 입각한 경제발전을 이루겠다는 새로운 경제정책의 이념이었다. 따라서 재벌개혁, 중소기업 육성, 실업 감소 등이 주요 경제정책 내용이었다. 그런데 김대중 정부의 민주적 시장경제가 IMF의 기본 정책기조인 신자유주의의 지배를 받아 변질했다. 즉, 재벌개혁과 산업구조조정이 한국경제를 위한 것이 아니라 외국자본을 위한 정책으로 변하고, 노동정책은 근로자를 보호하는 것이 아니라 근로자를 희생시키는 정책으로 바뀐 것이다. 이 과정에서 김대중 정부가 강조했던 중소기업 육성은 설 땅이 없었다. 김대중 정부로서는 받아들이기 어려운 정책이었으나 경제주권을 빼앗긴 상태라 도리가 없었다.

IMF위기 극복 이후 김대중 정부는 원래의 기조대로 '민주적 시장 경제정책'을 추진했다. 대표적인 정책이 정보통신(IT), 바이오(BT), 나노(NT) 등 미래산업을 집중적으로 발전시키고 경제성장동력의 원천으로 중소기업과 벤처기업을 적극적으로 육성한 것이었다. 이외에도 김대중 정부는 '노사정위원회'를 만들어 노사관계를 발전시키고 비정규직을 도입해 노동시장 유연성을 높이며 실업을 줄이는 정책을 폈다. 더 나아가 복지정책을 강화해 빈곤계층을 돕는 '국민기초생활보장법'을 만들고, 의무교육을 강화해 중학교 의무교육도 실시했다.

김대중 정부의 경제정책은 IMF위기 극복이라는 절체절명의 과제를 수행하고 IMF 구제금융을 상환해 경제주권을 되찾았다는 차원에서 이론의 여지가 없다. 그러나 부정적인 측면도 적지 않았다.

첫째, 재벌개혁이 문제였다. 기본적으로는 IMF의 신자유주의를 기조로 해 재벌개혁을 추진한 결과 오히려 삼성그룹, 현대자동차그룹, SK그룹 등을 중심으로 경제력 집중이 심화되었다. 새로운 재벌경제체제 하에서 중소기업과 벤처기업의 육성도 한계가 있을 수밖에 없었다. 내부적으로 정보통신, 바이오 등 신산업 발전을 재벌그룹의 계열기업들이 주도함으로써 오히려 재벌기업과 중소기업 및 벤처기업 간의 상대적 격차는 더 커졌다.

더구나 금융개방에 따라 물밀 듯 들어온 외국자본이 주요기업들의 지분을 대거 차지함으로써 경제의 대외 예속성이 높아졌다. 이에 따라 우리나라 증권시장은 외국자본이 수시로 투기행위를 벌이며 거품으로 들뜨게 하고 현금을 빼가는 현금자동지급기로 역할을 했다.

둘째, 투기행위로 말미암아 국내 벤처산업은 사상 유례없는 거품으로 들떴다가 가라앉으며 외환위기로 인해 시름에 빠진 국민들을 연거푸 쓰러뜨리는 부작용을 낳았다.[23] 김대중 정부 때 벤처산업의 발전은 IMF위기를 극복하는데 견인차 역할을 한 것은 사실이다. 그러나 거품붕괴의 후유증이 너무 컸다.

1997년 8월 '벤처기업육성 특별법'이 제정된 이후 미국 실리콘밸리의 벤처열풍에 힘입어 우리나라에도 1998년부터 벤처열풍이 불었다. IMF위기로 기존산업이 붕괴위기를 맞은 상태에서 우리경제가 성장동력을 회복하는데 큰 기여를 하기도 했다. 그러나 곧바로 벤처산업은 '묻지마 투자'가 성행하면서 거품으로 들떴다. 급기야 2000년 3월 벤처기업들의 주식이 거래되던 코스닥시장이 하락하면서 벤처산업은 걷잡을 수 없이 무너졌다. 2005년까지 계속된 벤처산업의 하락은 우리경제에 다시 타격을 가했다.

김대중 정부는 기술신용보증기금을 통해 벤처기업의 채무보증을 하는 등 적극적인 벤처육성정책을 폈다. 그러나 정부의 과도한 육성정책이 도리어 벤처거품을 일으키는 요인으로 작용했다. 김대중 정부의 벤처기업에 대한 지원은 거의 무조건적이었다. 공공자금과 민간자금을 합쳐 10조원 규모의 지원을 했다. 그러자 유사 벤처기업이 우후죽순처럼 일어나 코스닥시장을 도박판으로 만들었다.

2005년 감사원의 감사결과에 따르면 기술신용보증기금은 808개 벤처기업에 총 2조 2천억 원 규모의 보증을 섰으나 이들 기업의 부도 등으로 8천억 원의 손실을 보았다. 기술신용보증기금은 벤처기업

---

23) 이필상, "묻지마 벤처기업 보증", 세계일보, 2005. 6. 24. 참조

을 제대로 평가하지도 않고 보증지원을 한 것이 원인이었다. 808개 지원 기업 중 717개 기업이 올바른 기술평가를 거치지도 않았다. 808개 기업 중 48개 기업은 지원받은 자금을 부동산과 골프회원권 매입, 주식매입 등 사업과 무관한 일에 썼다. 또 31개 기업의 기업주는 부도가 임박하자 소유재산을 매각하고 해외로 도피하는 일까지 벌어졌다.

셋째, 김대중 정부 때 발생한 '신용카드 부실사태'는 가뜩이나 IMF 위기의 후유증으로 어려움을 겪던 경제를 더 불안하게 만들었다. 1998년 출범한 김대중 정부는 소비활성화를 통한 경기부양을 위해 신용카드에 대한 규제를 파격적으로 완화했다. 신용카드사용의 확대는 소비를 활성화하는 효과가 있을 뿐만 아니라 현금거래를 통한 탈세를 막는 일거양득의 효과가 있었다. 1999년 5월 김대중 정부는 신용카드 현금서비스 한도를 폐지해 신용카드를 이용한 현금대출을 자유화했다. 또 6월에는 '신용카드 소득공제제도'를 만들어 신용카드를 많이 사용하면 세금을 감면해 주었다.

실로 더 큰 문제는 카드사들의 불법적인 카드발급을 묵인한 것이었다. LG카드, 삼성카드 등 재벌그룹계열 카드사들끼리 치열한 경쟁을 벌이며 신용카드 발급이 무작위적으로 이뤄졌다. 2000년대 초 카드사들은 주요 거리나 대학가에 가판대를 설치하고 사은품까지 줘가며 카드발급을 종용했다. 누구든 서명만 하면 카드를 발급했는데 일정한 수입이 없는 대학생은 물론, 미성년자인 고등학생까지 카드를 발급받았다. 신용카드를 무제한적으로 발급한 카드사들의 소비조장 광고들이 홍수처럼 쏟아졌다.

국민 중 일부만 사용하던 신용카드가 모든 국민의 필수품으로 인식되었다. 2002년 발급된 신용카드 수가 국민 수의 2배 이상인 1억 장을 넘었다. 청소년들을 포함해 일반 국민들의 무분별한 소비와 현금대출은 도를 넘게 되었다. 외환위기 이후 직장을 잃은 근로자들이 은행대출을 거절당하자 연금리가 30%에 달했던 신용카드 현금서비스를 이용해 생계를 유지하는 일까지 벌어졌다. 이러한 상황은 곧 신용불량자의 급증으로 이어졌다. 1997년 말 143만 명 수준이었던 신용불량자가 2004년 4월 397만 명을 기록했다. 채무를 카드로 돌려막다가 파산하는 소비자들이 줄을 잇고 부실채권이 산더미처럼 쌓인 카드사들은 부도위기에 처했다. 그 결과 경기가 급속도로 침체의 수렁으로 빠져들면서 경제난을 가중시켰다.

김대중 정부는 국가부도 위기 가운데서 과감한 구조조정과 외국자본 유치를 통해 위기를 극복하는데 성공했다. 그러나 경제구조를 우리나라 현실에 맞게 효율적으로 바꾸고 지속적인 성장동력을 창출하는 데는 성공하지 못했다.

IMF위기 극복의 후유증으로 우리경제는 또 다른 형태의 위기를 낳았다. 정부가 구조개혁을 추진하며 공적자금을 대규모로 투입했으나 이로 인해 국가부채가 400조원 이상으로 증가했다. 이는 외환위기가 국가재정위기를 잉태했음을 의미한다. 또한 경기를 활성화하기 위해 신용카드 보급과 건설규제 완화 등 적극적인 부양정책을 폈다. 그러자 경제가 부실거품에 들떴다.

김대중 정부는 기업들의 부도를 막기 위해 상시적인 구조조정정책을 폈다. 그 결과 신용불량자를 양산해 연쇄도산과 파산을 야기했고,

실업자가 증가하는 것은 물론 비정규직이 절반이 넘어 고용이 극도로 불안한 상태로 치달았다. 여기에 **재벌기업 중심의 구조개혁으로 인해 경제력 집중은 더욱 심화되고 실업과 부채증가로 인해 빈부격차가 커졌다.**

동북아 중심경제[24]

2003년 2월 출범한 노무현 정부는 IMF위기 극복의 후유증과 부작용을 해결하고 경제를 다시 일으켜야 하는 막중한 책임을 안았다. 노무현 정부의 기본 경제정책 방향은 한반도 평화와 번영의 여건을 조성하고 성장과 분배의 선순환을 구축해 국민 모두가 잘 사는 따뜻한 사회를 만든다는 것이었다. 이를 위해 동북아 경제 중심국가 건설, 자유롭고 공평한 시장질서, 참여복지와 삶의 질 향상 등의 과제를 제시했다. 그리고 경제성장률 7% 달성, 일자리 250만개 창출, 중산층 70% 시대의 개막을 목표로 정했다. 우리나라 경제의 희망을 담은 진보성향의 정책 기조였다.

문제는 우리경제가 처한 현실과는 거리가 먼 정책 기조였다는 것이다. 당시 우리경제는 대외적으로 극도로 어려운 상태에 처해 있었다. 이라크 전쟁이 발발해 유가가 폭등하고 수출시장이 위축됐다. 북한이 핵개발을 계속해 안보도 불안했다. 이런 상황에서 중국경제는 초고속 성장을 하며 저렴한 인건비를 무기로 세계시장에서 우리 상품을 몰아내고 있었다.

---

24) 이필상, "노무현 경제의 험난한 길", 일요신문, 2003. 1. 19. 참조

실제로 동북아 중심경제 건설은 우리경제가 세계적인 경제로 도약할 수 있는 원대한 전략으로 볼 수 있다. 그러나 어떻게 실현할지 방법을 찾기 어려웠다. 우선 문제는 한반도 정세 불안이었다. 남북간 경제협력체제가 뒷받침이 되지 않으면 동북아 중심경제 건설은 시작조차 어렵다. 그런데 더 큰 문제는 중국경제였다. 세계경제패권을 차지해 중화주의를 실현하는 것을 국가적 목표로 정하면서 팽창일변도의 정책을 펴고 있는 중국이 동북아에서 한국경제의 주도권행사를 허용할 리 만무했다. 일본도 '잃어버린 20년'을 겪으며 복합불황의 수렁에 빠졌지만 한국경제가 일본경제에 앞서 동북아 중심경제가 되는 것은 무슨 일이 있어도 막으려고 했을 것이다.

막상 노무현 정부는 동북아 중심경제를 '어떻게 달성할 것인가'에 대한 구체적인 사업계획을 내놓지 못했다. 동북아 중심경제를 건설하려면 우선 동북아를 연결하는 금융, 철도, 항만 등 사회간접자본의 건설이 필요했다. 또 자유무역협정을 과감하게 추진해 북한을 포함한 동북아 경제공동체 형성을 추진해야 했다. 그러나 이러한 사업들에 대한 대안은 보이지 않았다.

설령 동북아 중심경제를 건설한다고 해도 가장 현실적인 문제로 대두되는 것이 자본이었다. 동북아 중심경제가 되려면 국내는 물론 주변 국가에 천문학적 규모의 투자가 필요했다. 그러나 IMF위기를 가까스로 극복한 우리경제가 무슨 수로 그런 대규모의 필요한 자본을 조달할 지 막막했던 것이다.

더구나 노무현 정부는 과거 어느 정부보다 야권과 기득권세력을 공격을 많이 받았다. 따라서 개혁정책은 발목이 잡혔고 노무현 정부자체를 부정하는 국회의 대통령 탄핵사태까지 겪었다. 우리경제를 올바르게 바꾸는 구조개혁 정책도 무기력 혼돈상태에 빠졌다. 재벌개혁의 경우 집단소송제, 상속 증여세의 완전포괄주의 등의 개혁정책이 요건을 완화하거나 시행을 유보하는 방향으로 바뀌었다. 노사문제는 더 혼란스러웠다. 두산중공업 사태에서 무노동 무임금원칙이 무너졌다. 철도청의 민영화는 노조의 반발로 무산되고 화물연대의 파업사태에 힘의 논리가 작용했다.

이렇듯 외환위기 이후 우리 사회는 공동운명체로서 기본질서가 무너지는 현상이 나타났다. 소득격차가 날로 심화하고 빈부갈등이 더욱 커져 그에 따른 사회범죄들도 늘었다. 특히 김대중 정부 때 시작된 신용카드 사태로 인해 경제가 혼란에 빠지고 자살률과 범죄율이 증가하기도 했다. 이런 상태에서 경제개혁은 길을 잃었고 경기는 빠른 속도로 침체했다. 진퇴양난에 몰린 노무현 정부는 2004년 10월 경기 부양정책으로 '뉴딜정책'을 꺼내 들었다.[25]

노무현 대통령이 국회시정연설에서 직접 밝힌 뉴딜정책의 핵심은 경기부양을 위해 건설투자를 크게 늘린다는 것이었다. 정부재정, 연기금, 민간자본에서 10조원 안팎의 자금을 유치해 사회간접자본, 학교와 기숙사, 노인요양시설, 정부공공건물, 임대주택 등에 투자한다는 것이 그 내용이었다. '뉴딜정책'은 1930년대 미국이 대공황을 맞아 대대적인 공공사업 투자를 통해 경기를 부양시킨 정책이다. 노무현 정부가 이런 정책을 내놓은 것은 사실상 경제난국을 인정하고 긴급대책에 나선 것이었다. 그러나 이러한 부양정책이 일시적인 효과는

---

25) 이필상, "뉴딜정책이 경제 살릴까?", 경향신문, 2004. 11. 4. 참조

가져올 수 있어도 근본적인 경제회생 대책은 결코 아니었다.

당시 우리경제는 근본적으로 수요와 공급기반이 붕괴위기에 처해 자생력 회복이 어려운 상태였다. 더구나 당시 지속적인 재정팽창과 금리인하에도 불구하고 경기침체가 악화일로를 걷고 있었다.

결과적으로 노무현 정부가 추진한 건설투자 활성화 정책은 오히려 거품경제에 석유를 붓는 현상을 낳았다. 즉, 노무현 정부의 한국판 뉴딜정책은 김대중 정부가 실시한 신용카드 정책의 악령을 재현한 셈이었다. 김대중 정부는 소비를 활성화하는 방법으로 카드빚을 마음대로 쓰게 했으나 결과는 신용불량자를 양산하고 경기를 극도의 침체상태로 빠뜨렸다. 노무현 정부는 국민 빚으로 건설투자를 늘리는 방법을 통해 경기를 살리려 하다가 신용카드 사태와 유사한 결과를 낳은 것이다.

IMF위기 이후 시중에 풀린 부동자금이 대거 부동산 시장으로 몰리면서 2002년부터 우리경제에 사상 최대의 부동산 투기 열풍이 불었다. 부동산 시장이 전국적 투기장으로 전락해 사재기, 전매, 떴다방 거래 등을 통해 무분별한 투기가 성행하며 나라를 흔들었다. 심지어 계약서 허위작성, 위장증여, 무허가 거래 등 불법행위까지 만연했다. 서울의 강남지역을 필두로 해서 부동산 가격상승은 연일 신기록을 갱신했다. 정상적인 경제활동을 버리고 부동산 투기를 일삼는 사람들이 쏟아져 나오기까지 했다.

실로 망국적인 부동산 투기였다. 당시 1%의 인구가 전국 사유지의 50% 이상을 보유하고 이에 힘입어 상위 10%의 소득이 하위 10% 소득의 18배나 될 정도로 빈부격차가 극심했다. 경제는 성장동력을 잃어 3%대의 저성장 기조에 진입했다.

노무현 대통령은 하늘이 두 쪽 나도 부동산만은 잡겠다고 선언하며 강력한 대책을 연이어 내놨다. 투기과열지구 지정, 종합부동산세 도입, 보유세와 양도세 강화, 실거래가격 의무화, 아파트 분양권 전매금지, 총부채상환비율(DTI)적용, 주택공급 확대 등등 나열하기 어려울 정도였다. 2005년 말 부동산 시장은 가까스로 안정세를 되찾았다. 그러나 경제는 부동산 투기의 폭풍우에 황폐화된 후였다. 그렇다고 부동산 투기문제가 완전히 해결된 것도 아니었다. **부동산 시장은 정부와 시장이 계속 싸움을 벌이며 경제를 혼돈에 빠뜨리는 악의 뿌리를 내렸다.**

노무현 정부의 경제정책은 부실과 혼란을 거듭했다. 따라서 성장동력과 고용창출능력을 상실하고 양극화를 심화하는 부작용을 낳았다. 2005년 5월 최저생계비도 벌지 못하는 공식적 빈곤층은 135만 명에 이르렀다. 극빈층은 아니나 가족이 실직을 하고 빚이 많아 사실상 생계가 어려운 준 빈곤층은 300만 명에 육박했다. 반면 부유층은 고소득은 물론 부동산 가격 급등으로 부가 쌓였다. 빈부격차가 커지고 사회가 계급화 하는 심각한 양상이 나타났다.

노무현 대통령은 2005년 10월 이해찬 국무총리를 통해 밝힌 국회 시정연설에서 '국민대통합 연석회의'를 구성하겠다고 밝혔다. 이는 경제, 노동, 시민단체, 종교 정당 등 각계 대표들로 구성하는 국정협의체로 양극화 해소, 노사문제 등 사회적 합의가 필요한 과제를 이를 통해 해결하겠다는 계획이었다. 그러나 정치권의 적대적인 대결과 사회갈등 및 분열의 확산으로 벽에 부딪쳐 유야무야로 끝났다.

경제는 계속 사경을 헤맸다. 노무현 정부 경제정책의 부실한 결과는 '경제만은 살리겠다'고 공약을 한 이명박 정부에 정권을 내주는 주요 원인이 되었다.

747성장정책

이 명박 정부는 경제를 살려 '747공약'을 달성하겠다고 약속했다. '747공약'이란 경제성장률을 '7%'로 높이고 국민소득 '4만'달러 시대를 열며 세계 '7위'권 선진대국에 진입하겠다는 경제정책이다. 이명박 정부는 747공약을 실현하기 위해 규제를 개혁해서 친(親)시장, 친(親)기업 경제를 만들고 한반도 대운하 등 건설사업을 대규모로 추진하여 경제를 성장과 번영의 궤도에 올려놓는다는 정책을 폈다.

IMF위기를 극복하는 과정에서 우리 경제구조는 수출산업과 재벌기업 중심으로 다시 바뀌고 내수산업과 중소기업은 빈사 상태였다. 이에 따라 경제의 허리가 끊기고 양극화가 심화해 성장잠재력이 떨어진 결과가 야기되었다. IMF위기 이후 10년간 우리경제는 4%대의 성장률을 벗어나지 못했고 누적 실업자는 350만 명에 달했다. 이런 상태에서 747공약을 실현한다는 것은 사실상 어려운 일이었다.

이명박 정부는 김대중 정부, 노무현 정부와 정치적 기본이념이 다른 보수정권이었다. 이명박 정부는 지난 정부를 잃어버린 10년의 좌파집권으로 규정하고 기존의 가치와 정책을 모두 부정했다. 하여 과거 세력을 부정비리 무능세력으로 몰고 자신의 세력을 요직에 임명했다. 이렇게 되자 권력을 사유화하고 민주주의를 역행하며 국정을

농단 한다는 비판이 나왔다. 이후 사회는 보수와 진보가 편을 가르는 분열이 심화했다.[26]

　이명박 정부는 출범하자마자 재벌기업과 부유층을 위한 규제완화와 감세에 정책의 초점을 맞추었다. 그리고 한반도 대운하 등 건설사업을 경기활성화의 주요 정책으로 추진했다. 이러한 경제정책에 대해 거센 반발이 일어났다. 경제를 근본적으로 살리고 일자리를 만들어 국민 모두가 잘 사는 경제가 아니라, 기득권 중심으로 경제력 집중과 빈부격차를 심화하고 경제를 거품으로 들뜨게 하는 정책이라는 주장이 쏟아졌다.[27]

　이명박 정부는 세 가지 난관을 한꺼번에 맞았다. 하나는 '한반도 운하건설 반대운동'이었고, 또 하나는 미국산 수입 소고기 '광우병 파동'이었다. 그리고 세 번째 난관은 '미국발 금융위기'였다.

　대통령에 취임하자마자 한반도 대운하 건설 반대운동은 걷잡을 수 없이 확산했다. "국토를 파괴하고 경제를 파탄으로 몰고 간다", "환경을 파괴하고 역사문화유산을 말살한다" 등의 논리를 내세운 한반도 대운하 반대운동은 전국적으로 퍼졌다. 급기야 2008년 4월 이명박 정부는 한반도 대운하 건설의 유보를 선언했다. 대신 '녹색성장'을 내세우며 22조원 규모의 사업비를 투입해 한강, 낙동강, 금강, 영산강 등 4대강 정비를 서둘렀다. 한반도 대운하 건설의 전초작업이라는 반대여론이 다시 일었다. 그러나 이명박 정부는 4대강 정비사업이 홍수를 방지하고 농업용수를 확보하며 환경을 개선하는 것은 물론, 경기부양과 일자리 창출효과가 크다고 반박하며 공사를 강행했다.

---

26) 이필상, "중도실용론 기대와 우려", 세계일보, 2009. 7. 8. 참조
27) 이필상, "MB경제 어디 갔나", 서울신문, 2009. 6. 4. 참조

'4대강 정비사업'은 비록 이명박 정부의 뜻대로 완성했으나 기대했던 것만큼의 효과를 거두지는 못했다. 한반도 대운하 건설사업 좌초를 계기로 이명박 정부의 경제정책 전반에 대한 국민의 신뢰는 크게 떨어졌다.

 미국산 수입 소고기 광우병 파동은 예상 밖의 사건이었다. 이명박 정부는 출범 직후 미국과 소고기 수입협상 과정에서 수입 소의 연령 제한을 폐지하는데 합의했다. 그러자 미국산 소고기의 광우병 연관성에 대한 과장보도가 이어지면서 2008년 4월부터 8월까지 4개월여 동안 격렬한 촛불시위가 일어났다. 이명박 정부가 수입조건을 연령 30개월 미만의 소로 바꾸고, 미국산 소고기의 광우병에 대한 실제위험이 없는 것으로 알려지자 촛불시위는 가라앉았다. 그러나 이 파동은 보수정권에 대한 진보세력의 반대라는 성격을 띠면서 이명박 정부의 정책추진이 또다시 힘을 잃는 계기가 되었다.

 이 와중에 노무현 전 대통령의 갑작스런 서거로 나라가 충격에 휩싸였다. 전직 대통령에 대한 검찰의 과도한 수사와 언론의 무분별한 보도가 만들어낸 국가적인 불행이었다. 이를 계기로 보수와 진보 사이에 갈등의 골은 더욱 깊어지고 사회분열은 악화했다. 정부의 정책추진 동력이 더욱 빠른 속도로 떨어졌다.

 2008년 9월 미국의 4대 투자은행 중 하나였던 리먼브라더스가 법원에 파산보호 신청을 하면서 미국의 증권가인 월가가 무너지고 세계경제가 미국발 금융위기에 휩싸였다. 유탄을 맞은 우리나라 증권시장은 종합주가지수가 2,200포인트에서 900포인트로 떨어지는 폭락세를 기록했다. 기업들이 부도위험에 처하고 경제가 추락하는 위기감이 고조했다. 이명박 정부는 부실기업에 대한 구조조정을 서두르는 동시에 금리를 내리고 돈을 풀었다. 무엇보다 미국과 300억 달러 규모의 '통화스왑(currency swaps)'을 체결해 외국자본의 유출을 막고 외환시장 안정화에 신속히 대응했다.

다행히 이명박 정부는 미국발 금융위기를 조기에 수습했다. 그러나 우리경제가 받은 충격은 컸다. 2007년 5.5%를 기록한 경제성장률이 2008년 2.8%로 떨어지고 2009년 0.2%로 떨어졌다. '747'을 목표로 했던 이명박 정부의 경제정책은 여러 가지 우여곡절을 겪으며 표류하고 말았다. 경제만은 살리겠다는 약속은 허황하게 끝났다.

이명박 정부 때 연평균 경제성장률은 3.2%로 노무현 정부 때의 4.5%보다도 현격히 낮았다. 우리경제가 필요한 산업의 근본적인 구조개혁과 성장동력회복은 또다시 실패했다. 점차 경제는 잠재성장률을 잃고 무너졌다. 정권 내내 건설사업과 팽창정책으로 경기를 부양하는데 급급했던 이명박 정부의 경제정책은 약점이 많았다.[28]

첫째, 세계경제 흐름을 잘못 읽었다. 미국발 금융위기로 인해 세계경제는 공황상태로 치닫고 있는데 나홀로 747정책에 집착해 경제불안을 확산시켰다.

둘째, 경제개혁에 대한 의지가 없었다. 정경유착을 차단하고 경제력 집중을 해소하는 재벌개혁, 자유로운 시장경제를 위한 규제개혁, 노동생산성과 노동시장 유연성을 높이는 노동개혁 등에 대한 청사진이 없었다.

셋째, 미래 성장동력 창출을 위한 비전이 보이지 않았다. 위기를

---

28) 이필상, "MB경제의 10대 약점", 일요신문, 2009. 2. 8. 참조

기회로 바꾸는 첨단 미래지식산업 대신 건설공사를 대대적으로 벌여 토건국가로 회귀하는 정책을 폈다.

넷째, 여론 수렴이 부족했다. 위기 극복을 위해 국민의 지혜와 힘을 모으기보다는 정해진 정책을 밀어붙이는 독선과 아집이 강했다.

다섯째, 정부와 여당의 공조가 부족했다. 경제정책의 수립과 집행 과정에서 여당의 협조가 필수적임에도 정파간 이해관계에 매몰되어 거꾸로 갈등만 유발했다.

여섯째, 반대세력에 대한 포용이 없었다. 광우병 피동으로 인한 촛불시위 이후 법과 질서를 확립한다는 논리 하에 인터넷 토론 등에서 나타난 반대여론에 필요이상으로 방어적이었다.

일곱째, 거국적인 인사정책이 없었다. 경제를 살리기 위해서는 정치적 이해를 떠난 탕평인재 등용이 절실했다. 선거승리에 공헌한 사람들을 중심으로 기용하는 회전문식 논공행상과 학연, 지연 중심의 측근인사가 많았다.

여덟째, 서민경제대책과 양극화 해소정책이 미흡했다. 경제가 미국발 금융위기로 위기에 처한 상황에서 서민들에 대한 생계대책과 중산층에 대한 지원대책이 우선적으로 나와야 했다. 그럼에도 불구하고 부동산세 감면, 투기지역 해제, 금산분리 완화 등 부자 살리기 정책을 먼저 폈다.

아홉째, 대북관계가 불안했다. 북한과의 경제협력은 국가 안보는 물론 남북한 상생경제 구축이라는 차원에서 의미가 컸다. 그러나 대안 없는 강경책으로 남북경제협력을 중단했다.

마지막으로, 대안제시와 실천력이 부족했다. 경제는 시의적절한 대응과 강력한 실천력이 생명이다. 이명박 정부는 경제정책을 백화점식으로 나열만 하다가 논란만 불러일으킨 탓에 실효를 거두지 못했다.

  경제인 출신 대통령이라는 이미지로 인해 이명박 정부의 경제정책에 대해서 처음에는 국민의 지지와 기대가 컸다. 그러나 얼마 못가 실망으로 바뀌었다. 문제는 '방법론'이었다. 이명박 정부는 감세, 규제완화 등의 조치를 취해 낙수효과를 추구했다. 그러나 결과는 정반대였다.[29] **경제정책이 재벌기업과 고소득층에게 혜택을 주는 수단으로 작용해 양극화를 심화하고 서민경제를 더욱 어렵게 만들었다.**

  재벌기업들은 납품가 후려치기 등으로 중소기업의 이익을 갈취했다. 재벌기업과 부유층이 벌어들이는 이익을 현금으로 쌓는 동안 중소기업들은 사업을 접거나 근로자를 줄였다. 근로자의 임금도 최저수준으로 낮췄다. 경제 저변이 부실화 하면서 서민경제는 설 땅을 잃었다. 여기에 금융위기를 극복하기 위해 돈을 대량으로 풀자 서민들은 물가의 덤터기까지 써야 했다.

  임기 후반 이명박 정부는 친서민정책을 들고 나왔다. 그러나 이는 문제를 임기응변적으로 덮으려는 정책의 덧칠이지 정책의 근본적인 변화는 아니었다. 물가관리, 비정규직 해소, 초과이익 공유 등의 정책을 내놨으나 구호만 난무하고 실질적인 효과는 미미했다. 서민경제가 실업, 전월세난, 물가, 가계부채의 4중고 속에 숨이 막혔다. 2012년 총선과 대선을 앞두고 부자감세라는 반대여론이 일자 이명박 정부는 747정책의 마지막 보루인 감세정책까지 포기해야 했다.

---

29) 이필상, "뉴 MB노믹스가 필요하다", 세계일보, 2011. 9. 23. 참조

창조경제정책

이 명박 정부의 뒤를 이어 집권한 박근혜 정부는 '창조경제'를 내세워 경제를 살리려 했다. 정보통신과 소프트웨어 산업을 집중육성하고 정보통신기술을 농업과 제조업에 접목해 새로운 경제성장기반을 만드는 전략이었다. 이를 위한 실행 방안으로 '미래창조과학부'를 신설하고 창조경제정책을 조속히 추진해 2017년까지 전체 근로자의 25%가 정보기술을 이용한 직업에 종사하도록 하고자 했다. 또한 박근혜 정부는 공정거래 확립을 통해 경제민주화를 실현하고자 했다.

경제민주화의 방안으로 대기업을 중심으로 하는 경제적 강자와 중소기업과 자영업을 중심으로 하는 경제적 약자 사이에 만연한 불공정 거래를 법적으로 엄격히 차단할 것을 제시했다. 그러나 재벌개혁의 핵심 사안이었던 순환출자의 금지에 대해서 기존의 순환출자는 인정하는 대신 재벌기업들이 투자와 고용창출에 나설 것을 요구해 재벌기업 의존적인 경제성장의 틀을 배제하지는 않았다.

중산층 70% 육성을 목표로 정한 박근혜 정부는 가계부채 해소를 위해 18조원 규모의 '국민행복기금'을 설치하고 300만 명이 넘는 신용불량자의 빚을 최대 70%까지 줄이기로 했다. 150만개의 일자리를 창출해 실업문제를 해결하고 비정규직의 정규직화도 강력하게 추진하기로 했다. 노사관계 개선과 정리해고를 막기 위한 사회적 대타협 기구도 구성하기로 했다. 이외에도 소득계층별로 차등화한 반값등록금 지원, 20만원의 노인연금 지원, 영유아 무상보육, 4대 중증질환 건강보험 보장 등의 복지정책을 추진했다.

박근혜 정부는 출범하자마자 다양한 경제정책을 실행에 옮겼다. 경기부양을 위해 추경을 편성하고 가계부채 문제해결을 위해 국민행복기금을 출범시켰다. 경제성장률을 높이기 위해 투자활성화 정책을 펴고 부동산 시장의 추락을 막기 위한 종합대책도 내놨다. 미래 산업발전을 위해 필요한 벤처기업 생태계 선순환 대책을 마련하고 고용률 70% 달성방안도 제시했다. 필요한 재원을 마련해 공약사업을 차질 없이 추진하겠다는 가계부까지 만들었다. 그러나 정부정책에 대한 시장의 반향은 미미했다. 막상 기업과 국민의 피부에 와 닿는 것이 별로 없었던 것이다.

당시 우리 경제는 단순한 추경편성이나 투자활성화 정책으로는 변화가 어려운 상황이었다. **우리 경제가 필요한 것은 신선한 개혁과 혁신의 충격이었다.** 이런 상황에서 가장 큰 기대를 걸었던 창조경제는 방향이 불투명했다. 창조경제의 핵심인 벤처기업에 대한 근본적이고 현실적인 대안을 제시하지 못했기 때문이다.

박근혜 정부 출범 당시 우리나라 경제는 안팎으로 악재를 만났다. 밖으로 세계경제가 침체해 수출시장이 불안했다. 특히 엔화를 무제한 방출하는 일본의 '아베노믹스'로 인해 우리나라 수출이 타격을 받았다. 또한 중국경제가 경착륙30)의 불안에 휩싸여 우리나라 산업의 앞길이 막막했다. 설상가상으로 미국이 다시 금리를 올리는 출구전략을 펴면서 금융시장도 불안했다.

안으로도 문제가 심각했다. 가계부채가 1,000조원에 육박해 소비

---

30) 활황세이던 경기가 갑자기 냉각되면서 금융시장이 혼란에 빠지고 기업부도와 실업이 급증하는 사태가 일어나는 것.

심리가 땅에 떨어졌다. 부동산 가격이 바닥을 모르고 떨어져 가계의 연쇄부도 우려가 컸다. 경기침체와 물가하락이 동시에 나타나 경제가 침몰하는 '디플레이션 불황'이 다가오고 있었다.

정부는 기업들이 창업과 투자에 나서서 성장동력 창출에 앞장서게 해야 했다. 이를 위해서는 과감한 산업구조조정, 규제개혁, 노동개혁 이 전제조건으로 필요했다. 또 사회간접자본 건설, 연구개발 지원, 기술과 인력공급, 금융과 조세지원 등 '기업하기 좋은 나라'를 만들 어야 했다. 이로써 새로운 산업발전체제를 구축해 성장동력 창출의 발판을 마련해야 했다. 동시에 재정금융 등의 경기활성화 정책을 과 감하게 펴 경제가 새로운 성장궤도에 빠른 속도로 진입하도록 해야 만 했다. 그런데 박근혜 정부는 이러한 근본적인 정책들을 도외시한 채 피상적인 정책들로 경제 살리기를 시작했다.

경제정책의 효과가 지지부진하자 박근혜 정부는 임기 2년차인 20 14년에 '474성장비전'을 내놨다. 경제성장률 '4%', 국민소득 '4만' 달러, 고용률 '70%'를 달성한다는 계획이었다. 이를 위해 박근혜 정 부는 〈경제혁신 3개년 계획〉을 추진했다. 비정상을 정상화하고 역동 적인 혁신경제를 이루며 내수기반을 확충한다는 것이 주요 내용이었 다. 그럼에도 불구하고 〈경제혁신 3개년 계획〉은 경제구조를 바꾸고 새로운 산업발전을 가져오는 계획이라 보기 어려웠다. 경제에 대한 근본적인 개혁 청사진이 없는 상태에서 경제부문별 바람직한 정책을 백화점식으로 나열한 것에 불과했다. 경제 살리기가 점차 요원했다.

2014년 7월 현오석 경제부총리가 물러나고 최경환 경제부총리가 취임했다. 최경환 신임 부총리는 대선 전부터 박근혜 대통령을 도왔던 정권 실세였다. 여권 원내대표를 역임해 정치력도 막강했다. 그런 만큼 과감한 개혁정책으로 경제를 살릴 것이라는 기대가 컸다. 그러나 최경환 부총리는 전혀 뜻밖의 정책을 내놓았다.

'초이노믹스'라고 이름이 붙은 최경환 부총리의 정책은 자신의 말대로 '지도에 없는 길'이었다. 초이노믹스의 주요 내용은 경기가 살아날 때까지 재정팽창과 금융팽창을 계속한다는 것이었다. 일본 아베노믹스의 모조품이었다. 최경환 부총리는 2014년 7월 취임 직후 41조원 규모의 재정보강책을 폈다. 그것도 성이 차지 않아 10월 5조원을 추가로 풀었다. 2015년에는 정부예산을 20조2천억 원 늘렸다. 그러나 경기는 좀처럼 회복세를 보이지 않았다. 메르스(중동호흡기증후군) 사태까지 터져 경기는 오히려 하강 국면이었다. 최경환 부총리는 22조원의 추가경정예산을 편성해 대응했지만 경기침체는 여전했다.

2015년 10월 9조원 규모의 재정보강책을 또 내놨다. 금융팽창도 전례 없이 강력했다. 한국은행도 초이노믹스와 보조를 맞춰 2014년 8월부터 2016년 6월까지 기준금리를 4차례나 내려 1.50%까지 낮췄다. 최경환 부총리는 경기를 살리기 위해 부동산시장을 부양했다.

우리나라 부동산 시장은 '한여름에 겨울옷을 입고 있는 격'이라고 비유하며 부동산 경기를 적극적으로 활성화하는 정책을 폈다. 주택담보인정비율(LTV)과 총부채상환비율(DTI)을 대폭 완화해 부동산시장에 불을 붙였다. 최경환 부총리는 기업의 사내유보금에 대해 과세를 추진했다. 사내유보금을 배당이나 성과금으로 지급하도록 유도해 내수를 살린다는 복안이었다. 기업들에게는 감당하기 힘든 반시장적 조치였다.

초이노믹스로 변질한 박근혜 정부의 경제정책은 심각한 부작용을 낳았다. 정부부채와 가계부채에 쌓여 경제가 빚더미에 올라앉은 것이다. 부동산시장이 언제 터질지 모르는 거품으로 변했다. 무엇보다 산업붕괴가 가속해 경제가 성장동력과 고용창출 능력을 동시에 잃기 시작했다. 경제정책이 방향감각을 잃었다. 박근혜 정부 경제정책은 내적으로 스스로 무너지는 모순을 안고 있었던 것이다.

경제 외적으로도 난관이 많았다. 이명박 정부와 마찬가지로 박근혜 정부 역시 정치적인 반발을 많이 받았다. 박근혜 정부 출범 이후 정치권은 보수세력과 진보세력이 편을 갈라 대선불복 논란을 벌이며 치열한 싸움을 벌였다. 국회의 입법기능이 거의 멈출 정도였다. '세월호 사태'가 발생하면서 박근혜 정부는 집중적인 공격을 받았다. 정권에 대한 국민신뢰가 급격히 떨어졌다. 급기야 임기 말에 터진 최순실 사태는 끝내 대통령을 탄핵으로 몰아갔다.

창조경제정책이 신기루처럼 사라지고 실패로 끝난 박근혜 정부의 경제성적표는 초라했다. 경제에 실패한 이명박 정부 때에 비해서도 주요지표들이 악화했다. 3.2%였던 경제성장률이 2.9%로 떨어졌다. 443조원이었던 국가채무는 638조원으로 늘었고, 964조원이었던 가계부채는 1,344조원으로 증가했다. 청년실업이 사상 최고인 9.8%를 기록해 '헬조선'이라는 자조 섞인 불평까지 터져 나왔다.

6 한강의 눈물

세계 7번째 나라

2017년 우리나라는 국민 1인당 국민총소득(GNI) 3만1천734달러를 기록했다. 당시 우리나라 인구는 5천 145만이다. 2006년 2만 달러를 돌파한 후 11년 만에 3만 달러 고지에 올랐다. 이로써 2017년 우리나라는 1인당 국민소득이 3만 달러 이상이면서 인구가 5천만 명이 넘는 '30-50클럽[31]'에 이름을 올렸다. 세계에서 7번째다.

우리나라에 앞서 '30-50클럽'에 속한 나라는 미국, 프랑스, 영국, 독일, 일본, 이탈리아 등 6개국뿐이다. 1인당 국민소득이 3만 달러에 제일 먼저 도달한 나라는 1992년 일본이었다. 이후 1996년 미국, 2004년 독일, 프랑스, 영국이 뒤를 이었고, 2005년 이탈리아가 합류

---

31) 1인당 국민소득 3만 달러 이상, 인구 5000만 명 이상의 조건을 만족하는 국가를 가리키는 용어다.

했다. 1인당 국민소득 2만 달러에서 3만 달러까지 증가하는데 걸린 기간은 일본과 독일이 5년으로 가장 짧았고 미국은 9년 걸렸다. 영국은 우리나라와 마찬가지로 11년이 걸렸고 프랑스와 이탈리아는 14년 만에 3만 달러를 달성했다.

경제선진국을 분류할 때 국민경제 규모의 기준이 되는 1인당 국민소득과 함께 '인구'도 중요한 요인이 된다. 1인당 국민소득이 3만 달러 이상이라고 해서 무조건 선진 강대국으로 분류하는 것은 아니다. 인구수가 적은 나라가 경제성장을 하면 1인당 국민소득이 빠른 속도로 증가하는 경우가 많다.

1인당 국민 소득은 3만 달러가 넘으나 인구가 5천만이 안되어 '30-50클럽'에 들지 못하는 나라가 20개국에 달한다. 룩셈부르크, 스위스, 아일랜드, 아이슬란드, 오스트리아, 쿠웨이트, 바하마 등은 1인당 국민소득이 3만 달러가 넘어 부유하기로 유명한 나라이지만 인구가 적어 선진 강대국 대열에 서지 못한다.

우리나라는 인구수 순위와 1인당 국민소득 순위가 각각 세계 28위와 24위다. 이런 나라가 '30-50클럽'에 들었다는 것은 대단한 일이다. '30-50클럽' 7개 국가 중에서 역사적으로 다른 나라를 식민지로 지배했던 제국주의 경험이 없는 나라는 우리나라가 유일하다.

1953년 6.25전쟁 휴전 이후 우리나라는 1인당 국민소득이 60달러 수준으로 세계 최빈국이었다. 박정희 정부가 추진한 경제성장정책에 힘입어 1965년 1인당 국민소득이 100달러를 돌파하면서 최빈국에서 벗어났다. 이후 세계 최고의 고도성장을 한 우리나라는 '한강의 기적'을 이뤄 1996년 1인당 국민소득이 1만3천138달러를 달성하기에 이르렀고 선진국 모임인 OECD에 가입했다. 그로부터 10년 후인 2006년 국민소득 2만 달러를 기록하고, 다시 11년 후인 2017년 3만 달러를 기록해 '세계 7대 30-50국가'로 발돋움했다.

1960년대 이후 반세기 동안의 피땀 어린 고속성장을 통해 우리나라는 세계가 극찬하는 경제성장의 신화를 낳았다. 특히 우리나라의 경제발전 모형은 후발 국가들이 따라 배우는 모범 모델로 활용되어 자본주의 시장경제발전 역사에 중요한 페이지를 장식하고 있다.

1950년대 6.25전쟁을 겪은 후 경제가 황폐해 초근목피로 생계를 유지하며 보릿고개를 넘기지 못하고 냉수로 배를 채우던 국민들의 삶이 불과 70년이 안 되어 세계 최상위의 수준으로 바뀐 것이다. 국민들의 식생활 개선은 젊은이들의 체격을 서양인들보다 건장하게 만들고 의상은 세계 유행을 앞설 정도로 화려하다.

비가 새던 초가삼간에서 추위와 더위에 번갈아 가며 고통을 받던 주거생활은 고층 아파트의 윤택함과 편리함 속에서 계절을 모를 정도로 쾌적하게 바뀌었다. 특히 의료시스템은 세계 제일을 자랑하며 국민 100세 건강시대를 선도하고 있다. 스포츠도 발달해 올림픽이나 월드컵을 비롯한 국제대회에서 강대국들과 당당히 맞서며 상위를 기록한다. K-POP으로 대표되는 우리의 대중문화예술은 세계인들을 사로잡아 각국에 거대한 팬덤(fandom)까지 형성하며 세계가 열광하는 한국문화예술발전의 새 역사를 써가고 있다. 공항시설과 운영은 해마다 세계 1위의 찬사를 받고 철도, 도로, 지하철, 버스 등 대중교통마다 최신시설을 갖춘 것은 물론 휴대전화로 언제 어디에서 몇 시에 출발하고 몇 시에 도착하는지 알정도로 첨단기술들이 접목되어 있다.

세계 각국에 우리나라 여행객이 없는 나라가 없고 어느 나라를 가나 부유한 여행객으로 대우를 받는다. 여기에 외국인의 한국관광과 한국유학이 증가하고 세계로 확산된 한국문화의 영향으로 한국학과 우리말을 배우는 외국인들이 많아졌다.

우리나라가 1인당 국민소득 3만 달러를 달성할 때까지 고비도 많았다. 우리나라는 1인당 국민소득 1만 달러가 증가할 때마다 경제위기를 겪었다. 1996년 1인당 국민소득 1만 달러가 넘어 OECD에 가입했으나 이듬해인 1997년 경제가 갑자기 외환위기의 파국에 휩싸였다. 1996년 1만3천138달러였던 1인당 국민소득이 1998년 7천989달러로 떨어졌다. 천신만고의 구조조정과 고통분담의 노력 끝에 1999년 1만 282달러를 기록해 간신히 1만 달러 대열에 복귀했다.

2006년 1인당 국민소득 2만 달러를 달성할 때도 우리경제는 외환위기 때와 흡사한 상황을 맞았다. 2006년 1인당 국민소득 2만795달러를 기록했으나 2년 뒤인 2008년 미국발 금융위기가 발생하자 타격을 받아 2009년 1인당 국민소득이 1만8천256달러가 되면서 다시 1만 달러대로 떨어졌다. 그리고 2017년 1인당 국민소득 3만 달러를 기록해 '30-50클럽'에도 들었으나 2020년, 뜻하지 않은 '코로나 사태'를 맞았다.

전 세계를 덮친 '코로나19'의 위기는 전혀 경험해 보지 못한 예측불가 대혼돈의 상황으로 경제를 몰아가고 있다. 2008년 미국발 금융위기 이상으로 세계경제에 엄청난 영향을 미치고 있는 '코로나 사태'는 해외의존도가 절대적으로 높은 우리경제에 또다시 심각한 타격을 가하고 있다. 경제성장률이 마이너스로 돌아선 것은 물론 원-달러 환율이 치솟아 1인당 국민소득이 다시 2만 달러대로 떨어질 가능성이 예견되고 있다.

가난을 강요하는 경제

외형적으로 우리나라는 '30-50클럽'에 속한 경제강대국이다. 그러나 내면적으로 국민들이 피부로 느끼는 경제성장의 체감도는 다르다. 질적으로 경제성장의 문제가 많다는 반증이다. 우선 국민소득 중에서 가계소득은 감소하고 기업소득은 증가하는 구조다. 이는 국민이 부자가 되는 것이 아니라 기업이 부자가 된다는 뜻이다. 우리나라 국민총소득(GNI) 중에서 가계소득이 차지하는 비중이 1998년 72.8%에서 2017년 61.3%로 크게 떨어졌다. 반면 국민총소득에서 기업소득이 차지하는 비중은 1998년 13.9%에서 2017년 24.5%로 거의 배가 증가했다.

이와 더불어 심각한 문제로 제기되는 것이 자산소유의 편중이 심하다는 것이다. 특히 우리나라 기업과 가계가 보유하는 주요자산인 부동산의 경우 가격상승이 일반 물가상승보다 훨씬 빠르다. 따라서 부동산을 소유한 기업이나 가계의 부는 빠른 속도로 증가하고, 부동산을 소유하지 않은 기업이나 가계의 부는 빠른 속도로 감소한다.

경제정의실천연합의 분석에 따르면 2007년부터 2017년까지 10년 동안 상위 1% 재벌대기업의 토지소유는 350조원에서 980조원으로 2.8배 증가했다. 또 상위1% 다주택자의 1인당 주택보유는 2007년

123조8천억 원에서 2017년 202조7천억 원으로 1.6배 증가했다.

결국 우리나라는 경제성장의 혜택을 받지 못하는 사람들에게 '가난을 강요하는 나라'가 되었다.

우리나라는 고속 경제성장을 했으나 점차 심화된 부의 편중과 양극화로 인해 중산층이 올바르게 형성되지 않았다. 산업구조가 재벌대기업 중심으로 편성되고 중소기업과 자영업 기반이 취약해 중산층 형성이 어려웠다. 더욱이 1997년 외환위기와 2008년 금융위기를 겪으면서 나타난 구조조정의 결과 재벌대기업과 중소기업 및 자영업의 부익부 빈익빈의 격차가 더 확대했다.

구조조정 이후 부동산과 증권가격이 크게 오르자 재벌대기업과 고소득층은 대규모의 부의 축적이 이뤄졌으나, 중소기업과 자영업에 종사하는 서민층은 내 집 마련조차 더 어려워지고 부채만 증가했다. 그러자 중산층은 더 자취를 감추는 현상이 나타났다. 2018년 4분기 최상위 20% 계층의 소득을 최하위 20% 계층의 소득으로 나눈 5분위 배율이 5.47로서 2003년 관련 통계 작성 이후 사상 최고치를 기록했다.

가난한 사람들이 겪는 고통은 소득의 격차로 끝나지 않는다. 빈부 계층 간에 체감하는 물가가 다르다. 우리나라는 국민들이 사용하는 460개 대표적 품목에 대한 물가를 조사해서 소비자물가상승률을 계산한다. 그러나 고소득층과 저소득층이 체감하는 물가는 다르다.

소비지출 총액에서 식료품비가 차지하는 비중이 저소득층은 높고 고소득층은 낮다. '엥겔지수'라고 불리는 이 비중이 하위 20%가구는 20%이상인 반면 상위 20%가구는 12%정도다. 우리나라의 경우 식료품가격상승률이 소비자물가상승률보다 훨씬 높다. 따라서 경제가 발전해도 저소득층은 물가의 고통을 크게 받는다. 2019년 소비자물가의 상승률은 0.4%인데 반해 농축수산물 가격상승률은 구간에 따라 20%를 넘는 경우도 있었다.

실업의 고통체감 역시 정부에서 발표하는 공식적인 실업률과 괴리가 크다. 경제가 발전해도 국민들이 느끼는 실업의 고통이 크다는 뜻이다. 통계청이 실시하는 고용조사는 1주일에 1시간만 일을 해도 취업으로 간주한다. 실업자는 4주간 적극적으로 구직활동을 했지만 일자리를 찾지 못한 사람으로 국한한다. 나머지는 구직의사가 없는 사람으로 분류해 실업자에서 제외한다. 따라서 시간제 취업자, 취업 준비자, 구직단념자 등 광의의 실업자를 포함하면 실제 국민들이 느끼는 체감실업률은 정부가 발표하는 공식실업률보다 훨씬 높다.

2019년 우리나라 실업률은 3.4%이나 실제 국민들이 느끼는 체감실업률은 3배 이상이다. 특히 청년의 경우 체감실업률은 20%를 웃돈다. 일자리가 있는 근로자들도 불안한 것은 마찬가지다. 경제가 성장동력과 고용창출능력을 점차 잃어 감에 따라 정부가 아무리 비정규직을 정규화 하는 정책을 펴도 정규직 비중은 줄고 비정규직과 자영업이 어쩔 수 없이 증가하는 구조다.

2019년 기준 전체 2천800만 근로자 중에서 실업자와 비정규직 근로자는 각각 120만 명과 750만 명에 육박하고 자영업자는 650만 명에 달한다. 비정규직과 자영업 종사자들은 4대 보험과 노동법의 보호를 온전히 받지 못한다. 임금도 정규직에 비해 턱없이 낮다. 중소기업 비정규직의 평균임금은 대기업 비정규직의 40%도 안 된다.

이들은 아무리 근로조건이 열악하고 생계가 불안해도 파업할 권리조차 행사하지 못한다. 실업자는 물론 비정규직과 자영업자들이 일자리를 찾아 전전하다 구직포기자나 신용불량자로 전락하는 경우가 많다. 우리 사회에 드리운 고도경제성장 이면의 깊고 어두운 그늘이다.

경제성장의 체감에서 국민들이 고통을 가장 직접적으로 느끼는 것이 가계부채 문제다. 한국은행에 따르면 2019년 말 우리나라 가계신용잔액은 1천600조1천억 원으로 사상 처음으로 1천600조원을 넘어섰다. '가계신용'은 가계가 금융기관에서 빌린 대출금과 신용카드 사용 등을 통해서 발생한 외상금액을 합친 것으로 가계의 총부채를 나타낸다. 문제는 가계부채를 상환할 능력이 낮다는 것이다. 개인의 가처분소득대비 가계부채비율이 현재 163%다. 1년간 벌어서 사용할 수 있는 소득에 비해 부채가 1.6배가 넘는다는 뜻이다.

자칫하면 가계부문이 부도위험에 빠질 수 있다. 특히 우리나라는 가계부채 중 부동산 담보대출 비중이 커 부동산 시장이 침체할 경우 연쇄부도 위험이 있다. 빈부격차가 심한 현실에서 당연히 부채의 부도위험과 고통은 서민들이 집중적으로 떠안는다.

우리나라에는 경제가 발전해도 많은 수의 국민들이 가난하게 살아야 한다는 의미로 '3대 푸어(poor)'가 있다.[32] 워킹푸어, 하우스푸어, 주식푸어가 바로 그것이다. 워킹푸어(Working Poor)는 아무리 일을 해도 가난을 벗어나지 못하는 사람들을 말한다. 2019년 기준전체 근로자의 50%가 넘는 실업자, 비정규직 근로자, 자영업 종사가가

---

32) 이필상, "베이비 부머의 적자인생", 일요신문, 2011. 12. 11. 참조

여기에 속한다. 하우스푸어(house poor)는 서민들 중 내 집 마련의 꿈을 실현하기 위해 빚을 과도하게 내서 집을 산 사람들을 말한다. 이들은 월급을 차입금의 원리금 상환하고 나면 생활비와 자녀 교육비가 모자라 이자율이 20%가 넘는 고리대출금을 쓰게 되는 경우가 많다. 부동산 시장이 침체해 아파트 가격이 떨어지면 손해를 보는 것은 물론, 아예 아파트가 팔리지 않아 파산단계에 이르는 일도 있다. 부동산 시장이 침체할 때마다 수십만 가구의 하우스푸어가 발생한다.

한편 주식푸어는 주가가 오를 때 주식열풍에 휩싸여 주식을 샀다가 주가가 떨어지면 많은 재산을 잃는 사람을 말한다. 주식시장이 거품과 붕괴를 반복할 때마다 수많은 개인투자자들이 재산을 늘려보겠다고 빚까지 내어 투자를 했다가 모든 것을 잃는 일이 속출하곤 한다. 그때마다 개인투자자들은 외국자본이나 기관투자가들에게 현금인출기처럼 투자한 돈을 내주는 현상이 나타난다.

돈의 사회파괴

'돈' 이 경제사회를 순환시키는 중요한 도구임은 분명하다. 그러나 돈이 가치의 중심에 놓이고 돈의 가치를 따르는데 매몰되는 것은 반드시 경계할 일이다. 사람이 돈을 지배하고 다스려야지, 돈이 사람을 지배하는 구조가 되면 반드시 지켜져야만 하는 '진짜 가치'의 희생과 파괴는 불가피해지기 때문이다. 우리경제가 고속성장한 화려한 불빛 이면에는 사회와 경제를 선순환 시키는 도구가 되어야 할 돈이 사람의 가치 위에 올라앉으면서 빚어진 희생과 파괴의 어두움이 씁쓸하게 자리하고 있다.

우리나라 경제성장의 최대 공헌자는 산업현장에서 피땀을 흘리며 일한 근로자들이다. 그러나 자신과 가족의 굶주림을 면하기 위해 일한 이들의 삶은 인간다운 삶과 거리가 멀었다.

1970년 노동운동을 하다 자살한 '전태일 사건'이 근로자들의 아픔을 대변한다. 전태일은 청계천 평화시장에서 봉제노동자로 일하면서 열악한 노동조건 개선을 위해 노동운동을 하다가 전혀 요구가 받아들여지지 않자 1970년 11월 13일 노동자는 기계가 아니라고 외치며 자신의 몸에 휘발유를 끼얹고 분신자살했다.

당시 청계천 봉제업체에서 일했던 노동자들은 대부분 15세 전후의 어린 소녀들이었다. 자신의 몸도 제대로 움직이기 어려운 비좁은 다락방에서 햇빛도 비치지 않아 희미한 형광등에 의존해 하루에 14시간씩 일을 했다. 밥 먹고 잘 시간도 부족한 장시간 근로였다. 아무리 장시간 일을 해도 초과근무수당이라는 것은 존재하지 않았다. 환기장치가 없어 폐질환을 겪는 노동자가 많았지만 아무리 힘들어도 아픈 몸을 이끌고 일을 해야 했다. 이를 보다 못해 전태일은 분신까지 하며 저항했으나 아무 소용이 없었다. 1972년 유신체제가 들어서면서 노동운동은 더 압박을 받았다. 1987년 6월 '6.29 민주화선언'이 나오기 전까지 노동자는 사람이기보다 기계취급을 받았다. 고도 경제성장의 대가로 숱한 노동자들의 삶이 파괴됐다.

6.25전쟁 이후 태어나 우리경제의 고도성장을 이끌며 '한강의 기적'을 이끌어낸 주역이었던 '베이비부머'가 가난한 떠돌이 신세가 되고 있다.33) 1955-1963년 사이에 출생한 이들은 약 750만 명으로

---

33) 이필상, "베이비부머의 적자인생", 일요신문, 2011. 12. 11. 참조

전체 인구의 약 15%를 차지한다. 10여 년 전부터 은퇴를 시작한 이들의 상당수가 노후준비를 제대로 못해 노령빈곤층으로 전락했다. 그렇다고 자식들의 부양을 제대로 받을 수 있는 사회적 여건도 못된다. 자식세대들도 심각한 고용난 속에서 자신들 살아남기에 급급하기 때문이다. 정부가 재정지출을 늘려 고령자들의 일자리를 많이 만들고는 있으나 한계가 있다.

'베이비부머'은 전쟁의 폐허에서 경제를 일으킨 산업화의 주역인 동시에 자유와 정의를 외치며 민주주의를 위해 젊음을 불태운 세대다. 70년대와 80년대 군부독재에 맨손으로 항거하다 수많은 사람들이 고문을 당하고 옥살이를 했다. 가족을 위해 어떤 희생도 불사했던 그들의 삶은 직장생활, 부모봉양, 자식교육이 전부였다. 직장에서 온갖 수모를 당하기도 하여 몸이 부서져라 일해도 가족을 부양하고 자식의 교육비를 벌기 위해 모든 희생을 감수했다. 자신은 못 먹고 못 입어도 가족을 위해 월급통장을 통째로 터는 일을 당연하게 여겼다. 그러다 보니 자신의 미래를 위한 대비가 있을 리 없었다.

가정과 직장과 나라를 일으키겠다는 일념으로 자신들의 인생을 바친 모든 터전에서 뒤안길로 물러선 그들에게 남은 것은 초라한 가난과 쓸쓸한 외로움뿐이다. 이것이 고도의 경제성장이 만든 우리 사회의 뒷모습이다.

고도경제성장 체제하에서 우리 사회에 자연히 나타난 것이 '계급화'다. 힘을 가진 계층과 힘의 지배를 받는 계층 사이의 계급화, 부를 가진 계층과 가난한 계층의 계급화는 상대방을 인정하지 않는 것은 물론 적대적 대상으로 간주하고 싸우는 단계에까지 이르렀다.

여기에 '수저계급론'까지 부상했다. 부모의 재산과 신분, 능력에 따라 자녀의 운명이 금수저, 은수저, 흙수저로 나뉘는 세태가 되었다.

부모가 힘없고 빈곤해서 흙수저로 취급 받는 자녀들은 10대에는 입시에서, 20대에는 취업에서, 30대에는 결혼에서, 40대에는 주거에서 상대적 박탈감과 좌절감을 경험한다. 돈이 없어 사교육을 받지 못하거나 원하는 대학에 입학하기 위한 스펙을 갖추는데 한계에 부딪치는 학생들은 대학입시 경쟁에서부터 뚫기 힘든 장막의 절망 앞에 서게 된다. 노력을 해도 취업은 어렵고 핑크빛 미래를 꿈꿀 수 없다는 두려움에 청년들은 결혼마저 사치처럼 여기게 되어 아예 결혼을 포기하기도 한다.

아무리 몸부림 쳐도 신분상승이 되지 않는다는 현실의 절벽 앞에 꿈을 잃고 좌절한다. 흙수저의 아픔과 절망은 여기서 끝나지 않는다. 학자금대출로 겨우 대학을 졸업하는 경우가 많다 보니 갚아야 할 빚은 늘어나는데 취업이 늦어져 제때 상환하기도 힘이 부치고 수시로 상환의 독촉을 받다보면 살아갈 길조차 막막하다. 실로 힘없고 돈 없는 사람들은 현실의 높은 벽에 갇혀 점점 희망을 잃어가는 참담함의 악순환에서 허덕인다.

이처럼 고도경제성장의 이면에 드리워진 암울한 그늘은 각종 사회적 범죄와 참극을 끊임없이 양산시키고 있다.[34] '돈의 사회파괴현상'이 나타나는 것이다. 돈 때문에 사기를 치고 돈 때문에 폭력을 저지르고 돈 때문에 사람의 생명을 해치는 일까지 허다하다. 심지어 돈 때문에 부모형제에게 폭력을 휘두르고 돈 때문에 배우자와 자식을

---

34) 이필상, "인간성의 상실", 일요신문, 2016. 2. 7. 참조

죽음에 이르게 하는 인면수심의 일들이 수시로 뉴스에 등장하고 있다. 무엇보다도 돈 때문에 자살하는 사람의 수가 높은 자살률과 함께 증가하고 있다. 최근 우리나라 자살인구는 10만 명당 27명으로, 우리 국민 자살률은 OECD국가 중 1위에 이른다.

자본주의 시장경제의 근본적인 결함은 사람이 돈을 지배하는 것이 아니라 돈이 사람을 지배하는 것이다. 원래 인간은 사회를 구성하면서 삶의 질을 높이고 풍요롭게 살기 위해서 시장경제를 만들고 돈을 버는 일을 하기 시작했다. 그런데 주객전도가 되어 돈 때문에 사람의 인성이 파괴되고 사회가 범죄의 온상이 되는 현상이 나타나게 된 것이다.

우리나라는 고속경제성장 때문에 빠른 속도로 물질적 풍요를 이뤘다. 그러나 이에 상응하는 정신·문화적 발전은 미흡했다. 경제성장과 함께 정치발전, 사회문화의 성숙이 균형을 이루며 조화롭게 성장했어야 하는데 그 기회를 놓친 까닭이다. 그 결과 돈이 사람과 사회를 지배하며 갖가지 비리와 범죄행위가 늘면서 오히려 사회병폐와 혼란을 더욱 가중시키게 된 것이다. 자본주의의 가장 큰 폐단이 된 '물질만능주의'는 인간성을 잃게 하고 추구해야 할 가치와 정신문화를 파괴해 사회의 폭력성을 길렀다.

경제발전과 사회문화적 성숙의 깨지고 뒤틀린 밸런스를 맞출 수 있는 것이 교육이다. 그런데 맹목적인 교육열로 자녀들을 입시의 형틀에 묶어 놓아 채찍질하는 우리나라 교육환경은 오히려 자본주의에 극단적 이기주의가 결합되도록 하는데 더 크게 역할 했다. 교육을 통해 배운 지식을 자신만을 위한 무기로 사용한다. 그리하여 남을 배려

하고 함께 사는 사회의 기본윤리와 가치를 무너뜨리며 수단과 방법을 가리지 않고 상대방을 쓰러뜨려서라도 경쟁에서 살아남아야 한다는 강박 속에 살도록 만들고 있다.

권력자들의 불행

우리나라의 경우 근본적으로 문제가 된 것은 정치적 독재와 시장경제의 잘못된 결합이다. 이에 따라 정치인은 정치를 독점하고 기업인은 경제를 독점하는 정경유착이라는 사회지배체제가 형성됐다. 더 큰 문제는 정치를 독점한 정치권력이 부까지 누리려 하고, 경제를 독점한 기업주들이 권력까지 거머쥐려는 끝없는 욕망이 공생과 기생의 사슬로 묶이게 된 것이다.

민주주의는 기본이념을 잃고 경제는 원칙과 공정성을 잃었다. 갖가지 권력형 편법비리와 부정부패가 만연했다. 이 과정에서 다 같이 잘 살기 위해 만든 경제가 역으로 경제의 주인인 사람을 부당하게 지배하며 사회를 파괴하는 현상이 나타났다. 당연히 대형 사고와 사건이 발생해 사회를 혼돈에 빠뜨렸다. 이로 인해 역사의 아픔으로 남게 된 것이 역대 대통령들의 불행이다.

박정희 대통령은 부하의 총에 맞았다. 전두환, 노태우 대통령은 감옥에 갔다. 김영삼, 김대중 대통령은 아들들이 조사를 받거나 감옥에 갔다. 노무현 대통령은 스스로 목숨을 끊었다. 이명박, 박근혜 대통령 역시 감옥에 갔다. 노무현 대통령이 스스로 목숨을 끊은 것은 어느 대통령의 불행 이상으로 국민의 충격이 컸다.

무엇이 일국의 대통령까지 지낸 사람을 죽음으로 몰아갔을까?[35] 그 이유는 나라와 역사발전에 시사하는 바가 크다. 뇌물수수와 비리라는 죄목으로 검찰의 과도한 수사망이 좁혀오고 연일 언론의 무분별한 보도가 쏟아지자 나름 지켜오던 원칙과 신념에 큰 타격을 받은 노 대통령이 견디기 힘든 심리적 압박을 이겨내지 못하고 스스로 극단적인 선택을 한 것 등이 이유가 될 수 있다.

그러나 이보다 더 근본적인 이유가 있다. 바로 '정치의 이중성'이다. **정치가 겉으로는 경제를 발전시키고 국민을 잘 살게 하겠다고 외치지만 속으로는 경제를 자신들의 먹이희생물로 여기고 갖가지 비리와 부정을 저지르는 것이다.**

여기서 특히 문제가 되는 것은 과거정권 죽이기다. 선거 때마다 자신의 국정철학이나 정책으로 국민의 판단과 선택을 받으려는 것이 아니라 상대방의 비위와 약점을 찾아 무조건 상처를 입히고 끌어내리는 네거티브 전략이 난무한다. 그리하여 집권을 하면 곧바로 과거정권을 부정부패와 적폐세력으로 몰고 죄를 물어 감옥에 보낸다. 그리고 자신의 세력과 주변 인물들을 요직에 포진해 권력과 이권을 독차지하는 것이 당연한 수순처럼 반복되어지고 있다.

결국 이러한 정치의 비극적 악순환이 대통령을 막다른 골목으로 몰아갔다. 그러나 노 대통령이 죽음을 택한 것은 잘못이다. 당당하게 검찰 수사에 임하여 우리나라 정치의 검은 이면을 낱낱이 드러내고 비극의 악순환을 끊는데 앞장서는 것을 전직 대통령으로서의 사명으로 감당했어야 한다.

---

35) 이필상, "국민 가슴에 묻은 전직 대통령", 경향신문, 2009. 5. 25 참조

한 기업인의 죽음도 고도의 경제성장과정에서 나타난 우리사회가 간과할 수 없는 대표적인 참극이다.[36] 2003년 8월 민족분단의 비극을 극복하고 통일 기반을 마련한다는 차원에서 금강산 관광 등 대북사업을 펼치던 현대그룹 정몽헌 회장이 검찰의 수사를 받다가 스스로 목숨을 끊은 사건이 벌어졌다. 정몽헌 회장은 남북경협 사업을 위해 대규모 적자까지 감수하며 몸부림치는 자신을 알아주기는커녕 정권이 바뀌자 비자금 수사로 목을 죈다고 생각하자 죽음의 길을 택한 것으로 보인다.

우리나라는 경제성장을 시작한 이후 정경유착, 경제력 집중, 불법 경영세습 등으로 재벌기업과 총수에 대한 사회적 증오심이 축적됐다. 따라서 정권이 바뀔 때마다 수사를 받는 일이 흔했으나 대부분 용두사미로 끝나는 것이 보통이었다. 정몽헌 회장에 대한 수사는 이러한 정치적 악순환 속에서 나타난 현상으로 목숨을 끊어서는 안 될 일이었다. 오히려 죄가 있으면 당당하게 단죄를 받고 정경유착을 차단하여 건전한 기업경영을 하는 계기로 만들어야 했다. 정몽헌 회장의 죽음은 우리경제가 고도성장을 하는 과정에서 나타난 또 다른 비극으로 누가 누구에게 돌을 던질 것인가라는 뼈아픈 의문을 남겼다.

어둠으로 내몰린 청년들

2000년대 들어서며 물질문명의 발달과 고도경제성장의 화려함 속에서 청년들의 삶은 오히려 황폐화되고 있다. 경제성장동력이 떨어짐에 따라 청년들의 취업과 결혼이 어려워진 까닭이다. 급기야 2010년

---

36) 이필상, "죽은 기업인의 사회", 일요신문, 2003. 8. 11. 참조

이후 이른바 'N포 세대'들이 나타났다. 우선 청년들이 연애, 결혼, 출산을 포기한 '3포 세대'가 많다. 여기에 취업과 내 집 마련까지 포기한 '5포 세대'도 있다. 이것도 모자라 인간관계와 희망도 포기하고 아예 건강까지 포기하는 세대까지 등장했다. 한창 빛나고 생기 넘치고 의기충천해야 할 청년들의 삶이 왜 이토록 절망에 빠지게 되었을까? 근본적인 이유는 경제가 고용창출능력을 잃었기 때문이다.

최근 우리나라 15-29세 청년 평균 실업률은 10%수준이다. 그러나 단기임시직, 취업준비자, 구직단념자 등을 포함하면 실제 청년 실업률은 20%이상이다. 이렇게 고용이 불안해 최소한의 적정 소득에도 이르지 못하니 삶의 일부분을 하나 둘씩 포기하기 시작한 'N포 세대'가 나타난 것이다.

우리나라 청년들의 실업난은 어느 나라보다 심각하다. 최근 OECD 통계에 따르면 우리나라 25-29세 청년실업자가 전체실업자에서 차지하는 비중이 22%로 OECD 36개 회원국 중에서 가장 높다. 미국은 13%, 일본은 12%정도다. 청년실업이 심각하다는 유럽도 우리나라보다 낮다. 독일 13%, 영국 12%, 프랑스 15% 등이다.

고통이 실업으로 끝나지 않는 청년들도 많다. 대학 재학 중에 받은 학자금 대출을 졸업 후 상환하지 못해 신용불량자로 전락하는 청년들이 적지 않다. 재학생 중에서 생활이 어려워 학자금 대출을 받는 학생들의 비율이 20%수준이다. 이러한 청년들의 불행은 청년 개인의 불행으로 끝나지 않는다. 온갖 희생을 다해 뒷바라지 하며 공부시킨 부모들 입장에서 자식이 일자리가 없고 결혼을 못하는 것은 억장이 무너지는 일이다.

청년의 고통이 가정의 불행이 되고, 이는 결국 국가의 불행이 되고 있다. 젊은 피를 수혈해 국가와 사회를 발전시켜야 할 청년들이 꿈꾸지 못하고 일하지 못해 좌절에 빠지는 것은 청년과 나라발전을 한꺼번에 잃는 국가적 손실이다.

이와 관련해 또 다른 큰 문제는 출산율이 떨어지는 것이다. 우리나라 여성 한 사람이 평생 낳을 것으로 예상하는 평균 출생아 수가 2019년 기준으로 역대 최저인 0.92명으로 떨어졌다. 1970년 관련 통계작성 이후 역대 최저치다. 이처럼 저조한 출산율은 OECD국가 중 우리나라가 유일하다. 1970년대에는 연간 출생아 수가 100만 명이 넘었다. 그랬던 우리나라 신생아 수가 2000년대 들어 50만 명대로, 최근에는 30만 명 이하로 급속도로 떨어졌다.

결국 삶의 중요한 요소들을 포기하게 된 청년들의 불행이 출생률까지 줄여 나라를 노쇠화 하는 참사까지 빚어내고 있는 것이다. 저출산을 이대로 방치할 경우 경제의 생산성과 경쟁력이 떨어져 국력이 쇠퇴한다.[37] 특히 젊은층이 노령층을 부양하지 못해 모든 인구가 빈곤상태에 빠지는 심각한 구조적 문제를 초래한다.

그런데 이 같은 사회구조의 악순환이 바로잡힐 적기를 놓치게 되면서 더 큰 문제가 되고 있는 것은 청년들이 결혼을 하고 출산을 해도 양육과 교육이 극히 어려운 현실이다. 대가족 제도였던 과거에는 아이를 낳으면 온 식구들이 양육을 도왔고, 사회가 어느 정도 변화의 단계에 이른 후에도 아이들을 돌봄이 이웃과 동네에서 공동으로 이루어지는 것이 자연스러운 때가 있었다. 그런데 오늘날은 이것이 어렵다. 그렇다고 해서 사회적으로 보육제도가 발전하고 국가에서 책임

---

37) 이필상, "아이 못 낳는 사회", 일요신문, 2014. 9. 21. 참조

져 주는 나라도 아니다.

　설상가상으로 교육문제가 출산을 가로막는다. 공교육이 무너져 어릴 때부터 학원에 다니고 사교육을 받아야 대학에 간다. 명문대학을 나오지 않으면 신분상승에 장애가 되거나 인정을 받기 어려워 사회에서 경쟁의 스타트라인 자체가 다르다는 인식이 팽배해 있다. 이렇게 되자 아이를 낳으면 막대한 교육비용이 필요하고 치열한 입시전쟁을 치러야 한다. 결혼비용부터 시작해 내 집 마련에도 숨이 찰 지경인데, 자녀의 교육과 양육비로 예상되는 비용이 천문학적으로 계산되는 현실에서 취업의 높은 벽 앞에 자신의 몸 하나 책임지는 것마저 힘에 부치는 청년들로서는 결혼이나 출산을 꿈조차 꾸기 어렵다.

　우리나라는 인구의 고령화 속도가 세계 1위다. 경제성장과 함께 이뤄진 삶의 질과 국민건강의 증진이 주요 이유다. 전체 인구 중 65세 이상의 고령자가 14%이상이면 고령화 사회로 분류한다. 우리나라는 2018년에 고령화 사회에 진입했다. 우리나라의 고령화 도달 속도도 세계 1위다. 고령화 비율이 7%에서 14%까지 걸리는 시간이 2006년에서 2018년까지 12년이었다. 프랑스는 126년 걸리고 미국은 71년 걸렸다. 일본도 24년이 걸렸다. 이 추세로 가면 우리나라 전체 인구 중 65세 이상 고령자가 20%가 넘는 초고령 사회에 진입하는 시간도 7년 이내로 예상한다.

　이런 상태에서 출산율마저 급격히 감소하고 있어 인구가 곧 줄어들 전망이다. 2020년 6월 기준, 전국 출생아 수는 2만8천9백 명으로 2015년 12월 이후 54개월째 감소세다.

　이에 반해 2020년 6월 기준 전국 사망자 수는 2만5천3백3명으로

1년 전에 비해 15%나 증가했다. 이에 따라 우리나라는 2020년부터 인구의 감소가 현실화할 가능성이 크다.

이렇게 되면 고령화 속도에 따라 노령자를 위한 복지수요가 폭증한다. 그렇지만 인구가 감소하고 노령인구가 많아 경제가 쇠퇴해 세금은 더 거두기 어려워진다. 청년들이 자신들은 어떻게 살며 무슨 수로 고령자들의 생계를 책임질 것인가?

실로 심각한 사회의 지속가능문제, 국가의 존립가능문제의 발생이 바로 코앞에 도달해있다.

세계경제의 무한경쟁

7 국제통화제도의 혼돈[38)]

국제통화제도

'**국**제통화제도'란 통화의 교환비율인 환율을 결정하고 국가 간에 경상거래와 자본거래를 원활하게 하며 국제수지 조정을 하기 위해 만든 '국제결제제도'를 말한다. 국제통화제도의 목적은 국제적 교역확대와 경제의 균형성장을 통해 완전고용의 달성, 국민소득 증대, 자원의 개발 등이다. 그러나 이러한 목적은 각국 경제의 내부사정과 충돌하는 경우가 많다. 따라서 국제거래의 원활하고 효율적인 결제제도를 통해 충격과 부작용을 최소화하면서 신속하게 국제수지 불균형을 시정하고 각국의 경제발전에 기여하도록 운영할 필요가 있다.

국제통화제도는 19세기 자유무역시대에 들어서 국제교역이 빠른 속도로 팽창하자 국제적 결제제도로서 공식적으로 발전하기 시작했

---

38) 이필상 외, 〈신국제금융〉, 박영사, 1994, pp.53-67 참조

다. 국제통화제도의 효시는 '금본위제도'다. 금본위제도란 일정한 양의 금에 각국의 통화가치를 고정시켜 국제적인 결제를 가능하게 하는 통화제도다. 금은 저장성, 내구성, 간편성, 희귀성, 분할성, 식별의 용이성 등의 특징 때문에 B.C. 3000년경 파라오 시대부터 화폐로 사용되어 왔다. 금본위 국제통화제도는 19세기에 들어서 세계무역과 금융의 중심지였던 영국을 필두로 해 유럽 각국과 미국, 러시아, 일본 등이 차례로 채택했다.

19세기에 운영된 금본위제도는 자유무역체제의 근간으로서 국제수지의 조절과 물가안정에 기여함으로써 세계경제의 균형적인 성장과 안정화에 중요한 역할을 했다. 그러나 금본위 제도의 기능이 금의 생산량과 분배에 지나치게 의존한다는 점에서 한계가 있었다.

20세기에 들어서 세계경제가 성장하면서 무역이 급속도로 확대했으나 금의 생산량은 한계에 부딪혔다. 또한 미국의 일방적인 무역흑자 기록으로 인해 금의 편재현상이 나타났다. 이렇게 되자 국제결제 수단으로써 금의 기능이 흔들리기 시작했다. 1914년 제1차 세계대전이 발발해 금의 자유로운 유출입과 태환이 어려워지자 금본위제도는 전면적으로 붕괴했다.

제1, 2차 세계대전을 겪는 동안 국제통화제도는 혼돈에 빠졌다. 제2차 세계대전이 막바지로 들어선 즈음 강력한 경제력을 확보한 미국은 '브레튼우즈(Bretton Woods) 협약'의 체결을 주도했다. 1944년 7월 미국 뉴햄프셔(New Hampshire)의 브레튼우즈에서 44개국이 참가한 가운데 열린 '연합국통화금융회의'는 대공황 및 제2차 세계대전으로 황폐화한 국제경제를 복구하고 새로운 국제통화제도를 수립하기 위한 방안을 심의하고 조인했다. 이 회의에서 심의하고 조인한 방안은 영국이 채무국으로서 자국의 입장을 반영한 '케인즈안'과 미국이 채권국으로서 자국의 입장을 반영한 '화이트안' 등이 절충안이었으나, 실제 최종 결정된 내용은 막강한 경제력을 가진 미국의 화이트안을 수정한 것이었다.

이 방안이 바로 국제통화기금(IMF: International Monetary Fund)과 국제부흥개발은행(IBRD: International Bank for Reconstruction and Development)의 설립을 골자로 하는 '브레튼우즈 협약'이다. 브레튼우즈 협약은 다음 해인 1945년 12월, 35개국의 비준을 거쳐 정식으로 발효되었다. 이렇게 발효된 브레튼우즈 체제는 1946년 3월 IMF와 IBRD의 창립총회를 거쳐 1947년 3월부터 기능을 시작했다.

IMF는 단기적인 국제수지 불균형을 조정하고 환율을 안정시키기 위한 기구이고, IBRD는 경제개발을 위해 장기투자재원을 융자하는 기구였다. 두 국제기구의 필요한 기금은 가맹국들이 출자한 재원으로 조성했다. 당연히 최대 출자국은 미국이었다. 1969년 IMF는 자체적으로 특별인출권(SDR: Special Drawing Right)을 설정해 신용창출 기능을 획득했다. IMF 자체로 SDR이라는 통화를 발행할 수 있는 권한을 가져 세계의 중앙은행 역할을 하게 된 것이다.

이렇게 되자 IMF는 국제유동성이 필요한 국가에 융자를 할 때 두 가지 형태를 취했다. 하나는 SDR창출에 의해 가맹국의 출자 없이 운영되는 특별인출계정(Special Drawing Account)에 의한 융자이고, 또 하나는 가맹국의 출자로 형성된 재원을 이용하는 일반 인출계정 (General Account)에 의한 융자다.

팍스 아메리카나(Pax Americana)

제 2차 세계대전 이후 세계경제 패권이 영국에서 미국으로 넘어갔다. 제1, 2차 세계대전을 치르는 동안 미국은 양대 전쟁에 적극적으로 참전해 두 전쟁을 승리로 이끄는데 주도적인 역할을 했으나 막상 전쟁의 피해는 크게 입지 않았다. 물론 많은 인명과 재정적 피해를 입은 것은 사실이다. 그러나 일본이 진주만 폭격을 감행하다 실패한 것 빼고는 직접 자국영토가 침략을 받고 피해를 입은 일은 없었다.

중요한 사실은 미국이 전략무기와 군사시설을 연합군에 공급하면서 기간산업이 급속도로 발전한 것이다. 항공, 조선, 자동차, 철강, 전자, 전기는 물론 원자력 산업까지 눈부시게 발전해 다른 나라의 추종을 불허했다. 이러한 새로운 산업의 발전은 미국에게 새로운 경제성장 동력을 부여해 세계경제의 판도를 바꾸는 데 결정적인 역할을 할 수 있었다.

이 과정에서 나타난 가장 두드러진 현상이 전쟁의 불안으로 인해 각국의 통화가치기 불안하자 미국이 전쟁물자를 공급하거나 상품을 수출하면서 금을 대금으로 받은 것이다. 이에 따라 제2차 세계대전 후 미국은 전 세계 중앙은행 금 보유량의 70%를 차지하게 되었다.

이렇게 되자 자연히 대영제국이 구축한 세계경제 패권인 팍스 브리타니카(Pax Britanica)가 무너지고 미국이 세계경제패권을 새롭게 차지하는 '팍스 아메리카나(Pax Americana)'가 형성되었다.

미국의 주도하에 체결한 브레튼우즈 협약은 팍스 아메리카나 체제를 구축하는 기반이 되었다. 브레튼우즈 체제는 미국의 경제력과 달러화에 대한 절대적인 신용을 바탕으로 일종의 금환본위제(gold exchange standard)39)를 채택해 각국이 자국통화의 환가치를 금 또는 달러화로 표시하도록 했다. 이 체제에 따르면 금 1온스가 미화 35달러에 해당하는 것으로 정하고 각국 환율을 금 또는 달러화에 고정시켰다.

이러한 고정환율제도는 각국 통화당국의 공식적인 외환시장 개입으로 유지하도록 했는데 외환시장에서 환율이 미리 협정한 기준환율에서 이탈할 경우 각국 중앙은행이 달러화를 매입 또는 매각하는 형태를 통해 기준환율을 지키도록 했다. 이때 외환시장에서 허용되는 환율은 기준환율의 상하 1%이내로 했다. 이러한 외환시장 개입과정에서 각국 통화당국이 획득한 달러화는 1온스에 35달러의 고정비율로 언제든지 미국 재무부로부터 금으로 태환할 수 있도록 했다.

결국 브레튼우즈 체제는 달러화를 기축통화로 해 미국이 세계경제를 지배하는 힘을 갖게 했다. 이 체제하에서 미국은 시뇨리지 효과(Seigniorage Effect)40)를 누릴 수 있었다. 즉, 대외적자나 채무가 발생할 때 미국은 기축통화국의 지위를 이용해 달러화를 마음대로 찍어내고 신용창출을 함으로써 대외적자나 채무를 변제할 수 있다. 미국은 언제라도 경제불안을 다른 나라에 떠넘기며 세계경제를 지배할 수 있는 무소불위의 힘을 가진 것이다. 브레튼우즈 체제는 제2차 세계대전이 끝난 후 황폐화한 세계경제를 다시 안정적으로 발전시키는데 중요한 역할을 했다. 달러화를 기축통화로 하는 '고정환율제도'

---

39) 국내에서는 국내통화를 유통시키고 국제적으로는 금본위국의 외국환을 일정한 가격으로 매매하여 거래함으로써 국내 통화를 금과 결부시키는 제도.
40) 기축통화국, 곧 국제통화를 보유한 나라가 누리는 경제적 이익을 일컫는다.

가 국제무역 및 자본거래에 있어서 불확실성을 제거해 줌으로써 모든 참여국가의 안정적 경제발전에 기여했던 것이다.

외환의 수급에 따라 시장이 환율을 결정하는 변동환율제도는 시장논리에 맞는 제도로 볼 수 있으나 국가마다 무역흑자를 늘리기 위해 자국화폐를 경쟁적으로 절하하는 환율전쟁을 일으킬 우려가 있다. 그러면 국제경제의 불확실성이 커져 세계 각국이 무역과 경제성장에 있어 피해를 입을 수 있다. 이런 면에서 제2차 세계대전이 끝난 후 세계 각국이 안정적인 경제발전이 필요한 상황에서 고정환율제도를 택한 브레튼우즈 체제의 출범은 의미가 컸다.

제2차 세계대전이 끝난 후 미국은 기간산업의 눈부신 발전으로 세계 어느 나라보다 뛰어난 품질의 상품을 저렴하게 생산했다. 경제의 생산성이 높은 반면 물가수준이 낮아 국제무역에서 수출이 많았다. 이에 반해 전쟁의 피해를 입어 경제가 황폐한 나라들은 생산성이 낮고 물가수준이 높아 당연히 미국상품에 대한 수입수요가 컸다. 이렇게 되자 다른 나라들은 미국상품을 수입하기 위해 많은 금액의 달러화가 필요했다. 따라서 자국통화를 주고 달러화를 사들여야 했다. 외환시장에서 달러화 가격이 상승할 수밖에 없었다.

이런 상황에서 브레튼우즈 협약에 따라 결정한 고정환율을 지키려면 각국 통화당국은 외환시장에 통화공급을 늘려야 하는데, 이때 달러화의 주요 공급 국가는 미국이 될 수밖에 없었다. 이러한 외환시장 개입구조는 미국이 달러화의 공급을 늘리고 다른 나라 통화를 매입하는 형태가 되었다.

이에 따라 미국은 통화량이 늘어 물가상승을 부담하고 다른 나라는 통화량을 미국이 흡수해 줌으로써 물가안정을 유지하며 세계경제를 발전시킬 수 있었다.

이렇게 볼 때 미국은 자국의 물가상승을 부담하며 제2차 세계대전으로 파괴된 세계경제를 부흥하는데 기여를 한 것으로 볼 수 있다. 그러나 미국의 이러한 브레튼우즈 정책은 다른 나라 경제를 돕기 위해 자국의 경제를 희생하는 것이 아니라 다른 나라경제를 부흥시켜야 상품과 자본을 수출해 미국경제도 발전할 수 있는 '국제경제의 상호성' 때문이라고 할 수 있다. 더구나 미국은 브레튼우즈 체제를 유지해야 세계경제를 주도하고 다른 나라 경제를 통제하는 패권국가의 위상을 지킬 수 있었다.

브레튼우즈 체제의 붕괴

'브레튼우즈 체제'는 미국이 기축통화국으로서 달러화로 국제 유동성을 공급하고 다른 나라들은 국제수지적자에 대비해 대외준비자산으로 달러화를 보유하는 체제다. 따라서 미국의 국내통화인 달러화가 명실공히 세계적으로 통용되는 국제통화가 되었다. 중요한 사실은 브레튼우즈 체제가 미국경제의 상황에 따라 고정환율의 안정적인 유지 여부가 달라지는 모순을 갖고 있었다는 것이다.

즉, 미국경제가 호황으로 수출이 늘어 국제수지 흑자를 나타낼 경우 달러화를 다른 나라에서 회수해 국제 유동성이 악화하고, 반대로 미국경제가 침체해 수출이 줄고 국제수지가 적자로 돌아설 경우 국제적으로 달러화 공급이 늘어 고정환율의 유지가 어려워지고 신뢰도가 떨어지는 현상이 나타났다. 더구나 고정환율을 유지하기 위한 외환시장개입에 대해 각국의 기준과 이해관계가 달라 원활한 개입이 어려웠다. 특히 외환시장 개입을 통한 고정환율의 유지가 자국경제에 불리할 경우 정치적인 반발로 외환시장 개입이 어려운 일도 있었다.

전체적으로 볼 때 브레튼우즈 체제는 제2차 세계대전이 끝난 후 20여 년간 세계무역신장과 경제발전에 기여한 바가 크다. 그러나 1960년대 후반 이후 미국경제의 국제수지가 적자로 돌아서며 브레튼우즈 체제는 흔들리기 시작했다.

브레튼우즈 체제는 국제 유동성 공급이 금의 생산량과 IMF의 신용창출에 의해 보완되도록 했으나 화폐용 금의 공급이 절대적으로 부족하고 IMF의 신용공급도 재원조달에 한계가 있었다. 따라서 기축통화국가인 미국의 국제수지상태가 국제 유동성 수준을 결정하는 가장 직접적인 요인이 되었다.

문제는 1960년대 후반 이후 제2차 세계대전 패망 후 다시 일어선 일본과 독일 등에 밀려 미국의 산업생산성이 떨어지며 국제수지가 적자로 돌아선 것이다. 미국이 당연히 달러화의 공급을 늘리자 국제 유동성이 과도하게 높아지면서 달러화의 신뢰도가 급격히 떨어지고 달러화가 기축통화의 기능을 점차 상실하는 '국제통화 파동사태'가 나타났다. 달러화의 국제신뢰도가 떨어지면서 대외지불자산으로서 금의 선호도가 다시 높아져 금 보유경쟁이 나타나고 보유외환 구성에 있어서도 종래의 달러화 위주에서 독일 마르크화나 일본의 엔화 등 강세통화의 비중이 증가했다.

이와 같이 상황이 바뀌자 심각한 문제로 나타난 것이 해외 각국이 보유한 달러화를 금으로 바꿔 달라는 금태환 요구가 커졌다는 것이다. 관건은 미국이 달러를 금으로 바꿔달라는 태환요구를 모두 수용할 수 있는 금을 보유하고 있느냐 여부였다. 미국은 모든 수단을 동원해 금 1온스의 기준가격을 35달러에 고정시키려 했으나 금 보유량이 급격히 감소해 끝내 이에 실패했다.

마침내 1971년 8월 당시 대통령이었던 닉슨이 금태환이 한계점에 달했음을 확인하고 가격통제, 수입과징금 부과 등 달러화 방위책과 함께 달러화의 금태환 정지명령을 내렸고, 이로써 브레튼우즈 체제는 사실상 막을 내렸다.

금환본위제에 입각한 고정환율제도였던 브레튼우즈 체제가 무너진 근본원인은 미국경제가 국제경쟁력을 잃은 것이었다. 일본, 독일, 영국, 프랑스 등이 전쟁의 폐허를 딛고 일어서며 빠른 속도로 경제를 회복하자 상대적으로 미국의 산업발전이 위축하고 국제경쟁력이 떨어졌다. 미국은 이들 나라에 대규모 자본과 기술을 지원하고 국제경쟁력을 내주는 주객전도 현상을 맞았다. 여기에는 미국이 경제패권에 도취해 지속적인 산업발전과 국제경제력 유지에 소홀했던 것이 주요 원인으로 작용했다.

미국경제의 국제경쟁력이 떨어지고 국제수지 적자가 증가하자 달러화의 발행이 늘며 당연히 나타난 것이 인플레이션이었다. 여기에 1960년대 중반 미국의 존슨 정부는 베트남 전쟁에 개입해 대규모로 재정지출을 늘렸다. 동시에 존슨 정부는 사회복지계획을 추진해 막대한 재정지출을 했다. 미국정부가 막대한 재정지출 수요를 조세로 충당하는 것이 어려워 통화발행을 이용하자 인플레이션이 악화했다.

이에 따라 미국정부의 다양한 노력에도 불구하고 금 1온스에 35달러의 기준가격 유지가 어려웠다. 더구나 독일, 일본, 스위스 등 서방의 주요 교역국들이 달러 본위 고정환율제도를 유지하려면 미국의 달러화를 사들여 인플레이션을 수용해야 했는데 미국과 달러화에 대한 신뢰도가 떨어지자 이를 거부했다. 이에 따라 미국은 결국 브레튼우즈 체제를 포기할 수밖에 없었다.

관리변동환율제도

미국의 금태환 중지로 국제통화질서가 혼란에 빠지자 미국을 위시한 서방 각국은 다시 고정환율제를 재건하기 위한 노력을 했다. 그 결과 이뤄진 것이 '스미소니언 협정(Smithsonian Agreement)'이었다. 1971년 12월 미국 워싱턴의 스미소니언박물관에서 열린 선진 10개국 재무장관 및 중앙은행 총재 회의에서 채택한 스미소니언 협정은 브레튼우즈 체제의 수정판이었다.

이 협정의 주요 내용은 금 1온스당 35달러의 교환비율을 1온스당 38달러로 달러화를 평가절하하고 달러를 기축통화로 하는 고정환율제도를 유지하되 각국 통화의 환율변동폭을 기준율의 상하 1%에서 상하 2.25%로 확대하는 것이었다. 그러나 이 협정은 달러화 가치가 불안한 상태에서 금태환이 보장되지 않아 실질적 고정환율제도로서 기능을 발휘하기 어려웠다. 이후 국제수지 불균형문제가 해소되지 않고 더욱 악화해 스미소니언 협약 6개월 만에 영국의 파운드화가 기준율 제도를 이탈하는 등 국제통화질서는 혼란에 빠졌다.

특히 국제신뢰도를 잃은 달러화의 시세하락이 가속하자 달러화를 투매41)하고 서독의 마르크화와 일본의 엔화 등 강세통화에 투기자본이 몰리는 등 외환시장이 요동했다.

1972년 중반 유럽공동체(EC: European Community) 국가들은 스미소니언 체제에 대해 환율불안의 우려를 표시하며 '스네이크(Snake in Tunnel)'제도를 도입했다. 스네이크 제도는 스미소니언 협정으로 정해진 미국 달러화 대비 환율변동폭 상하 2.25%를 터널로 보고 그 안에서 EC회원국들의 기준환율 대비 환율변동폭인 상하 1.125%를 스네이크로 보아 이 범위 안에서 환율변동을 허락하는 제도였다. 유럽국가들이 이와 같은 독자적 행동을 취하자 스미소니언 체제는 출범한지 1년 반 만에 무너졌다. 스미소니언체제가 붕괴하자 스테이크체제도 일부 가맹국들의 이탈이 나타나면서 유명무실하게 되었다.

미국 달러화를 기축통화로 하는 고정환율제도를 고수하기 위한 최후 노력이었던 스미소니언 체제가 무너지자 1972년 9월 IMF는 20개국 위원회를 만들어 새로운 제도 개편안을 마련했다. 그러나 위원회 구성원간 의견대립이 큰 상태에서 1973년 석유파동이 일어나 세계경제가 혼란에 빠지자 국제통화제도 개편작업은 무산되고 말았다.

국제통화제도는 1976년 킹스턴 체제를 합의할 때까지 무질서 상태로 운영됐다. 1976년 1월 미국, 영국, 프랑스, 독일, 일본 등 주요 국가들이 자메이카의 수도인 킹스턴에 모여 새로운 국제통화제도에

---

41) 주가, 채권, 외환 등의 자산 가격하락이 예상될 때 손해를 무릅쓰고 대량으로 파는 것을 말함.

합의했다. 이것이 바로 1978년 출범해 현재까지 지속되고 있는 '킹스턴 체제(Kingston System)'다. 킹스턴 체제는 각국 스스로 변동환율제와 고정환율제를 취사선택할 수 있다. 또 환율의 지나친 등락을 막기 위해 각국 정부는 외환시장에 개입할 수 있다. 그러나 임의대로 환율을 조작하는 것은 금지하는 등 가맹국이 협조해야 할 일반적 의무를 부과하고 있다.

킹스턴 체제가 도입되자 대부분 국가가 통화수급에 따라 환율을 결정하는 변동환율제를 도입했다. 킹스턴 체제는 세계 각국이 더 이상 고정환율제도 유지가 어려운 현실을 인정하고 SDR본위 제도로의 이행을 인정한 것으로, IMF의 감독기능을 강화한 '관리변동환율제도(Managed Dirty Float System)'로 자리를 잡았다.

킹스턴 체제로 새로운 국제통화제도가 출범했으나 무역확대와 세계경제발전의 안정적인 기반으로 기능을 발휘하는 데는 한계가 있었다. 과거 브레튼우즈 체제 때와 달리 외환시장에서 형성되는 환율이 불안했다. 1973년 석유파동이 일어나자 세계경제는 경기침체와 물가상승이 동시에 나타나는 스태그플레이션의 혼란에 빠졌다.

이 와중에 출범한 킹스턴 체제가 제 역할을 못하자 환율변동이 심각한 상태로 치닫고 각국은 인플레이션과 경기침체는 물론 국제수지 적자, 투기확산 등의 불안을 집중적으로 겪었다. 특히 미국경제의 불안이 문제였다.

1977년 1월 출범한 카터 행정부는 경기활성화에 초점을 맞춰 재정 팽창정책을 폈다. 그러나 경제가 스태그플레이션의 함정에 빠져 경기는 살아나지 않고 오히려 팽창정책의 부작용으로 인플레이션이 급증하며 국제수지가 악화했다. 더구나 카터 행정부는 국내 경제정책 목표달성에 역점을 두고 달러가치를 유지하는 외환정책은 등한시했다. 이렇게 되자 달러화 가치가 폭락했다. 카터 행정부 출범 이듬해인 1978년 10월 주요국들의 통화가치에 비해 달러화 가치가 20%이상 떨어지는 사태가 벌어졌다. 이에 따라 달러화의 국제신뢰도가 추락하자 세계 각국은 대외 지불준비금을 독일 마르크화나 스위스 프랑으로 대체하는 현상이 벌어졌다. 미국 스스로도 대외위험도가 높아지자 독일과 통화스왑을 체결하기도 했다.

1979년 제2차 석유파동이 일어나자 스태그플레이션은 악화하고 달러화 가치는 더 흔들렸다. 세계경제는 다시 통제하기 어려운 불안에 휩싸였다.

위와 같은 국제사회의 환율제도의 격동적 상황에 대응하여 우리나라는 어떤 환율제도를 채택해왔을까?

해방 직후 우리나라의 환율제도는 미화 1달러에 0.015원을 교환할 수 있도록 공정환율42)을 책정한 '고정환율제도'였다. 그 후 일반 수출업무를 개시한 1947년에 정부는 공정환율을 1달러에 0.05원으로 인상하고 1948년에는 0.45원으로 대폭 인상했다. 경제의 개방체제화 계획에 따라 1964년 5월 우리나라는 환율제도를 '단일변동환율제'로 바꿨다. 고정환율제도 하에서 우리나라는 계속되는 인플레이션 때문에 계속적인 평가절하가 필요했다. 그러나 이러한 사후조정을 통해서는 환율이 외환의 수요와 공급에 따라 결정되는 가격기능을 발

---

42) 외환의 수급관계에 따라 자유로이 변동하는 환율과는 달리 정부에서 인위적으로 정한 환율을 말한다.

휘하기 어려웠다. 1960년대 들어 정부는 경제개발계획을 추진하면서
개방체제 이행을 추진했다. 이에 따라 1964년 5월 단일변동환율제를
도입한 것이다. 이 제도는 외환거래 때 적용하는 공정환율을 정부가
미국 달러화의 수급사정에 따라 조정하는 환율제도다.

1980년대 초 우리나라는 미국 달러화뿐 아니라 다른 나라 통화의
수급도 환율에 반영함으로써 대폭적인 환율조정보다는 점진적으로
환율을 조정하는 '복수통화 바스켓페그제도[43]'를 채택했다. 이 제도
를 통해 우리나라는 1980년대 후반 환율의 안정과 함께 대규모 무
역흑자를 기록했다. 복수통화 바스켓페그제도는 정부가 환율을 조정
하는 제도여서 외환시장의 수급현황을 반영하는데 한계가 있었다. 더
욱이 1980년대 후반 무역흑자 규모가 커지자 우리나라는 해외에서
환율조작국이라는 비난을 받기도 했다.

그러자 우리 정부는 1990년 3월 새로운 환율제도로 '시장평균환율
제도'를 도입했다. 이 제도는 외국환 은행이 외환시장에서 거래한 현
물환 거래환율을 거래량으로 가중평균해 시장환율을 결정한다. 외환
시장에서 수급상황을 반영해 환율을 결정하므로 시장원리에 따른 환
율결정이라 볼 수 있다. 그러나 정책당국이 환율의 일일변동에 상 ·
하한을 두고 외환시장에 개입하는 것을 허용하고 있어 엄격한 의미
에서 자유변동환율제도는 아니다.

브레튼우즈 체제 하에서 무역이 확대하고 세계경제가 안정적인 발
전을 할 수 있었던 것은 고정환율제도를 유지할 수 있는 미국경제의

---

43) 자국과 교역 비중이 큰 몇 개 국가의 통화로 통화바스켓을 설정하고 국제외환시장에서
의 동 국가들의 환율 변동을 감안하여 당해 통화의 환율을 결정하는 제도.

힘이 있었기 때문이었다. 그러나 미국경제의 패권이 약화한 상태에서 1970년대 중반 출범해 현재까지 운영되고 있는 킹스턴 체제는 강력한 통제력과 구속력이 없어 사실상 무질서 상태나 다름없다.

현재 국제통화질서는 세계 각국이 자국의 이해관계에 따라 외환시장에 개입하며 힘의 대결을 하는 '보이지 않는 통화전쟁상태'다. 세계경제의 혼란은 커지고 모든 나라의 경제가 불안을 겪는 불확실성의 시대를 이어가고 있다. 특히 1980년대 이후 '신자유주의'가 확산하고 이에 더해 2010년대부터 '보호무역주의'가 강화하자, 각국 정부는 외환시장 개입을 계속 강화했다.

최근 미국, 중국, 일본, 유럽연합 등 세계 주요 경제국가들이 주축이 되어 경쟁적으로 자국 통화를 절하해 수출경쟁력을 높이는 통화전쟁이 더욱 치열한 상태로 치닫고 있다. 자칫하면 세계경제가 통화전쟁의 화염 속에 극한상황을 맞을 수 있다.

유로화와 유럽연합의 출현

1960년대 후반부터 미국경제의 불안으로 인해 브레튼우즈 체제가 위기를 맞자 이에 맞서 유럽 국가들은 역내 통화통합을 추진했다. 유럽 국가들은 1970년 룩셈부르크 수상인 베르너가 유럽공동체(EC: European Community) 집행위원회에 제출한 '베르너보고서(Verner Report)'을 토대로 단일통화도입 논의를 본격화했다. 베르너보고서는 1980년까지 통화협력을 위한 유럽기금창설, 금융시스템 통합, 완전한 고정환율제 도입 등 3단계로 구성한 통화통합방안을 제시했다. 그러나 이 방안은 1973년 석유파동이 일어나 각국이 독자적인 경제정책을 펴 대응하면서 실패로 돌아갔다.

1973년 석유파동 이후 세계경제는 스태그플레이션의 소용돌이 속에서 극도의 불안을 겪었다. 외환시장이 요동치고 환율불안이 계속됐다. 급기야 1979년 유럽국가들은 유럽통화제도(EMS: European Monetary System)를 독자적으로 출범시켰다.

이 제도를 통해 유럽국가들은 '유럽통화단위(ECU: European Currency Unit)'를 창출하고 자체적인 환율조정메카니즘(ERM: Exchange Rate Mechanism)을 운영했다. 유럽통화제도 EMS체제는 통화시장을 단일화하고 환율을 안정적으로 조정하는 기능을 했다. 그러나 회원국들의 독자적인 통화정책을 제한할 수밖에 없었다. 그러자 유럽국가들은 이 기회에 통화를 통합해 경제불안을 해소하고 공동이익을 추구하자는 논의를 시작했다. 이에 따라 1970년에 만들어졌던 〈베르너 보고서〉가 제시한 통화통합 방안을 다시 검토했다.

1988년 EC집행위원장인 들로르(Jacques Delors)의 제안에 따라 통화통합을 위한 위원회가 구성되었고, 1989년 〈들로르 보고서(Delors Report)〉를 만들었다. 베르너 보고서를 바탕으로 한 이 보고서는 단일 통화의 창출과 유럽중앙은행의 통화정책 수행을 주요내용으로 담았다. 1991년 15개 EU회원국들은 들로르 보고서를 기초로 해 일명 '마스트리히트 조약(Maastricht Treaty)'으로 불리는 유럽연합조직에 합의하고 1999년 1월까지 단일 통화, 단일 통화정책을 수행하기 위한 '유럽통화연맹(EMU: European Economic and Monetary Union)'을 창설하기로 합의했다.

마스트리히트 조약은 유럽 각국의 비준을 받아 1993년 11월부터 정식으로 발효했다. 이에 따라 1967년 7월 시장통합을 목적으로 출범한 유럽공동체(EC: European Community)가 1994년 1월부터 정치, 경제적으로 유럽의 통합을 의미하는 유럽연합(EU: European Union)으로 명칭을 바꿨다. 이와 함께 1994년 1월 유럽통화기구(EMI: European Monetary Institute)를 만들어 유럽중앙은행제도(ESCB: European System of Central Banks)의 설립을 준비했다.

그런데 유럽통화의 통합은 뜻하지 않은 복병을 만났다. 통일 후 독일의 경제불안이 발목을 잡았다. 독일은 동독지역에의 경제지원으로 재정적자가 누적하고 물가가 오르자 고금리정책을 폈다. 다른 나라들도 자금이 유출하는 것을 막기 위해 금리를 올릴 수밖에 없었다. 이렇게 되자 유럽 국가마다 경제불안이 나타나고 경제력 차이가 심화하면서 국가간 경제협력체제가 흔들렸다. 영국과 이탈리아 등이 환율조정메커니즘(ERM)을 거부하면서 유럽통화연맹의 창설은 위기를 맞았다.

하지만 마스트리히트 조약은 1995년 마드리드 EU정상회의에서 정상들이 강력한 통화통합의지를 천명함에 따라 무산위기를 피했다. 이 회의에서 정상들은 마스트리히트 조약의 수렴조건을 충족하지 못하는 나라는 유럽통화연맹(EMU)에서 제외하기로 했다. 또 단일 통화의 명칭을 '유로(Euro)'로 정하고 2002년 상반기까지 유로를 회원국들의 유일한 법화로 사용하기로 했다.

1998년 5월 열린 EU정상회담은 유럽통화연합의 최초 참가국을 확정하고 유럽중앙은행(ECB: European Central Bank)의 임원진을 확정했다. 1999년 1월 1일 유로화를 단일통화로 결정하고 유럽중앙은행(ECB)이 참가국의 통화주권을 인수해 단일통화정책을 수행하면서 유럽통화연맹(EMU)이 공식적으로 출범했다. 2002년 1월에서 6월까지 유로화와 참가국 통화가 병행해 유통된 후 2002년 7월부터 각 참가국의 통화는 폐지됐다. 유로화를 공통화폐로 사용하는 나라는 독일, 프랑스, 이탈리아, 스페인, 네덜란드, 포르투갈, 벨기에, 룩셈부르크, 오스트리아, 아일랜드 등 19개국이다.

2002년 유로화가 유럽의 단일통화로 사용됨에 따라 국제통화체제는 지각변동을 겪게 됐다. 유럽경제가 동일한 화폐를 사용함으로써 유럽이 하나의 통화국로 묶인 것이다. 이는 미국 달러화 중심의 팍스 아메리카나 체제를 부정한 것으로, 국제통화체제가 달러화와 유로화의 양대 통화권으로 재편하는 결과를 낳았다.

1997년 외환위기를 겪은 아시아 국가들도 통화금융협력을 위해 다양한 방안을 추진하였다. 1997년 9월 일본은 아시아통화기금(AMF: Asian Monetary Fund)을 설치해 운영할 것을 제안했다.

AMF는 아시아 지역의 IMF로 역할을 하며 역내 통화가치 안정과 무역신장 등을 목표로 했다. 그러나 이 제안은 미국과 IMF의 강력한 반대에 부딪쳐 무산됐다. 그러나 아시아 지역의 통화금융협력 노력은 계속됐다. 1999년 11월 ASEAN + 3(ASEAN 10개국 + 한국, 중국, 일본) 회의는 필리핀 마닐라에서 정상회담을 열어 포괄적인 금융협력을 강화하는 공동성명을 발표하면서 아시아 지역 금융통화 협력은 새로운 전기를 맞았다. 이 정상회담의 후속조치로 2000년 5월 ASEAN + 3국 재무장관회의가 열려 '치앙마이 합의(CMI: Chiang Mai Initiative)'를 도출했다.

CMI의 주요 내용은 ASEAN + 3개국의 중앙은행들이 통화스왑이나 환매조건부(Repo) 거래를 통해 각국의 외환시장 안정을 꾀한다는 것이었다. 이를 계기로 국가별로 개별협정을 통해 대규모의 통화스왑이 이뤄졌다.

2010년 3월 ASEAN +3 회원국들은 CMI협력을 다자간 형태로 바꾸는 'CMIM(Chiang Mai Initiative Multilateralization) 체제'를 공식적으로 출범해 통화금융협력을 확대했다. 그러나 CMIM은 유럽의 통화동맹인 EMU와는 달리 아직은 회원국들 사이에 통화금융의 협력차원에 머물러 있는 상태다. 향후 중국경제 등 아시아경제가 빠른 성장을 계속해 세계경제에서 차지하는 비중이 커질 때 통화협력체의 완성형태로 아시아 통화동맹이 결성될 가능성도 있다.

지역 내 통화금융협력의 노력은 아시아뿐만 아니라 아프리카와 중남미 지역에서도 활발하다. 1994년 서아프리카의 7개국이 맺은 서아프리카 경제통화동맹(WAEMU: West Africa Economic and Monetary Union), 1981년 카리브해의 8개 국가가 맺은 동카리브해 통화동맹(ECCU: Eastern Caribbean Currency Union)등이 대표적이다.

8 케인즈주의와 신자유주의

자유주의와 경제공황[44]

1914년에서 1918년까지 4년간 지속한 제1차 세계대전으로 큰 덕을 본 미국은 1920년대 들어서 가파른 경제성장을 이루었다. 1800년대에 시작해 발전을 거듭한 산업혁명을 바탕으로 생산기술의 발달, 시설의 기계화, 기업의 대형화, 경영의 과학화, 신용제도의 체계화 등을 집중적으로 이뤄 미국식 자본주의가 비약적으로 발전했다. 이에 따라 1927년 미국경제가 대호황을 맞자 세계경제의 중심이 유럽에서 미국으로 옮겨가는 현상이 나타났다. 이로부터 불과 2년 후인 1929년 뉴욕 주식시장의 대폭락으로 미국경제는 대공황의 회오리에 휩싸였다. 도시지역의 실업률이 25%에 달하고 국민소득이 30%나 감소하는 그야말로 경제 대지진이었다.

---

44) 〈미국사 다이제스트 100〉 중 "파산한 자본주의" : NAVER 지식백과 참조

근본적인 원인은 제1차 세계대전 후 경제의 눈부신 발전으로 공급은 급격히 증가했으나 수요가 이를 따르지 못해 공급과잉상태가 나타난 것이었다. 따라서 미국 국민 전체의 소비수요가 공급증가를 따라잡지 못해 재고가 쌓였다. 더구나 전쟁의 종식으로 인해 전쟁물자의 수요가 사라져 미국경제의 공급과잉상태는 빠른 속도로 악화했다. 이와 더불어 미국경제에 고질적으로 나타나기 시작한 문제가 경제성장의 과실이 부유층에 집중되는 계층 간의 소득 격차였다.

한편으로 경제가 성장함에 따라 소득과 저축이 증가해 고소득층 중심으로 부가 집중적으로 쌓였으나, 다른 편으로 경제가 과잉공급상태에 빠져 투자가 위축했다. 이렇게 되자 고소득층의 저축자금이 투자처를 찾지 못해 증권시장으로 집중하는 현상이 나타났다.

이 과정에서 나타난 문제가 주식 투기였다. 고소득층 중심의 저축자금이 주식시장으로 대거 몰리면서 투기열풍이 불었다. 주식의 투기열풍이 불자 미국의 경제성장을 믿고 주가의 지속적인 상승을 예측했던 투자자들은 자신이 보유하고 있던 저축자금과 국내 은행은 물론 유럽은행으로부터 단기 빚을 내 주식 사재기를 하는 경우도 흔했다. 이러한 주식투기의 대열에 부자가 되기를 열망하던 근로자들도 대거 합류했다. 주식시장이 사상 초유의 대형거품으로 들떴다.

1929년 하반기 들어서 투자자들은 주식시장이 과열상태라는 것을 인식하고 주식의 매도를 시작했다. 1929년 10월 급기야 뉴욕 증권거래소에서 주가가 폭락하면서 거품이 꺼지기 시작했다. 1929년 9월 380대를 기록했던 다우존스 주가지수가 가파른 폭락세를 보이더니 1932년 7월 40포인트 수준으로 추락해 시가총액 90% 가까이가 증발하는 주식시장 대란이 일어났다. 투자자들의 파산이 연쇄적으로 일어났다. 자산가치가 급격히 떨어지자 은행 빚을 갚지 못하고 파산하는 기업들이 속출했다. 이런 상태에서 불안감에 휩싸인 예금자들이 예금을 대거 인출하는 사태가 일어나자 은행들이 줄줄이 도산했다. 수많은 실업자를 쏟아내며 미국경제가 대공황의 함정에 빠졌다.

  미국의 경제공황은 미국에서 그치지 않고 전 세계로 퍼져 나갔다. 제1차 세계대전이 끝난 후 유럽은 심각한 전쟁의 후유증을 겪고 있었다. 폐허가 된 독일은 경제난을 피하기 위해 통화를 대량으로 발행해 '하이퍼 인플레이션(hyper inflation)[45]'을 겪는 상황이었다. 더구나 패전국으로 '베르사유 조약[46]'에 따라 엄청난 금액의 전쟁보상금을 지불해야 했다.

  영국과 프랑스 등 유럽의 연합국은 승전국임에도 불구하고 전쟁 중 미국에 대규모의 빚을 진 채무 국가로서 경제난을 겪는 것은 마찬가지였다. 유럽경제는 미국의 원조로 버티고 있었다. 그런데 미국경제가 대공황상태로 치닫자 미국경제에 의존하여 회복해 가던 유럽경제가 혼란에 빠지고 유럽은행들이 도산하기 시작했다. 곧바로 미국경제와 유럽경제가 한꺼번에 대공황의 회오리에 휩싸였다. 이렇게 되자 미국의 경제공황이 세계경제의 대공황으로 급속히 확산하는 현상이 나타났다.

---

45) 물가상승이 비상식적으로 높은 상황을 말한다. 하이퍼인플레이션은 전쟁이나 혁명 등 사회가 크게 혼란한 상황이나, 또는 통화량을 지나치게 대규모로 공급할 때 나타난다.
46) 1919년 6월 28일 파리 평화회의의 결과로 제1차 세계대전을 정리하기 위해 31개 연합국과 독일이 맺은 강화조약.

1929년 경제대공황이 일어나기 전까지 미국 경제의 기본이념은 '자유주의 시장경제'였다. 자유주의 시장경제는 시장기능이 문제를 해결한다는 원칙을 중시한다. 즉, 경제가 공황상태에 빠지면 노동시장에서는 노동공급이 많아 임금이 내려가고 금융시장에서는 자금공급이 많아 금리가 내려가 기업들이 저렴한 임금과 이자로 투자를 늘릴 수 있다. 그러면 경제가 다시 성장해 일자리와 소득을 창출하고 다시 저축을 늘리게 된다는 논리다.

경제대공황이 발생할 당시 미국의 대통령이었던 후버(Herbert Clark Hoover, 1874-1964)는 이러한 자유주의 시장경제에 대한 신념이 강했다. 따라서 정부가 경제에 간섭하면 안 된다는 원칙을 고수하고 경제회복을 민간투자에 맡겼다. 그러나 미국경제의 대공황은 끝날 기미를 보이지 않았다. 이 과정에서 미국의 주요 산업이었던 농업의 피해도 컸다. 농민들은 소득의 감소를 막기 위해 농산물의 생산을 늘리면 농산물 가격이 급락해 오히려 소득이 더 떨어지는 악순환을 겪었다.

이렇게 되자 자유주의 시장경제의 이론적 기반이었던 아담 스미스(Adam Smith, 1729-1790)의 국부론이 위기를 맞았다. 1776년 아담 스미스는 자신이 저술한 〈국부론〉에서 자기이익의 추구가 사회전체의 이익을 낳는다는 '보이지 않는 손'의 경제이론을 제시했다.

'보이지 않는 손'이란 다수의 수요자와 공급자가 자기이익을 극대화하는 경제활동의 결과로 수요자와 공급자 모두가 만족하는 시장가격이 형성되고 이렇게 형성된 가격이 사회전체의 이익이 되는 자원의 배분을 한다는 이론이다. 이러한 아담 스미스의 시장경제이론은 세계경제의 중심으로 발전한 미국식 자본주의의 기본적인 틀이었다. 미국의 경제대공황은 이 이론을 전면적으로 부정하고 정부가 개입해서 공황을 극복해야 한다는 '수정자본주의'가 대두하게 만들었다. 수정자본주의의 대표적인 이론적 체제로 등장한 것이 '케인즈주의'다.

케인즈주의와 뉴딜정책[47)]

경제가 암울한 상황에서 1932년 미국은 대통령선거를 치렀다. 공화당의 후버를 제치고 민주당의 루즈벨트(Franklin Roosevelt, 1882-1945)가 당선됐다. 1933년 취임한 루즈벨트 대통령은 경제에 대한 정부의 적극적인 개입정책으로 '뉴딜(New Deal)정책'을 폈다. 뉴딜정책은 경제를 살리려면 정부가 인위적으로 개입해서 시장의 유효수요를 창출해야 한다는 정책으로, 미국경제가 붕괴하는 것을 막고 시장질서를 재건하는데 중요한 역할을 했다.

'뉴딜정책'의 중요한 의미는 미국의 자본주의가 공황사태에 빠져 존립의 위기를 맞았으나 정부의 적극적인 개입으로 자본주의 형태를 지켰다는 것이다. 경제대공황을 겪는 동안 미국 내에서 자본주의에 대한 회의가 일었음에도 불구하고 공산주의나 사회주의를 대안으로 들고 나오지는 않았다. 제1차 세계대전과 대공황으로 인한 유럽경제의 황폐화가 파시즘의 정치체제를 낳고 제2차 세계대전의 원인으로 작용했다는 사실을 감안할 때, 민주주의국가인 미국의 자본주의 수호

---

47) 〈미국사 다이제스트 100〉 중 "자본주의에 대한 새로운 처방" : NAVER 지식백과 참조

는 보통 의미가 큰 일이 아니었다. 그러나 세계경제 대공황 이후 자본주의 경제가 정부의 간섭을 배제하는 과거의 순수자유주의 시장경제를 회복한 것은 아니었다.

뉴딜정책을 계기로 미국의 자본주의 경제는 자유주의에 사회주의적 요소를 결합한 경제로 바뀌었다. 뉴딜정책은 수정자본주의인 '케인즈주의'를 근거로 했다. 케인즈(John Maynard Keynes, 1883-1946)는 경제대공황은 '유효수요(有效需要)'[48] 부족으로 인한 수요와 공급의 불균형 때문에 나타난 현상이라고 설명했다. 따라서 이 문제를 해결하기 위해 정부의 개입이 필수적이라는 논리를 폈다. 정부의 개입이 필수적이라는 논리는 사실상 경제문제를 시장기능이 스스로 해결한다는 순수자본주의를 부정한 것이다. 그렇다고 해서 정부기능이 시장기능을 대신하는 사회주의를 옹호하는 것은 아니다. 시장기능의 보완책으로 정부개입을 정당화한 것이다. 이러한 정부의 시장개입 논리에 근거해 루즈벨트는 뉴딜정책을 폈고, 위기에 봉착한 미국의 자본주의를 케인즈식 수정자본주의 형태를 통해 구해낸 것이다.

케인즈주의자들은 1930년대 세계경제를 휩쓴 대공황이 자유주의 경제의 시장실패라고 규정하고 정부의 적극적인 시장개입을 주장했다. 또한 개인과 기업의 올바른 선택이 시장참여자 모두를 만족시킨다는 '보이지 않는 손의 이론'에 대해 경제가 물가안정과 완전고용을 동시에 이루는 것이 어렵기 때문에 정부가 수요를 조정하는 것이 필수적이라는 이론을 제시했다. 이 이론을 뒷받침한 것이 경기가 상승해 실업이 줄면 물가가 오르고 경기가 침체해 실업이 증가하면 물가

---

48) 사업 또는 생활에 필요한 물품이나 용역을 구입하려는 실질적인 수요

가 내린다는 '필립스 커브(Phillips Curve)[49]'다. 따라서 경기침체로 인해 실업문제가 커지면 정부는 재정과 통화의 팽창정책을 펴 유효수요를 증가시키고, 반대로 경기과열로 인해 물가불안이 커지면 재정과 통화의 긴축정책을 펴 유효수요를 줄여야 한다는 것이 케인즈주의의 정책 처방이었다.

제2차 세계대전이 끝난 후 팍스 아메리카나 체제를 구축한 미국은 이러한 케인즈주의 정책처방을 수시로 활용해 최대 경제호황을 누렸다. 그러나 케인즈주의는 1970년대 세계경제가 석유파동으로 인해 공급과 수요체제가 한꺼번에 혼란에 빠지고 물가상승과 실업증가가 동시에 나타나는 스태그플레이션(Stagflation)을 겪게 되자 몰락의 길을 걸었다. 물가상승과 실업증가가 동시에 나타나 어떤 정책도 펼 수 없는 한계에 부딪쳤던 것이다. 특히 실업문제를 해결하기 위해 팽창정책을 펴면 실업문제는 해결이 안 된 채 물가만 오르고, 물가를 해결하기 위해 긴축정책을 펴면 오히려 실업만 증가하는 역효과가 나타났다.

1973년과 1979년 2차에 걸쳐 나타난 석유파동으로 인해 세계경제는 케인즈주의 경제정책으로는 도저히 해결이 어려운 스태그플레이션의 덫에 걸렸다. 미국경제의 경우 1970년대 말과 1980년대 초 물가상승률과 실업률이 각각 10%를 넘어 두 숫자를 합친 고통지수(Misery Index)가 20을 넘었다. 우리나라는 물가상승률과 실업률이 각각 30%와 5% 수준으로 올라 고통지수가 35나 되었다.

---

49) 1950년대 후반 영국의 경제학자인 필립스가 80년의 과거 통계를 분석해 만든 곡선이다.

이처럼 세계경제가 스태그플레이션의 고통을 겪자 1980년대 이후 자연히 부상한 것이 '신자유주의'다. 정부의 과도한 개입이 경제의 시장기능을 막아 심각한 부작용을 초래한다고 주장하며 시장기능을 회복해야 한다는 이론이었다.

스태그플레이션과 신자유주의

제 1차 세계대전 이후 경제공황을 겪은 미국과 영국 등 선진국의 경제정책에 이론적인 기반을 제공한 '케인즈주의'는 공황으로 인한 세계 주요 국가들의 경제파국을 막고 자본주의 시장경제를 지켰다는 차원에서 의미가 컸다. 케인즈주의는 경제를 시장에 완전히 맡겨 놓는 것이 아니라 정부가 적극적으로 개입해 시장실패를 막는 동시에 완전고용을 달성하고 복지국가를 실현하는 것을 목표로 했다. 이에 따라 경제공황으로 타격을 받은 세계 각국의 호응이 컸던 것이다.

특히 제2차 세계대전이 끝난 후 20여 년간 케인즈주의 경제정책은 전후 복구사업의 수요증가로 미국이 주도하는 자본주의 시장경제의 황금기를 맞자 세계 각국 정부정책의 주류로 자리를 잡았다. 그러나 1970년대 베트남 전쟁 참전에 따른 재정적자와 산업발전의 침체에 의한 생산성 하락으로 인해 미국경제가 스태그플레이션을 겪기 시작하자 케인즈주의에 대한 회의가 일기 시작했다. 케인즈주의의 입각한 각국의 경제정책이 위기를 맞은 것이다.

그러자 케인즈주의에 대한 반작용으로 아담 스미스가 주장했던 자유주의가 다시 고개를 들었다. 이에 따라 세계경제의 스태그플레이션은 구조적으로 케인즈주의를 기반으로 한 정부정책의 실패에 기인했다고 주장하는 신자유주의가 위력을 발휘하기 시작했다.

'신자유주의'는 기본적으로 기업의 자유로운 활동과 개인의 재산권 존중을 기본 이념으로 한다. 따라서 정부의 간섭을 최소화하고 모든 경제활동을 시장자율과 자유경쟁에 맡겨야 한다고 주장한다. 국가권력의 과도한 개입이나 정치적인 이용은 시장기능을 위축해 경제의 효율성을 떨어뜨리고 경제의 공정성과 형평성을 근본적으로 해친다고 반대한다. 더구나 국가권력의 시장개입은 공공복지를 지나치게 확대함으로써 근로의욕을 감퇴해 경제의 성장동력을 떨어뜨릴 뿐만 아니라, 정부의 재정적자를 누적해 국가가 재정위험에 처할 수 있다고 주장한다.

특히 신자유주의는 기업의 자유로운 활동을 위해 각종 정부규제를 철폐하고 조세를 최소화하며 복지정책도 축소해야 한다는 논리를 편다. 또한 신자유주의는 고용불안을 해소하기 위해 정부가 적극적으로 개입해야 한다는 논리를 배제하고 대신 노동시장을 유연화 해야 한다는 논리를 내세운다. 기업의 경쟁력이 떨어지면 필요한 만큼 사업정리, 노동자 해고, 임금삭감 등을 할 수 있어야 하는데 정부가 이를 억제하면 기업은 경영을 정상적으로 할 수 없어 경쟁력이 떨어지고 위기가 닥치면 필요한 대책을 마련하지 못하고 쓰러진다는 것이다. 그리고 신자유주의는 정부가 관리하거나 지원을 하는 공공부문을 최대한 시장영역으로 바꾸는 민영화도 강조한다.

더 나아가 신자유주의는 세계화를 주요목적으로 추구한다. 비교우위에 입각한 국제분업과 자유무역을 확대해야 각국 경제가 효율적으로 발전할 수 있다는 것이다. 특히 금융개방을 통해 세계 각국이 경제성장을 추구해야 한다고 주장한다. 즉 세계 각국이 경제성장을 하려면 주식, 채권, 외환 등 모든 금융거래가 국경 없이 이루어지고 자금이 자유롭게 이동해야 한다는 논리다. 이러한 신자유주의는 아담 스미스의 '보이지 않는 손'의 이론에 따른 고전적 자유주의를 뜻하는 것은 아니다. 시장기능을 올바르게 보호하고 활성화하는 차원에서는 국가권력의 개입을 예외적으로 허용한다는 입장이다. 이에 따라 재정정책, 통화정책 등을 시장기능에 부합하는 수준에서 펼 것을 주장한다. 1980년대 들어서 신자유주의가 세계적 추세로 확산함에 따라 케인즈주의 경제정책은 점차 힘을 잃었다.

제2차 세계대전 이후 1960년대 후반까지 세계 각국이 케인즈주의를 표방하는 경제정책을 폈으나 영국의 경제학자 하이에크(Friedrich Hayek, 1899-1992)는 케인즈주의가 궁극적으로 문제를 일으킬 것이라는 주장을 펴며 자유시장 경제체제를 주장했다. 케인즈주의 하에서 신자유주의에 대한 연구는 미국 시카고대학 중심으로 끊임없이 이뤄졌다. 1960년대 통화주의를 주창하고 1976년 노벨경제학상을 받은 프리드만(Milton Friedman, 1912-2006)의 연구가 대표적이다.

1970년대 들어서 케인즈주의가 쇠퇴하자 1970년대 말부터 세계 각국은 경제성장의 효율성을 높이고 국제경쟁력을 강화하기 위해 신자유주의 정책을 주요정책으로 펴기 시작했다. 그러나 신자유주의는 자유방임경제를 지향함으로써 경제력 집중, 빈부격차 심화, 선진국과 후진국간 갈등심화 등의 모순을 다시 잉태하기 시작했다.

신자유주의는 경제현상의 하나로 '낙수효과(Trickle-down Effect)'를 주장한다. 낙수효과란 물이 위에서 아래로 흘러 바닥을 적시는 것과 같이 대기업과 부유층의 부가 증가하면 아래에 있는 중소기업과 서민층의 부도 증가하는 것을 의미한다. 그러나 현실적으로는 대기업과 부유층이 신자유주의를 악용해 부를 투자하거나 배분하지 않고 계속 축적함으로써 승자독식 현상이 나타나 낙수효과보다 부의 집중 현상이 훨씬 큰 것이 보통이다. 그러므로 신자유주의가 모순이라는 비판이 거세다.

신자유주의를 비판하는 사람들은 낙수효과 대신 '분수효과(Fountain Effect)'를 주장한다. 경제발전의 핵심적인 요소는 소비라고 주장하며 저소득층의 소비가 늘어야 기업투자가 늘어 경제가 발전하고 소득을 나눌 수 있다는 것이다. 따라서 대기업과 부유층에 증세를 하고 그 돈으로 저소득층의 복지지원을 확대해 소비를 활성화해야 한다는 논리다. 그러면 밑에서 물이 솟아 넓게 퍼지는 분수처럼 경제가 발전한다는 논리다.

영국의 대처리즘

세계 경제가 스태그플레이션에 휩싸여 케인즈주의가 힘을 잃은 상태에서 신자유주의 바람을 일으킨 나라는 영국이었다. 1979년 총선에서 보수당의 승리로 집권한 영국의 대처(Margaret Hilda Thatcher, 1925-2013) 총리는 "사회와 같은 것은 존재하지 않는다. 개별적인 남성과 여성만이 있을 뿐이다"라는 유명한 말로 사회주의적인 경제논리를 배제하고 신자유주의를 천명했다.

1979년 대처총리가 집권할 당시 영국은 고비용, 저효율을 수반하는 만성적인 영국병으로 인해 극심한 침체를 겪고 있었다. 대처총리는 영국경제가 위기에 처한 이유는 강성노조와 높은 임금, 과도한 복지, 그리고 지나친 정부규제 때문이라고 밝히고 취임 기간 동안 강력한 개혁정책을 폈다.

'대처리즘(Thatcherism)'이라 불리는 대처총리 개혁정책의 주요내용은 노동조합의 활동규제, 복지삭감과 세금인하, 국영기업의 민영화, 통화긴축과 물가억제, 기업규제개혁 등 완전한 신자유주의 노선이었다. 대처총리 집권 초기에는 당내외 반발이 커 개혁정책을 추진하기 어려웠다. 그런데 뜻하지 않게 외부에서 개혁의 동력을 얻었다. 바로 1982년에 발생한 아르헨티나와의 전쟁이었다. 아르헨티나를 식민지로 지배했던 영국으로서는 자존심이 걸린 전쟁이었다.

대처총리는 포클랜드 전쟁에서 강력한 결단으로 싸워 아르헨티나와의 전쟁을 승리로 이끌었다. 대처총리에 대한 영국국민의 신뢰가 급격히 상승했다. 대처총리는 총선을 승리로 이끄는 것은 물론 신자유주의 개혁에 대한 저항을 강력한 지도력으로 물리칠 수 있었다.

대처총리는 경제정책의 기본 기조를 분배에서 성장으로 바꿨다. 규제철폐와 세금삭감을 통해 국가기능을 축소하고 자유주의에 입각한 시장기능 중심의 경제체제로 바꾸었다. 정부역할은 서비스기능을 확대하는데 그쳤다. 자연히 정부부문 대신 민간부문을 활성화해 경제성장률을 높이는 정책을 폈다. 경제의 건전한 성장을 위해 물가안정이 필수적이라고 보고 강력한 통화 긴축정책을 폈다.

기업하기 좋은 환경을 조성하고 공기업의 민영화를 추진해 민간중심의 산업구조를 만들었다. 국내기업과 외국기업의 차별을 전면적으로 철폐하고 법인세를 감면하며 과실송금을 자유화해 해외자본의 투자를 적극적으로 유치했다. 금융개혁을 과감하게 추진해 외환거래 자유화를 전면적으로 실시하고 빅뱅(Big Bang)으로 불리는 금융시장 자율화정책을 폈다. 외환 및 금융자율화의 부작용을 막기 위해 고금리 정책을 펴고 영란은행(영국의 중앙은행)의 감독기능을 강화했다.

공기업의 만성적인 적자를 해소하고 기업경쟁력을 높이기 위해 공기업을 민영화하고 종사자들에 대해 대규모 구조조정도 단행했다. 공기업을 민영화하면서 종업원 지주제를 도입하고 전 국민의 주주화 정책을 펴 대중자본주의를 추진했으며 공기업의 매각으로 수입을 늘려 정부의 재정건전성을 제고했다.

대처총리의 신자유주의 개혁은 특히 노동조합의 와해를 겨냥했다. 전투적인 노동조합이 영국병의 근원이라고 판단해 5개의 노동법 개정안을 통과시켰고 사실상 노동조합을 무력화하는 조치를 취했다. 영국의 노동조합은 나라를 무정부 상태로 만들 정도로 강력했다. 대처총리는 이에 정면으로 맞서 노동조합을 굴복시킴으로써 신자유주의 개혁의 가장 큰 걸림돌을 제거하고 경제를 구축하는데 성공했다.

대처총리의 노동조합개혁은 상상을 뛰어넘는 것이었다. 고용조건으로 노동조합 가입을 강제로 의무화한 제도를 폐지해 노동조합의 전횡을 차단했다. 파업이나 파업에 동참을 강요하는 행위를 원천적으로 금지하고 노동조합의 특권을 완전히 배제했다. 당연히 노동조합의 반발이 격렬했다. 1984년 전국 탄광노조는 대처총리의 폐광계획에 항거하며 1년 넘게 과격한 파업투쟁을 벌였다.

이에 대해 대처총리는 단호한 대응정책을 펴고 노동조합에 책임을 물었다. 이를 계기로 노동조합이 점차 힘을 잃었다. 대처총리는 각종 노동관련 규제를 개혁해 노동시장의 유연화를 실현했다.

이 같은 대처총리의 강경한 개혁정책에 힘입어 영국경제는 고질적인 영국병을 치유하고 성장세를 회복했다. 영국의 경제성장률은 1980년 -2%에 머물렀으나 1988년 +5.6%로 상승했다.

그러나 대처리즘이 영국경제에 긍정적인 효과만 가져온 것은 아니었다. 가장 큰 부작용이 실업자 증가였다. 정부개입에 의한 완전 고용정책을 폐기하자 실업자가 한 때 300만 명에 육박하는 등 고용상황이 악화했다. 노동자들의 저항으로 사회혼란도 컸다. 대처리즘은 적자생존의 자유주의 시장논리에 지나치게 의존해 신자유주의의 모순을 드러내며 사회양극화를 가속하기 시작했다.

또한 대처리즘은 유럽국가들의 사회주의에 많은 영향을 미쳤다. 2003년 독일의 슈뢰더(Gerhard Schroder) 총리는 좌파성향의 사민당 출신임에도 불구하고 사회주의 정책을 버리고 자유주의 시장경제 정책을 담은 '아젠다 2010'을 추진해 독일경제가 통일의 후유증을 벗어나 다시 도약하는 기반을 마련했다. 이러한 개혁정책을 편 슈뢰더 총리는 국민의 인기를 잃어 연임에는 실패했으나 독일경제를 위해 살신성인을 한 정치가라는 평가를 받았다.

슈뢰더 총리의 뒤를 이은 메르켈(Angela Merkel) 총리는 '아젠다 2010'을 바탕으로 '인더스트리 4.0'등의 혁신정책을 펴고 있다. 이에 따라 독일은 유럽연합을 이끄는 것은 물론 세계 경제에 막대한 영향력을 행사하는 나라로 부상했다.

프랑스의 경우 2007년 사르코지(Nicolas Sarkozy) 대통령이 시장경제를 중시하는 정책을 펴기 시작했다. 2017년에 당선된 마크롱(Emmanuel Macron) 대통령은 친기업 자유주의를 정책기조로 채택해 민간경제를 활성화하고 일자리를 만드는데 정책의 초점을 맞추고 있다. 이를 위해 정부규제를 완화하고 노동시장을 개혁하는 정책을 펴고 있다. '노란조끼(Gilets Jaunes)시위50)'로 개혁이 일부 유보되거나 수정되기도 했으나 개혁정책의 기본기조에는 변함이 없다.

미국의 레이거노믹스

미국의 레이건(Ronald Wilson Reagan, 1911-2004) 대통령은 '레이거노믹스(Reaganomics)'라고 불리는 신자유주의 경제정책을 폈다. 레이거노믹스는 레이건과 이코노믹스의 합성어다. 1981년 취임한 공화당 출신의 레이건 대통령은 민주당 출신의 카터(James Earl Carter Jr.) 전 대통령이 폈던 케인즈주의가 미국경제를 무너뜨렸다고 주장하고 세계 최강의 미국경제를 다시 건설하기 위해 신자유주의가 필요하다고 역설했다. 이로써 영국의 대처총리와 미국의 레이건 대통령은 신자유주의 이끄는 쌍두마차 역할을 했다.

실제로 카터 대통령의 경제정책은 실패작이었다. 민주당 출신의 카터 대통령은 미국경제를 위기로 몰아넣은 스태그플레이션을 해소하기 위해 두 가지 전략을 폈다.

---

50) 2018년 11월 마크롱 프랑스 대통령의 유류세 인상 발표에 반대하면서 시작돼 점차 반정부 시위로 확산된 시위를 말한다.

한편으로 10%대까지 치솟아 경제를 혼란에 빠뜨린 실업률을 낮추기 위해 대규모로 팽창시킨 재정지출로 갖가지 취업프로그램을 추진했다. 다른 한편으론 역시 10%가 넘어 경제 불안을 가속했던 인플레이션을 잡기 위해 자발적인 임금삭감과 가격통제 정책을 폈다. 정부가 개입해 경제문제를 해결하는 전형적인 민주당의 정책 기조였던 케인즈주의에 따른 경제정책이었다.

1970년대 후반 미국경제는 이미 산업생산성이 떨어져 구조적으로 국제경쟁력을 잃은 상태였다. 결국 카터의 경제정책은 밑 빠진 독에 물 붓기로 끝났다. 미국경제는 대규모의 재정적자를 안고 일본경제에 주도권을 넘겨주는 치욕적인 상황을 맞았다. 특히 미국경제의 부실이 달러화의 가치를 떨어뜨려 주요 국가들의 통화에 비교해 20%이상 절하하는 일까지 벌어졌다. 달러화가 기축통화로서 기능을 잃고 팍스 아메리카 체제는 허상으로 바뀌었다.

이런 상태에서 1981년 시장경제를 중시하는 공화당 출신의 레이건 대통령이 취임했다. 강한 미국경제의 재건을 목표로 한 레이거노믹스는 자유경쟁 시장체제로 돌아가 정부의 '보이는 손' 대신 시장의 '보이지 않는 손'의 기능을 살려야 한다는 시카고학파의 '공급경제학'을 이론적인 토대로 했다. 신자유주의의 대표적인 이론인 공급경제학 논리에 따라 레이거노믹스는 정부의 인위적인 부양책보다는 시장의 근본적인 기능의 회복에 경제정책의 초점을 맞췄다.

이에 따라 레이거노믹스는 세금감면과 재정지출 축소, 정부규제 완화와 기업활동 자유화, 달러화와 금융시장 안정 등을 핵심정책으로 폈다. 레이거노믹스의 논리는 크게 두 가지로 정리할 수 있다.

우선 레이거노믹스의 핵심적인 과제는 작은 정부 실현을 통한 민간경제 활성화였다. 이를 위해 레이건 대통령은 강력한 감세정책을 폈다. 세금을 삭감하면 기업은 세금을 덜 낸 만큼 투자를 늘릴 수 있다. 또 소비자는 세금을 덜 낸 만큼 소비를 늘릴 수 있다. 그러면 시장에서 경제의 양대 기둥인 투자와 소비가 동시에 증가해 경제가 성장하고 일자리를 만든다는 논리였다. 특히 정부가 규제를 완화해 자유로운 기업환경을 개선하면 경제가 빠른 속도로 성장세를 회복할 수 있다는 주장이었다.

레이건 대통령은 70%에 달했던 소득세 최고세율을 28%로 낮추고 43%에 달했던 법인세 최고세율을 35%로 낮췄다. 그런데 문제는 감세정책으로 인해 재정적자가 쌓이는 것이었다. 이에 대해 레이거노믹스는 '래퍼곡선(Laffer Curve) 이론'으로 반박했다.

공급경제학의 대표적인 경제학자인 래퍼(Arther B. Laffer) 교수가 제안한 래퍼곡선에 따르면, 일정수준 이상으로 세율이 올라가면 노동자들의 근로의욕과 기업들의 투자의욕이 떨어져 경제활동이 위축됨에 따라 오히려 조세수입이 감소하나, 반대로 일정수준 이하로 세율이 떨어지면 노동자들의 근로의욕과 기업들의 투자의욕이 상승해 경제활동이 활성화함에 따라 오히려 조세수입이 증가한다.

레이거노믹스는 미국의 경우 세율이 지나치게 높아 조세수입이 감소하는 상황이라고 주장하고, 세율을 낮춰 감세정책을 펴면 거꾸로 조세수입이 증가해 재정적자를 해소할 수 있다는 논리를 폈다.

레이거노믹스가 추구한 또 하나의 중요과제는 강력한 고금리 긴축정책으로 인플레이션을 잡고 달러화의 위상을 높이는 것이었다. 특히 강한 미국경제 재건을 위해 달러화의 기축통화기능 회복이 절대적인 것으로 판단해 고(高)달러화 정책을 강조했다. 이는 통화긴축을 통해 금리를 인상해 달러화의 가치를 높이면 해외자본이 대거 유입해 미국금융시장이 다시 국제금융의 중심지로 역할을 하고, 이때 풍부한 해외자금이 투자자금으로 흐를 경우 미국경제는 빠른 속도로 회복해 세계경제 주도권을 다시 찾을 수 있다는 논리였다.

그렇다면 레이거노믹스는 성공한 정책일까? 레이거노믹스는 재정과 무역의 쌍둥이 적자로 인해 많은 시련을 겪었다. 대규모의 감세로 인해 재정적자가 느는 것은 불가피 했다. 강한 미국을 위해 늘렸던 군비지출도 재정적자를 악화시키는 요인으로 작용했다. 산업생산성의 조기 회복이 어려운 상태에서 고달러 정책은 오히려 무역적자를 확대했다. 임기 중반에 이르러 재정적자와 무역적자가 각각 2천억 달러와 1천억 달러에 달하자 레이거노믹스에 대한 회의도 제기됐다. 그러나 레이건 대통령은 미국경제를 살리기 위해 다른 길은 없다고 판단해 자신의 정책을 일관성 있게 추진했다.
결과적으로 신자유주의를 기반으로 한 레이거노믹스는 1970년대 만성적인 스태그플레이션으로 인해 무기력 상태에 빠진 미국경제를 다시 살려냈다는 평가를 받았다.

1982년부터 1990년까지 미국경제는 전반적으로 꾸준한 성장세를 기록했다. 이에 따라 집권 초기인 1982년 10%에 육박하던 실업률이 1989년 임기를 마칠 때는 5%대까지 떨어졌다. 과감한 감세정책이 근로의욕과 투자의욕을 고취해 경제성장을 이끌고 일자리를 창출한 결과였다. 이에 따라 조세수입도 늘고 또 생산성의 향상에 따라 인플레이션도 진정이 됐다.

특히 강력한 통화긴축정책은 인플레이션을 억제하는데 큰 역할을 했다. 레이건 대통령 취임 직전 연간 10%이상을 기록했던 인플레이션이 임기가 끝난 1989년에 이르러서는 5%대로 떨어졌다. 그러나 레이거노믹스는 감세와 시장기능 중심의 경제정책으로 부자에게만 혜택이 집중했다는 비판을 받았다. 신자유주의의 속성상 레이거노믹스도 대처리즘과 마찬가지로 빈부격차를 악화했다는 논란을 피하지 못했다.

엇갈린
일본경제와 중국경제

신자유주의와 플라자협약

제2차 세계대전이 끝난 후 미국은 소련과 중국의 공산주의 확장을 막기 위해 일본을 아시아의 반공거점으로 육성했다. 미군주둔과 함께 일본을 극동의 군수산업기지로 만드는 전략을 펴며 대규모의 대일경제원조를 했다. 1952년 맥아더장군이 이끌던 군정체제가 끝날 때까지 일본은 미국으로부터 20억 달러 규모의 원조를 받았는데, 미국이 마셜플랜(Marshall Plan)51)에 의해 서독에 제공한 원조 금액보다 많았다. 이로써 일본은 제2차 세계대전의 패망을 딛고 다시 경제를 일으키는 발판을 마련했다.

1970년대 스태그플레이션으로 심각한 타격을 받은 미국경제가

---

51) 제2차 세계대전 후 1947년부터 1951년까지 미국이 전쟁의 피해가 컸던 서유럽 16개국에 행한 대외원조계획. 당시 미국무장관 조지 마셜의 이름에서 따왔으며, 원조 규모는 16개국 합산 약 120억 달러였다.

1980년대 초 다시 혼란에 빠졌다. 물가를 안정시키기 위해 고금리 정책을 펴자 기업의 투자와 생산이 줄고 경기가 극도로 침체하는 현상이 나타났다. 당시 미연방준비제도 볼커(Paul Adolph Volcker) 의장은 경기를 포기하더라도 물가만은 잡겠다며 기준금리를 20%까지 올렸다. 당연히 경기가 악화했다. 특히 달러화의 위상을 회복하기 위한 고달러화 정책은 대외 경쟁력을 떨어뜨려 수출을 감소시키고 기업의 경영난을 가중했다. 1980년대 초 파산위기에 처한 중소기업이 40%를 넘고 제조업이 붕괴하기 시작했다.

미국경제와 반대로 일본경제에는 특수가 나타났다. 고달러정책으로 인해 엔화가 평가절하하자 일본의 대미 수출이 급격히 증가했다. 미국의 소비자들은 구매력이 높아져 일본상품의 소비를 더 늘렸다. 미국시장을 미국 기업들을 대신해 일본 기업들이 대규모로 잠식하는 현상이 빚어졌다.

강한 미국을 주창한 레이건 대통령은 급기야 일본경제를 제압하는 무기를 들고 나왔다. 바로 신자유주의였다. 신자유주의는 개방주의 시장경쟁을 기본이념으로 한다. 그러나 국가간 이익의 충돌이 발생할 때는 신자유주의는 약육강식의 힘의 논리를 구사한다.

미국경제가 일본경제 때문에 손해를 본다는 판단 하에 레이건 대통령은 일본경제에 가차 없는 보복을 가했다. 1985년 9월 미국 플라자 호텔에서 G5정상회의를 열어 엔화절상을 주요 내용으로 하는 '플라자합의(Plaza Agreement)'를 도출한 것이 바로 그것이다. 엔화가치가 수직상승해 일본상품의 달러 가격이 두 배로 뛰는 현상이 나타났다. 수출이 급격히 줄어든 일본경제가 비틀거리기 시작했다.

플라자합의를 계기로 학술적으로 'J커브 이론'이 부상했다. 이는 자국의 통화가치가 떨어지고 무역 상대국의 통화가치가 오르면 자국 수출상품의 가격경쟁력이 높아지고 수출이 늘어 J커브 형태로 자국의 무역수지가 개선된다는 이론이다. 이 이론에 따라 일본의 무역수지는 악화하고 미국의 무역수지가 빠른 속도로 개선될 것이라는 전망이 나왔다. 그러나 플라자합의 초기에는 일본 엔화의 강세에도 불구하고 미국의 대일 무역적자는 해소될 기미가 보이지 않았다. 이유는 일본 상품의 경쟁력이었다.

일본상품이 미국 등 다른 나라 상품에 비해 가격대비 품질이 앞서 있어 일본의 수출이 예상만큼 감소하지 않았다. 특히 일본상품의 수출물량이 감소해도 수출상품 단위당 받게 되는 달러 단가금액이 커 일본의 전체 수출금액은 거꾸로 늘어나는 현상이 나타났다. 그러나 이러한 현상은 오래가지 않았다. 엔화의 파격적인 절상으로 인해 미국시장에서의 소비가 어쩔 수 없이 줄어들면서 일본상품의 수출이 퇴조하기 시작했다. 'J커브'에 따라 미국의 대일 무역수지는 개선되고 일본의 대미 무역수지는 악화하는 현상이 본격화했다. 플라자협약이 일본경제의 숨통을 막은 것이다.

일본의 잃어버린 20년

일본은 스스로 발등을 찍는 경제정책을 폈다. 플라자협약으로 인해 수출산업이 난관에 봉착하자 구조개혁과 경쟁력 강화 대신 내수 부양을 위해 금리를 인하하고 부동산시장 규제를 철폐했다. 그러나 수출산업 위주의 일본경제에 이와 같은 경기부양정책은 근본적인 대책이 되지 못했다. 일본의 경기부양책은 거꾸로 플라자협약에 따라 일본상품의 수출을 막은 미국에 미국상품의 일본수출을 늘릴 수 있는 기회로 작용했다. 미국은 일본상품의 미국수출을 막는 동시에 미국상품의 일본수출을 늘리는 일거양득의 효과를 거뒀으나, 일본은 자국상품 수출은 못하고 미국상품만 수입해주는 이중고를 겪었다.

일본경제의 주요 성장동력이었던 수출산업이 근본적으로 난관에 부딪힌 상태에서 일본정부가 편 경기부양책은 자금이 산업자금으로 흐르는 대신 주식시장과 부동산시장으로 흘러 경제가 거품으로 들뜨게 만들었다. 경제가 주식과 부동산 시장 거품에 휩싸일 때 필요한 정책은 금리인상과 긴축정책이다. 그러나 일본은 금리를 올리면 경기침체가 더 심할 것으로 판단해 저금리 팽창정책기조를 계속 유지했다. 그러자 개인은 물론 기업들까지 저금리로 대출을 받아 주식과 부동산을 매입하는 투기열풍이 불었다.

상황이 급속도로 악화하자 1989년 급기야 일본은 기준금리를 2.5%에서 6%로 급격히 인상해 주식과 부동산 시장거품을 제거하는 정책을 폈다. 곧바로 주식과 부동산 가격이 하락하면서 거품이 꺼지기 시작했다. 주식과 부동산 대출을 많이 했던 은행들이 부실화해 일본경제는 산업발전이 멈추며 위기를 맞았다.

급기야 일본경제가 '잃어버린 20년'의 길로 들어섰다. 1997년 아시아 외환위기를 맞아 일본경제의 침체는 더욱 악화하고 많은 금융기관들이 쓰러졌다. 2000년대 들어 일본은 금융기관 구조조정을 단행하고 공적자금을 투입했다. 그러나 이미 일본경제는 '잃어버린 20년'의 긴 터널 속에서 지속가능성을 잃은 후였다.

일본경제가 '잃어버린 20년'을 겪은 것은 단순하게 플라자협약과 부동산시장의 거품 때문만은 아니었다. 일본경제가 세계경제의 시대적 변화에 적응하지 못한 것이 보다 근본적인 원인이다.

산업발전은 한시도 기존 상태에 머무르지 않는다. 그 동안 인류는 과거의 산업과 기술을 뛰어넘는 새로운 산업을 계속해서 일으키며 역동적인 변화의 흐름을 만들어 냈다. 18세기 1차 산업혁명을 시작으로 21세기 4차 산업혁명에 이르기까지 산업발전은 숨가쁘게 형태를 바꿨다. 20세기 말 3차 산업혁명으로 정보통신산업이 눈부시게 발전한 후 곧바로 인공지능을 중심으로 하는 4차 산업혁명이 전개되자 21세기에 들어서 산업발전은 과거의 산업발전과는 차원이 다른 형태로 진화를 거듭하고 있다.

이와 같은 역동적인 산업혁명이 본격화한 1980년대와 1990년대 일본은 과거의 산업에 안주하며 미래를 준비하지 못했다. 더구나 1995년 세계무역기구(WTO: World Trade Organization)의 출범으로 경제의 국경이 무너지면서 세계경제는 하나의 시장으로 묶였다. 이런 상태에서 일본경제는 과거의 정치체제와 사회문화적 가치에 발목이 잡혀 새로운 변화를 추구하며 창의력을 발휘해 새로운 시대로 향할 결정적 기회를 놓치고 말았다.

제2차 세계대전이 끝난 후 일본경제가 발전한 것은 신산업을 일으켜서가 아니라 미국 등에서 이미 발전한 자동차, 철강, 전기, 전자, 석유화학 등 기존의 산업을 민첩하게 모방했기 때문이었다. 따라서 일본경제의 체질과 구조자체가 창의적인 신산업발전과는 거리가 있었다.

2000년대 초 일본은 과감한 부실채권의 정리와 구조조정을 서둘러 부활의 기반을 마련했다. 그러나 이미 정보통신산업을 필두로 하는 새로운 산업발전체제는 낙후한 상태였다. 더구나 2008년 미국발 금융위기가 발생해 일본경제가 다시 불황을 겪자 일본경제의 '잃어버린 20년'은 계속 이어졌다.

1980년대 중반 미국경제를 압박하며 세계 제1의 경제대국을 꿈꾸던 일본경제는 급기야 2010년 세계 2위의 경제지위를 중국에 내줄 수밖에 없는 처지에 이르렀다. 일본경제는 20년간의 경제침체를 막기 위해 재정지출을 대규모로 확대했고 GDP대비 국가부채 비율이 230%가 넘어 OECD국가 중 1위의 부담까지 졌다.

아베노믹스의 모험

아베정권은 일본경제의 '잃어버린 20년'을 극복하기 위해 초강력 정책을 폈다. 2012년 12월 출범한 제2차 아베정권은 엔화의 무제한 공급을 통해 수출경쟁력을 높여 일본경제를 다시 살린다는 '아베노믹스(Abenomics) 정책'의 전격적 시행에 들어갔다. 아베노믹스는 일본경제를 장기침체의 함정에 빠뜨린 디플레이션을 잡는 것을 우선적인 목표로 정하고 '세 개의 화살'이라고 부르는 정책을 폈다.

디플레이션은 이미 생산해 놓은 물품들의 재고가 쌓여 가는 가운데 물가가 하락하는 현상으로, 지속적으로 나타날 경우 물가가 상승하는 인플레이션보다 더 위험하다. 물가가 지속적으로 하락하면 기업들의 수익성이 떨어지고 매출이 줄어 생산이 감소하는 동시에 기업

경영난이 악화해 투자가 위축되기 때문이다. 이 경우 일자리가 줄어 실업자가 늘고 임금이 떨어져 국민소득이 감소한다. 그러면 소비가 감소해 기업들은 다시 생산과 투자를 줄인다.

결국 경제의 기둥인 생산, 투자, 소비가 연쇄적으로 감소해 경제가 추락하는 현상이 나타난다. 일본경제가 겪은 '잃어버린 20년'이 바로 디플레이션의 함정이었다.

아베노믹스가 첫 번째 화살로 편 정책은 '통화팽창'이었다. 아베총리는 일본은행의 총재까지 바꿔 엔화를 무제한 발행하는 정책을 폈다. 아베노믹스의 통화팽창 논리는 다음과 같다.

『일본은행이 엔화발행을 계속해서 시장의 유동성을 높이면 엔화가치가 떨어져 세계 무역시장에서 일본상품의 가격경쟁력이 높아진다. 이에 따라 수출이 증가할 경우 기업경기가 살아나 생산과 투자가 느는 것은 물론 경제성장률이 높아지고 국민소득이 증가해 소비가 활성화한다. 그러면 일본경제는 〈수출증가 ▶ 생산과 투자증가 ▶ 국민소득과 소비증가〉의 선순환을 회복해 일본경제가 과거의 영화를 되찾을 수 있다.』

한편 일본은 엔화를 무제한 발행해 물가상승률을 2%까지 올려 디플레이션을 극복하는 목표를 정했다. 적정수준의 인플레이션은 경제성장의 활력소가 된다. 물가가 어느 정도 오르면 기업들은 제품을 높은 가격을 받고 판매해 매출을 늘릴 수 있다. 이 경우 임금상승률은 물가상승률보다 낮거나 후행적으로 나타나기 때문에 기업수익성은 높아진다. 그러면 기업의 생산과 투자가 증가해 경제가 성장률을 높이고 일자리를 만드는 궤도에 들어선다.

아베노믹스가 두 번째 화살로 편 정책은 '재정팽창'이었다. 아베정부는 예산자체를 팽창예산으로 편성하는 것은 물론 수시로 추가경제예산을 편성해 최대 200조 엔까지 재정지출을 확대하는 정책을 펴고 있다. 재정지출의 확대는 정부가 국민의 세금으로 사회간접자본 투자나 복지지출을 직접 늘린다는 차원에서 통화팽창보다 경제활성화 효과가 빠르게 나타난다.

문제는 재정적자다. 경기가 침체한 상태에서 세수가 늘지 않아 결국 일본정부는 국채를 발행해 재정지출을 늘리는 정책을 폈다. 이에 따라 일본은 국가부채가 빠른 속도로 증가해 경제가 살아나지 않을 경우 궁극적으로 경제와 정부가 함께 부실화 하는 위험을 떠안았다.

아베노믹스가 세 번째 화살로 추진한 정책이 '규제완화'와 '구조개혁'이다. 아베노믹스의 세 번째 화살은 근본적으로 일본경제의 체질을 바꿔 기업의 생산성을 높이고 고용창출능력을 확대하는 정책이다. 일본경제가 신산업 발전이 어렵고 생산성을 높이지 못해 국제경쟁력을 잃고 있다는 면에서 일본경제를 혁신하는 것은 필수적이다. 문제는 이 정책이 과감한 통화팽창과 재정지출을 통해서 경제를 살리는 경기활성화정책과 상충한다는 것이다.

경기활성화와 구조개혁을 동시에 추진할 경우 효과가 상반적으로 나타나 두 정책이 모두 효과를 상실할 가능성이 있다. 더구나 이 정책은 심각한 고통과 갈등을 수반하는 장기적인 과제이며 획기적인 개혁입법과 정부의 과감한 재정적 지원이 필요하다. 따라서 아베정권의 강력한 개혁의지와 국민의 지지가 관건이다.

그렇다면 아베노믹스는 얼마나 성공했을까? 아베노믹스를 통해 수출이 증가해 일본경제에 활력을 불어넣은 것은 사실이다. 그리고 일자리가 늘어 구직보다 구인이 많은 노동시장의 호황도 나타났다. 물가도 1% 가까이 오르고 증권시장도 힘을 받아 상승하는 효과도 나타났다. 그러나 근본적으로 구조개혁을 하고 경제혁신을 이뤄 일본경제가 과거의 위상을 회복하는 데는 미치지 못했다.

특히 인구의 노령화가 경제활력을 떨어뜨리는 효과로 나타나 경제의 회복에 한계가 있었다. 또 경제정책의 효과가 대기업과 자산가에 집중해 중소기업과 일반 국민들은 경제회복을 피부로 느끼기 어려웠다. 여기에 엔화의 인위적인 절하로 인해 수입물가가 급등해 소비가 위축되는 현상도 나타났다. 무엇보다도 재정적자가 늘어 내면적으로 심각한 경제불안을 잉태했다.

그러나 아직 일본경제의 잠재력은 큰 상태다. 잃어버린 20년을 겪었음에도 불구하고 일본경제는 소재, 부품, 장비와 제조업 측면에서는 여전히 세계 최고의 경쟁력을 갖고 있기 때문이다. 또 과감한 부실채권 정리를 통해 일본의 은행들은 재무건전성을 세계 최고 수준으로 높였다. 향후 새로운 창의력을 가진 경제로 구조개혁과 경제혁신에 성공할 경우 세계경제를 주도하는 강국으로 다시 부상할 가능성은 남아 있다.

중국경제의 부상

일본이 '잃어버린 20년'을 겪는 동안 중국은 일본을 대신해 경제대국으로 부상했다. 중국은 '문화대혁명'의 혼란을 겪은 후 경제성장을 시작했다. 중국을 극도의 혼란에 몰아넣었던 문화대혁명은 마오쩌둥의 사망(1976.9.9)과 '4인방'[52]의 실각으로 종결되었다. 1966년부터 10년 동안 마오쩌둥의 1인 독재권력 강화를 위해 진행된 문화대혁명은 정치, 경제, 문화, 사회 모든 면에서 중국문명의 파괴나 다름없었다. 당연히 중국경제는 암흑기를 맞았다.

1960년 세계 경제력 순위에서 5위를 차지하던 중국경제가 1976년 문화대혁명이 끝날 무렵 10위권으로 밀렸다. 1978년 덩샤오핑(鄧小平)을 중심으로 한 중국 지도부는 제반 개혁조치를 단행하고 경제건설에 집중했다. 농촌에 자기경영제도를 실시하고 임금에 성과보수제를 도입하는 등 자본주의적 경제발전을 추진했다. 개인의 자유를 확대하고 전문 관료가 경제를 이끌도록 했다.

대외적으로 미국과 외교관계를 수립(1972)하는 등 서방국가들과 관계를 개선했다. 이후 중국경제는 톈안먼(天安门) 민주화 무력 진압 사건 등으로 불안을 겪었으나 '개혁과 개방'을 기본 기조로 해 지속적인 발전궤도에 올랐다.

1980년 이후 중국경제는 유례없는 고도성장을 구가했다. 외국기업들에게 문을 열고 중국산 제품을 세계시장에 수출하기 시작하면서 중국경제는 급속도로 성장했다. 특히 1990년대 초반부터 경제개혁을 강화하고 적극적으로 외국자본의 직접투자를 유치해 세계의 공장으로 역할을 하기 시작했다. 1991년부터 2003년까지 중국경제는 10%

---

52) '문화혁명' 과정에서 모택동의 '충복' 역할을 한 강청(江靑, 장칭)과 왕홍문(王洪文, 왕훙원)·장춘교(張春橋, 장춘차오)·요문원(姚文元, 야오원위안)을 말한다. 이들은 모택동 사망(1976.9.9) 직후에도 위력을 행사함에 따라 '4인방'이 체포(1976.10.6)된 날을 '문화혁명' 종료일로 본다.

에 육박하는 고도의 성장률을 기록했다.

1997년 아시아 외환위기가 발생하자 중국경제는 아시아 경제의 안전판 역할을 했다. 당시 아시아 국가들이 위기를 극복하기 위해 자국통화를 절하했으나 중국은 위안화 가치를 안정적으로 유지해 다른 나라의 경제위기를 흡수해주는 역할을 한 것이다. 그러면서도 중국은 7%이상의 고도성장을 유지하는 저력을 보였다. 이로써 중국은 경제적 위상을 강화해 아시아의 맹주로서 자리를 굳히기 시작했다.

2001년 세계무역기구(WTO)에 가입한 중국경제는 세계시장을 무대로 성장잠재력을 확대했다. 당시 중국경제는 WTO가입에 대해 우려가 컸다. WTO에 가입해 경제를 개방할 경우 해외상품이 무차별적으로 들어와 시장을 지배해 자국 산업이 타격을 받을 것이라는 우려였다. 그러나 결과는 반대였다. 국제경쟁을 통해 중국경제의 경쟁력이 높아지고 중국제품의 해외수출이 증가한 것은 물론, 내부적으로 제조업과 건설을 비롯해 유통, 금융, 통신, 여행 등 서비스 산업이 폭넓게 발전함으로써 중국경제의 성장과 고용능력을 높이고 삶의 질을 개선하는 효과를 가져왔다. 결국 개혁과 개방을 동시에 추구한 중국은 세계의 공장으로 발돋움하는데 성공했고 세계 각국과 상생을 하는 경제대국으로 자리매김을 했다.

중국경제의 근본적인 힘은 인구에서 나왔다. 14억 명이라는 어마어마한 인구가 산업발전의 인적 자원으로 움직이자 경제가 고도성장을 하며 세계경제의 판도를 빠른 속도로 바꿔온 것이다. 인구가 많다는 것은 노동공급이 많음과 동시에 소비수요가 크다는 뜻이다. 따라서 중국은 상대적으로 낮은 인건비로 제품을 대량생산해 공급하는

'세계의 공장'으로 쉽게 자리를 잡을 수 있었다. 동시에 높은 경제성 장률로 소득이 급속도로 증가한 중국 국민들이 세계 최대의 구매력을 가진 수요자로 등장해 다른 나라 제품 구매에 상당한 역할을 하고 있다.

2010년 들어 중국은 일본경제를 제치고 세계 2위 경제국가로 올라섰다. 이후 중국은 세계 수출 1위는 물론, 세계 외환보유액 1위를 기록하며 실물과 금융 양대 부문에서 세계경제의 고삐를 잡았다. 그 기세를 몰아 막강한 자본력을 무기로 중국경제가 해외로 진출해 기업을 사냥하고 시장을 차지하는 세계화 전략을 펴고 있다.

중국자본의 해외 진출은 단순한 기업의 인수합병과 시장의 확대가 아니다. 경제위기를 겪는 유럽 및 중동 국가와 신흥국들의 기업을 헐값에 인수하는 것은 물론 부동산과 항만까지 사들여 경제영토를 광폭적으로 넓히고 있는 것이다. 풍부한 천연자원을 가진 아프리카와 남미 국가들의 광산을 집중적으로 사들이고, 미국의 뉴욕과 LA 같은 대도시를 포함해 세계의 요지 곳곳에서 부동산도 매입하고 있다. 저개발 국가의 도로, 철도, 항만 등 사회간접자본에 투자해 세계화의 교두보를 마련하고 있다.

2008년 미국발 금융위기가 발생하자 중국경제도 타격을 받는 것이 불가피했다. 미국 자본주의의 심장인 월가(Wall Street)에서 뜻하지 않게 '서브프라임(Subprime) 사태'[53)]가 벌어졌다. 월가의 대표적

---

53) 미국의 초대형 모기지론 대부업체들이 파산하면서 미국뿐만 아니라 국제금융시장에 신용경색을 불러온 연쇄적인 경제위기를 말한다. 「서브프라임 모기지 사태(subprime mortgage crisis)」라고도 부르며, 2008년 이후에 세계금융위기를 불러 오는 요인으로 작용하였다.

투자은행인 리먼브라더스(Lehman Brothers)의 파산을 시작으로 월 가는 투자은행들은 물론 일반은행, 보험회사 등 주요 금융회사들이 부도위기에 휩싸였다. 금융의 심장인 월가가 무너지자 미국경제는 산업이 부실화 하고 실업자가 쏟아지는 위기에 처했다.

곧바로 미국발 금융위기가 전 세계로 확산했다. 2010년 1차적으로 타격을 받은 나라들은 재정상태가 불안한 남유럽 국가들이었다. 경제불안이 확산해 정부의 재정지출 수요는 증가하는데 금융시장이 위기에 처하자 국채발행이 어려워 재정파탄의 위험에 봉착했다. 피그스(PIIGS: Portugal, Italy, Iceland, Greece, Spain)라고 불리는 나라들이 줄줄이 국가부도위기를 겪으며 유럽경제의 불안을 야기했다. 미국경제와 유럽경제가 불안해지자 2차적으로 중국경제가 타격을 받았다.

2012년 중국경제는 대내외적으로 난관을 맞았다. 대외적으로는 미국과 유럽경제를 시작으로 세계경제가 침체국면을 맞자 수출이 줄고 산업발전이 위축되었다. 대내적으로는 부채가 과도하게 많은 상태에서 금융시장이 불안해 부도위험이 커졌다. 총 국가부채가 국내총생산(GDP)의 250%가 넘었다. 자연히 경제성장률이 떨어졌다. 2010년 10.4%를 기록했던 중국경제 성장률은 2012년 7.9%로 떨어진 이후 계속 하락세로 돌아서며 6%대에 머물고 있다.

경제가 고도성장을 할 경우 불가피하게 나타나는 문제가 부채증가다. 부채의 증가 없이 기업과 산업의 발전이 어렵기 때문이다. 2008년 발생한 미국발 금융위기를 계기로 중국경제는 부채가 많은 상태에서 경제성장률이 떨어져 경제가 부실화 하는 고도성장의 함정에 빠졌다. 향후 중국경제가 어떻게 부채의 덫을 벗어나 안정적인 성장체제를 구축할 것인가에 따라 중국경제의 미래와 세계경제의 판도가 달라질 것이다.

세계경제를 공황의 수렁으로 밀어 넣고 있는 '코로나19' 사태도 변수다. 세계의 공장역할을 하고 있는 중국경제는 성장의 숨통이 막혀 급격한 하락세로 들어설 수 있다. 이 때 부채문제가 터지면 중국경제는 걷잡을 수 없는 위기에 처할 수도 있다. 그러나 중국은 다른 나라에 비해 '코로나19' 방역을 잘하고 있는 편이다. 따라서 경제적 타격이 미국, 유럽연합, 일본 등에 비해 상대적으로 적다. 중국경제가 코로나 사태를 효과적으로 극복하면 오히려 세계경제의 주도권을 강화하는 기회를 맞을 가능성도 있다.

중요한 사실은 중국이 무한한 성장잠재력을 갖고 있다는 것이다. 중국을 전체적으로 볼 때 경제발전을 이룬 지역은 동부에 집중해 있다. 향후 산업화, 도시화, 정보화, 도시화 등의 발전이 서부 지역으로 범위를 확대할 경우 고도성장은 지속적으로 가능하다. 여기에 중국경제는 세계 최대의 소비국으로 안정적인 내수기반을 갖고 있다. 아무리 세계경제가 불안해도 자생적으로 경제가 안정적으로 발전할 수 있는 바탕이 있다.

이와 더불어 중국경제는 위기에 강한 흡수력을 갖고 있다. 웬만한 위기가 와도 참고 받아들이는 인식이 인민들 사이에 내재화하고 노동자들의 숫자가 압도적으로 많은 것은 물론, 아직 인건비가 상대적으로 낮아 노동력의 비교우위가 높다. 더욱이 정부가 중앙집권적인 힘을 발휘해 위기를 빠르게 극복하는 체제의 장점도 있다.

그러나 다른 한편으로 체제의 불안, 민주화 요구, 빈부격차와 사회갈등 등 중국이 안고 있는 내부적인 모순과 구조적 결함이 큰 것도 사실이다. 따라서 중국이 향후 전개될 정치·사회적인 문제를 올바르게 해결하지 못하면 중국경제는 암초를 만나 추락의 운명을 맞을 가능성도 배제할 수 없다.

중국제조 2025(Made in China 2025)[54]

중국은 2001년 WTO가입 이후 산업구조와 경제체제의 재편이 가속화했다. 우선 시장개방의 확대로 산업구조가 빠른 속도로 고도화해 국제경쟁력을 높이는 현상이 나타났다. 고도의 생산기술과 경영기법으로 세계시장을 공략하는 해외기업들과 경쟁하기 위해 중국기업들은 선진기술 습득과 현대 경영기법의 도입에 박차를 가했다. 따라서 저렴한 노동력에 입각한 저부가가치 산업이 서서히 도태하고 고부가가치 산업체제로 바뀌기 시작했다. 이 과정에서 경쟁력이 약한 기업들은 도태하고 국제경쟁력을 갖춘 대형 기업들이 나타났다.

WTO가입 후 중국경제에 가장 큰 변화를 이끈 산업이 정보통신산업이다. WTO가입에 따른 중국의 정보통신산업의 개방은 세계 각국의 유명 정보통신업체와 설비생산업체들에게 세계 최대의 시장을 제공해 치열한 경쟁을 벌이게 했다.

중국은 선진기술을 빠르게 모방하고 연구개발능력을 강화해 자국시장을 되찾는 전략을 구사했고 세계 최고의 경쟁력을 갖춰 최대 시장을 확보한 중국업체들을 만들어 냈다. 이제는 미국과 한국 등 정보

54) 〈중국현대를 읽는 키워드 100〉 중 "중국제조 2025" : NAVER 지식백과 참조

통신산업의 선진국 업체들이 중국의 원자재와 부품의 공급이 없으면 생산자체가 어려운 상황에 이르렀다.

대규모 자본투자가 필요한 석유화학산업도 시장개방 이후 세계적인 대형 기업들의 직접투자가 증가해 국제적 경쟁이 불가피했다. 이에 중국은 적극적으로 대응해 국내업체의 재편을 빠르게 추진함으로써 산업발전의 체질을 획기적으로 개선했다.

해외국가들에 비해 영세수준에 머물렀던 자동차산업은 시장을 개방하자 소형 자동차회사들의 연쇄도산이 나타났다. 이를 계기로 중국은 과감한 인수합병(M&A) 정책을 펴 업계를 재편하고 연구개발과 투자를 확대해 자생력을 확보하는 전략을 폈다.

조선산업과 해운산업도 자동차산업과 유사한 상황을 맞아 같은 전략을 편 중국은 이미 세계 최고수준의 국제경쟁력을 갖춘 상태다. 해운산업의 경우 세계 7대 업체였던 우리나라의 한진해운이 파산하자 항로를 대거 확대하는 어부지리를 얻기도 했다.

가전산업도 시장개방 후 국내외 기업의 유명 브랜드 전쟁이 격화했다. 특유의 기술과 노동경쟁력으로 경쟁력을 높여 세계시장을 중국기업의 주요 무대로 만들었다. 또한 정보통신산업의 획기적인 발전을 계기로 중국의 금융과 유통 등 서비스산업은 혁명적으로 발전하고 있다. 휴대전화의 결제시스템의 발달로 신용카드가 자취를 감출 정도다. 디지털 시대 전자산업의 쌀이라고 하는 반도체도 자국의 무한한 시장수요를 바탕으로 연구개발에 집중해 한국, 미국, 대만 등 선발국가들을 따라잡는 것은 시간문제다.

WTO가입 후 세계의 경제공룡으로 등장한 중국은 중국의 산업지도를 세계의 산업지도로 만들었다. 전통산업을 과감하게 재편하고 정보통신, 석유화학, 자동차, 조선, 해운, 가전, 반도체 등 주요 제조업은 물론 정보통신, 금융, 유통 등 주요 서비스업을 중국경제의 거대한 성장엔진으로 만들어 거침없는 발전을 이루고 있다.

중국경제의 발전은 동부 연해지역 중심으로 이뤄졌으나 이제는 중앙정부의 주도하에 서부 대개발을 추진 중이다. 중국 서부는 광활한 면적에 천연자원의 매장이 많아 무한한 발전의 잠재력을 갖고 있다. 중국은 개혁과 개방정책을 서부지역에서 집중적으로 추진해 제2의 경제비상을 이룰 예정이다. 이러한 중국정부의 서부 발전정책은 중국경제의 지속적인 발전과 동서간의 빈부격차 및 지역갈등의 해소하는 일거양득의 목표를 달성하기 위한 전략이다.

1990년대 중반 이후 중국은 양적인 면에서 제조업의 발전에 집중해 20년 만에 세계의 공장이라는 위상을 차지했다. 그러나 중국경제는 핵심기술과 장비의 해외의존도가 높고 부가가치의 창출이 어려워 국제경쟁력을 확보하는데 한계가 있었다. 특히 2008년 글로벌 금융위기 이후 미국의 제조업 강화전략, 독일의 인더스트리 4.0, 일본의 부흥전략 등이 2010년 이후 주요 경제선진국의 산업정책으로 쏟아져 나왔다. 이처럼 세계 각국이 제조업의 부흥과 경쟁력강화에 경제정책의 초점을 맞추자 중국제조업이 위협을 받았다.

이에 중국은 산업고도화 전략으로 '중국제조 2025'을 추진하고 있다. 2015년 5월 중국 국무원이 전격 발표한 이 전략은 중국이 경제성장을 양적성장에서 질적 성장으로 바꿔 세계 최강의 제조업 국가로 부상하는 것을 목표로 하고 있다. 2025년까지 노동집약형 전통산업을 기술집약형 스마트산업으로 바꿔 경제강대국의 대열에 합류할 계획이다. '중국제조 2025'의 주요내용은 향후 30년간 10년 단위로 3단계에 걸쳐 산업을 첨단고도화 하는 전략으로 10대 핵심산업을 집중적으로 육성하는 것이다. 10대 핵심산업은 차세대 정보통신, 로봇, 항공우주장비, 해양장비와 선박, 궤도교통설비, 신에너지 자동차, 전력설비, 농업기계장비, 신소재, 바이오 의약과 의료기기 등이다.

중국이 향후 30년간 단계별로 이루고자 하는 목표는 다음과 같다. 1단계(2015-2025)에서 중국은 품질, 기술, 부가가치 등에서 제조업의 고도화를 달성해 미국, 독일, 일본 등 제조강국의 대열에 진입한다. 2단계(2026-2035)에서 중국은 혁신에 집중해 주요산업에서 경쟁우위를 확보한다. 3단계(2036-2045)에서 중국은 주요산업에서 최고수준의 경쟁력을 갖춰 세계시장을 선도하는 경제강국으로 도약한다.

'중국제조 2025'의 성공여부는 아직 속단하기 어렵다. 그러나 경제성장의 질을 고도화해 중국경제의 발전이 과거와 궤도를 달리할 것이라는 데는 의문의 여지가 없다. 더구나 이 전략이 전반적으로 성공할 경우 중국이 세계경제의 판도를 바꿀 것이라는 면에서 보통 의심심장한 일이 아니다. 특히 수출과 수입 양면에서 중국의존도가 절대적인 우리나라는 중국에 예속을 피하고 중국경제에 앞서가는 새로운 전략을 펴지 않으면 미래가 없어 보인다.

10 중화주의의 부흥

중국몽(中國夢)[55]

중국은 1976년 10여 년에 걸쳐 진행되었던 문화대혁명이 끝난 후 개혁개방 정책으로 전환해 고도경제성장 궤도에 진입했다. 특히 1990년대 이후 세계 최대인구를 바탕으로 제조업을 빠른 속도로 발전시켜 세계의 공장으로 위상을 확보했다. 2001년 국제무역기구(WTO)에 가입함으로써 중국은 세계무역의 중심에 서는 주요경제국이 되었다. 중국경제가 침체하면 공급망에 차질이 와 세계 각국 경제가 불안할 정도다. 2010년대 들어서 일본을 제치고 세계 2위의 경제대국으로 올라서며 국력이 신장되자 중국은 미국과 함께 세계질서를 이끄는 G2로 격상했다.

이런 가운데 중국은 2015년부터 '중국제조 2025' 전략을 통해 4차 산업

---

55) 〈중국현대를 읽는 키워드 100〉 중 "중국몽": NAVER 지식백과 참조

혁명 등 경제혁신에 주력하고 있다. 2030년대에는 주요산업에서 경쟁 우위를 확보해 세계시장을 선도하는 경제 강대국으로 도약할 계획이다.

중국이 과거의 가난과 고립을 벗고 경제성장과 국력신장에 성공해 G2국가로까지 발돋움하며 미래에 대한 자신감을 얻자, 한발자국 더 나아가 들고 나온 것이 위대한 중화민족의 부흥을 실현하겠다며 선 언한 '중국몽'이다. 경제는 물론 정치, 외교, 군사의 패권을 강화해 과거 세계중심의 역할을 했던 중화주의를 현대에 재현하겠다는 의미 를 담고 있다.

중국은 개혁개방 정책에 따라 경제성장을 추진하는 과정에서 빛을 감추고 은밀하게 힘을 기른다는 덩샤오핑 전 주석의 '도광양회(韜光 養晦)56)원칙'을 지켰다. 그러나 2000년대 이후 경제를 개방하자 이 원칙은 무의미 해졌다. 2010년대 들어 G2국가로 부상하자 중국은 아예 G2에서 G1이 되겠다는 패권주의 야망을 중국의 꿈으로 바꿔 세계에 제시했다.

'중국몽'은 시진핑 국가주석이 2012년 18차 당대회에서 총서기에 오른 후 제시한 국가발전이념이다. 이에 따라 중국의 대외정책 원칙 은 도광양회 대신 '중국에 이익이 되는 일이면 떨쳐 일어나 해야 할 일을 한다'는 '분발유위(奮發有爲)'로 바뀌었다. 시진핑 주석이 중국몽 을 내세운 이유는 크게 세 가지로 볼 수 있다.

첫째, 중국경제는 외형적으로 고도성장을 했으나 내면적으로 해결 해야 할 일이 많다. 가장 큰 문제가 양극화다.

---

56) '자신을 드러내지 않고 때를 기다리며 실력을 기른다'는 의미로, 1980년대 말~1990 년대 덩샤오핑 시기 중국의 외교방침을 지칭하는 용어로 쓰인다.

중앙집권적인 힘에 의해 경제가 빠른 속도로 성장할 경우 필연적으로 발생하는 현상이 불균형 성장이다. 중국은 이미 계층 간의 빈부격차, 동서 간의 지역격차, 도시와 농촌 간의 도농격차가 심각하다. 더구나 무절제한 산업화로 환경이 파괴되고 권력의 집중으로 인한 부정부패도 심하다. 여기에 국가부채가 많아 경제의 부실화 위험도 크다. 따라서 경제의 균형적이며 지속적인 발전을 위해 새로운 정책 기조가 필요했다. 이런 차원에서 중국몽을 국가과제로 제시해 내면적인 모순을 극복함과 더불어 새로운 도약을 추진해 세계 최고의 국가가 된다는 전략을 내세운 것이다.

　중국몽은 중국공산당 창당 100주년이 되는 2021년까지 전면적인 소강사회를 건설하는 것을 목적으로 한다. '소강사회(小康社會)'란 고대 중국인들의 이상 사회였던 따뜻하고 화목하며 예의로 대하는 사회라는 뜻이다. 경제성장의 질을 높여 불균형을 해소하고 중국인민 전체가 잘사는 경제를 만드는 것이 중국몽의 1차적인 목표다.

　둘째, 중국의 자본주의적인 경제발전이 사회불안과 갈등을 유발하는 것은 물론 전통적인 도덕과 윤리가 무너지고 가치관의 혼돈을 불러왔다. 특히 사회주의 정치체제와 시장경제 발전이 충돌하는 현상을 빚으며 공산당의 통치시스템에 대한 회의가 일고 있다.

　이런 상태에서 시진핑 주석은 공산당 지배체제를 공고히 유지하면서 국가의 효과적인 운영은 물론 사회의 통합과 발전을 도모할 수 있는 새로운 통치이념이 필요했다. 그에 따라 공산당과 자신의 권력 기반을 강화하고 국가를 효과적으로 통치하기 위한 수단으로 중국몽을 중국인민에게 제시한 것이다. 시진핑 주석은 중국몽이 중국민족의 꿈인 중화주의를 실현하는 것이라는 점을 내세워 통치이념으로서 의미를 확고히 했다.

셋째, 시진핑 주석이 중국몽을 통치이념으로 정할 수 있었던 결정적인 이유는 미국경제의 혼란이었다.

2000년대 이후 미국경제는 불안의 연속이었다. 2001년 중동의 테러리스트들이 벌인 9.11사태는 자본주의의 심장인 뉴욕을 무너뜨리는 미국의 최대 참사였다. 이 사태는 세계 최강의 미국을 하루아침에 테러의 희생물로 만든 것은 물론, 자본주의의 거탑을 무참히 무너뜨려 미국중심의 패권주의 허상을 드러냈다. 이런 상태에서 설상가상으로 1990년대 팍스 아메리카나를 부활시킨 정보통신산업의 거품이 꺼지기 시작했다.

급기야 2000년대 초 미국경제는 방향감각을 잃고 침체의 수렁에 빠졌다. 미국은 허겁지겁 기준금리를 6.25%에서 1%로 낮추는 등 돈 풀기로 경기를 회복시키려 했다. 이는 달러화가 기축통화이기 때문에 돈만 풀면 미국경제는 부담을 다른 나라에 떠넘기며 얼마든지 살아날 수 있다는 통화패권주의에 따른 것이었다. 그러나 이 조치는 뜻하지 않게 주택금융시장을 거품에 들뜨게 했다가 무너뜨리는 서브프라임 사태를 유발해 결국 2008년 미국발 글로벌 금융위기를 초래하는 악수로 끝났다.

2001년 세계무역기구(WTO) 가입을 계기로 승승장구하며 성장하여 세계경제의 지배력을 넓히던 중국은 미국을 대신해 패권을 차지할 수 있다는 자신감을 갖고 2012년 중국몽을 선언한 것이다.

중국으로 하여금 중화주의 부활의 야망을 품게 한 것이 미국만은 아니었다. 미국발 금융위기의 여파로 유럽경제도 위기에 봉착했다. 그리스를 필두로 하는 남유럽국가들이 재정적자를 이기지 못해 연쇄적인 국가부도위기에 처했던 것이다.

유럽경제는 극도의 불안에 빠지며 분열하기 시작했다. 급기야 영국이 유럽연합(EU: European Union)을 탈퇴하며 고립주의를 선언했다. 다른 유럽국가들도 각자 도생의 길을 걷기 시작했다. 유럽이라는 막강한 경제공동체가 사실상 무력화되었다. 여기에 일본은 1990년대부터 잃어버린 20년을 겪어 종이호랑이나 다름없었다. 미국을 위시해 기존의 선진국들이 휘청거리자 중국이 세계 경제패권을 차지할 수 있다고 판단해 중국몽을 내세우기에 이른 것이다.

일대일로(一帶一路, One belt One road)[57]

2012년 '중국몽'을 중국의 통치이념으로 제시한 시진핑 주석은 이 이듬해인 2013년 '일대일로' 계획을 발표했다. '일대일로'란 중앙아시아와 유럽을 잇는 육상 실크로드와 동남아시아와 아프리카 및 유럽을 잇는 해상 실크로드를 뜻하는 말로 아시아, 아프리카, 유럽의 3대륙을 연결해 중국 중심의 경제권을 형성하겠다는 초대형 국가프로젝트다. 고대 동서양을 잇는 교통로였던 실크로드를 현대판으로 다시 구축해 중국을 중심으로 주변 국가들과 공동의 경제번영을 추구한다는 실로 야심찬 계획이다.

---

57) 〈중국현대를 읽는 키워드 100〉 중 "일대일로": NAVER 지식백과 참조

2013년 9월 시진핑 주석은 카자흐스탄의 한 대학 강연에서 내륙 실크로드 경제벨트를 구축해 공동번영의 시대로 나갈 것을 제안했다. 같은 해 10월 시진핑 주석은 인도네시아 국회연설에서 21세기 해양 실크로드를 건설해 협력의 시대를 열자고 강조했다. 그리고 2013년 11월, 중국공산당 중앙위원회는 일대일로 건설을 위한 각종 정책을 결정해 본격 시행에 들어갔다.

중국의 일대일로 건설은 중화주의 부흥의 발판을 마련하는 것으로 볼 수 있다. 일대일로가 구축되면 중국을 중심으로 육상과 해상 실크로드 주변의 60여 개국을 포괄하는 거대한 경제권이 형성된다. 실크로드 경제권의 인구는 40억 명 이상으로 세계인구의 60%를 차지한다. GDP는 20조 달러 규모로 세계 GDP의 25%수준이다. 세계 어느 경제권보다 미래 성장잠재력이 높다. 향후 실크로드의 구축이 완성될 경우 중국은 세계경제의 중심축으로 확고한 위상을 차지하고 정치, 외교, 군사 등에서 막강한 영향력을 행사해 중화주의 실현을 앞당길 수 있게 된다.

2014년부터 2049년까지 35년 동안 공사 예정인 일대일로 건설계획은 현재 100개 이상의 국가와 관련 기구들이 참여하고 있으며 내륙 3개 노선과 해양 2개 노선의 건설이 시행 중이다. 일대일로 건설 중 '일대(一帶)'에 해당하는 내륙 3개 노선은 (1)중국→중앙아시아→러시아→유럽, (2)중국→서아시아→페르시아만→지중해, (3)중국→동남아시아→남아시아 노선이다. '일로(一路)'에 해당하는 해양 2개 노선은 (1)중국 연해→인도양→유럽, (2) 중국→남중국해→남태평양 노선이다.

일대일로의 구축은 고속철도나 도로, 항만시설을 건설해 교통망을 만드는 단순한 인프라 구축이 아니다. 일대일로는 핵심 운영 메커니즘인 정책소통(政策溝通), 시설연통(設施聯通), 무역창통(貿易暢通), 자금융통(資金融通), 민심상통(民心相通) 등 5통(五通)을 목표로 한다.

'정책소통'은 국가간 정치적 신뢰를 구축해 정책교류를 확대하고 지역협력을 강화해 상호호혜적인 국가발전전략을 추진하는 것이다.

'시설연통'은 철도, 도로 등 교통망은 물론 소통과 정보교환을 위한 통신망을 연결하고 에너지 운송과 저장시설을 건설해 공동사용을 꾀하는 것이다. '무역창통'은 일대일로 주변 국가들 사이에 무역장벽을 제거해 국가간 무역과 투자를 확대하고 경제의 공동체적 발전을 꾀하는 것이다. '자금융통'은 주변국가들 사이에 통화안정체제를 구축하고 금융협력 시스템을 강화하며 국제금융기구들과 협력을 확대하는 것이다.

끝으로 '민심상통'은 인적교류, 문화교류, 학술협력, 관광확대 등을 통해 사회적인 연대를 강화하는 것이다. 이런 의미에서 볼 때 일대일로 프로젝트는 중화주의 실현의 종합적인 수단이 될 수 있다.

일대일로 구축은 중국경제의 성장에 새로운 돌파구를 마련한다는 차원에서 또 다른 의미가 있다. 대내적으로 일대일로 사업은 내수시장을 확대하고 지역불균형을 해소할 수 있는 기회가 된다.

중국은 동부 연해지역에 비해 낙후한 서부, 중부, 동북지역을 개발해 지역간 균형발전을 이루는 사업을 국가적 사업으로 추진해 왔다. 따라서 중국은 일대일로 사업으로 서부, 중부, 동북 지역의 경제발전 사업이 새로운 활력을 찾을 수 있다. 3대 지역의 개발이 본격화하면 중국경제의 내수시장이 현재에 비해 대규모로 확대될 것은 의문의 여지가 없다. 더욱이 이러한 지역의 균형개발과 내수활성화는 중국경제의 과잉생산과 공급문제를 해결하는 것은 물론, 중국 주변의 모든 신흥시장에 진출해 거대한 경제영토를 형성할 수 있다.

미국은 2015년부터 중국의 팽창을 막고 자국의 아시아 패권을 유지하기 위해 '아시아 재균형 정책(Asia Rebalancing)'을 펴고 있다. 경제적 측면에서 미국의 아시아 재균형 정책은 아시아 지역에 대한 중국의 영향력 확대를 막고 자국의 기득권을 유지하며 경제적 이익을 확대하는 것이 목표다. 중국이 일대일로 사업을 강력하게 추진하고 있는 가운데 미국이 이와 같은 아시아 정책을 내놓자 아시아 지역의 경제주도권을 놓고 미국과 중국의 충돌이 빚어지고 있다.

중국의 '중화주의'와 미국의 '재균형 정책'을 동시에 마주하고 있는 우리나라는 수출시장을 다변화하고 새로운 경제성장동력을 찾기 위해 신북방정책과 신남방정책을 추진하고 있다. 신북방정책은 러시아, 몽골 중앙아시아 국가들과 외교관계를 강화하고 경제협력을 활성화하는 정책이다. 신남방정책은 동남아시아 국가연합을 비롯해 인도 등 남방국가들과 외교관계를 강화하고 경제협력을 확대하는 정책이다. 이와 같은 새로운 대외경제정책은 중국, 미국, 일본 등 기존의 주요 교역국에 대한 의존도를 줄여 경제의 자생력을 높이고 새로운 시장을 개척해 경제영토를 넓히는 일거양득의 효과가 있다.

문제는 신북방정책과 신남방정책이 경제협력강화와 새로운 시장개척이라는 차원에서 중국의 일대일로 사업과 중첩되는 부분이 있다는 것이다. 이 경우 우리나라가 중국의 일대일로 사업에 협력할 경우 잘

되면 호혜적인 시너지효과를 가져올 수 있으나, 잘못되면 중국을 도
와 우리나라가 추구하는 시장을 스스로 넘겨주는 결과를 가져올 수
있다.

아시아인프라투자은행(AIIB)

중국은 일대일로 사업에 필요한 자금공급을 위해 아시아인프라투자
은행(AIIB: The Asian Infrastructure Investment Bank)을
설립했다. 2013년 10월 시진핑 중국국가주석이 창설을 제안했고, 1년 후
인 2014년 10월 중국, 인도, 파키스탄, 우즈베키스탄, 쿠웨이트, 베트남
등 아시아 21개국이 500억 달러 규모의 AIIB설립을 위한 양해각서에 서명
하고, 2016년 1월 57개 국가를 회원으로 공식 출범했다.
중요한 사실은 중국이 일대일로 건설을 위해 주도적으로 설립한 국제금융
기구에 서방국가들이 참여했다는 것이다. 2015년 3월 영국이 서방 주요국
가 중 처음으로 AIIB 가입을 선언한 이후 프랑스, 독일, 이탈리아, 스위스,
룩셈부르크 등이 가입의사를 밝혔다. 한국은 2015년 3월 26일 공식적으
로 AIIB 참여를 선언했다.

아시아 지역의 경제패권을 둘러싸고 미국과 충돌을 빚을 수 있는
중국주도의 AIIB에 서방국가들이 대거 참여한 이유는 경제적인 이해
관계였다. 향후 세계경제에서 중국이 차지하는 비중과 영향력이 막강
할 것이라는 점을 감안할 때 AIIB 참여를 배제하기 어려운 일이다.
더군다나 일대일로라는 대형의 국제 인프라 건설사업에 참여할 경우
가져올 경제적 이득을 결코 무시할 수 없었을 것이다.

우리나라는 미국을 의식해 처음에는 참여를 꺼려했으나 영국, 독일, 프랑스 등 서방 주요국가들이 미국의 입장과 관계없이 참여를 선언하자 곧바로 참여를 결정했다. 우리나라의 경우 최대 수출 국가인 중국과 경제관련도가 절대적으로 높은 것은 물론, 일대일로 건설이 신북방정책 및 신남방정책과 직접 연결되어 있어 AIIB참여는 불가피했다.

중국의 AIIB 설립은 일대일로 건설은 물론 주변 국가를 중심으로 갖가지 개발사업에 투자를 집중함으로써 중화주의 부흥에 중요한 발판이 될 수 있다. AIIB는 제2차 세계대전 후 세계 각국의 경제부흥을 꾀하며 팍스 아메리카나 구축을 위해 설립했던 미국의 국제부흥개발은행(IBRD: International Bank for Reconstruction and Development)과 같은 성격을 띤다.

일명 세계은행(WB: World Bank)라고 불리는 IBRD는 1944년 맺은 브레튼우즈 협약에 근거해 국제연합(UN) 산하의 국제금융기관으로 설립됐다. 설립목적은 전후 각국의 전쟁피해복구 및 개발자금 지원이었다. 1949년 이후 개발도상국 지역의 빈곤퇴치와 생활수준 향상으로 설립목적을 확대했다. IBRD은 일반적으로 정부 또는 정부의 지급보증을 받은 민간 기업에 대출을 해준다. 처음에는 전력, 도로, 항만 등의 공공사업에 필요한 외화대출에 집중했으나 나중에는 농촌개발도 주요 대출영역에 포함했다. 1945년 12월 공식적으로 출범한 후 관련기구로 1956년 7월 국제금융공사(IFC: Internal Finance Corporation), 1960년 9월 국제개발협회(IDA: International Development Association) 등을 설립했다.

IFC는 개발도상국과 저개발국가의 민간기업에 자금을 지원하는 기구다. IFC는 IBRD와 달리 정부의 보증 없이 민간기업에 대출과 투자를 병행한다. 이에 따라 IFC는 개발도상국의 다양한 기업의 주요 주주로 역할을 한다. IFC는 1967년 한국의 민간기업에 외화자금을 대출하는 금융기관으로 KDFC(Korea Development Finance Corporation)을 설립해 운영했다.

KDFC는 1979년 한국장기신용은행으로 전환해 장기 기업대출 전문기관으로 역할을 했으나 1998년 외환위기를 넘기지 못하고 KB국민은행에 흡수통합 되었다. IFC는 2002년 1억5천만 달러 규모의 펀드를 조성해 한국지배구조펀드를 세우고 지배구조 개선을 조건으로 주요상장기업에 투자를 하고 있다.

IDA는 소득이 낮은 저소득국가의 경제를 개발하고 국민의 후생을 증진시키는 것을 목적으로 한다. IBRD와는 달리 상업적인 성격을 갖지 않은 개발사업도 지원대상으로 하며 대출조건이 용이해 저소득 국가에 매우 유리한 외화자금 조달원으로 기능을 한다.

중국주도의 AIIB는 미국과 일본이 주도하고 있는 아시아개발은행(ADB: Asian Development Bank)과도 경쟁관계에 있다. ADB는 아시아-태평양 지역의 저개발국가와 개발도상국가의 경제발전에 기여하기 위해 설립한 국제금융기구다. 1966년 12월 일본 도쿄에서 창립총회를 열고 정식으로 출범했다. 본부는 필리핀의 마닐라에 두고 있다. 최고의결기구는 회원국 총회이며 운영을 총괄하는 이사회가 있다. 최대 주주국가는 미국과 일본이나, 일본이 사실상 운영을 주도하고 있다. 가입 자격을 역내 국가들과 UN 또는 UN 전문기구의 회원국으로 제한하고 역외국 중에서 선진국은 예외로 허용하고 있다. 우리나라는 1966년 12월 창설당시 가맹국으로 가입했다. 투표권은 미국과 일본에 이어 3위다.

ADB는 회원국의 개발사업에 대한 자금지원을 주요업무로 한다. 이외에도 회원국들 사이에 기술교류 등의 경제협력도 수행한다. 향후 중국이 중화주의를 부흥하는 과정에서 AIIB가 중요한 역할을 할 전망이다. 따라서 중국은 AIIB의 조직과 기능을 확대해 IBRD나 ADB의 역할과 영향력을 축소하는 노력을 강화할 것으로 보인다.

역내 포괄적경제동반자협정(RCEP)

2019년 11월 중국이 주도하는 역내 포괄적경제동반자협정(RCEP: Regional Comprehensive Economic Partnership)의 협정문이 타결됐다. 동남아시아국가연합(ASEAN) 10개국과 한·중·일, 호주, 뉴질랜드 등 15개국 RCEP 정상들은 태국 방콕에서 회의를 열고 역내 무역자유화를 위한 협정문의 타결을 공식 선언했다. 참여국들은 곧바로 법률검토를 시작했고 시장개방협상 등 잔여 협상을 마무리해 2020년에 최종 타결 및 서명을 할 예정이다.

RCEP 협정문의 주요내용은 지식재산권 등 최근 무역환경변화를 반영한 무역규범의 확립, 원산지 기준의 통일과 원산지 증명절차 개선 등 무역의 원활화 기반 구축, 금융과 통신산업 등 서비스 분야 투자규범 개선, 참여국들 간의 호혜적인 협력기준 마련 등이다. 이번 협정문 타결에 인도는 참여하지 않았다. 인도는 주요 사안에 대해서 참여국들과 해결하기 위해 노력하고 추후에 참여여부를 결정하기로 했다. 인도를 포함한 아시아-태평양지역 16개국 정상들은 2012년 11월 캄보디아의 수도 프놈펜에서 정상회의를 열고 RCEP협상을 개시하기로 합의했다. 이후 7년간의 협상 끝에 15개 참여국들이 협정문의 타결에 이르렀다. RCEP는 세계인구의 절반, 전 세계 GDP의 3분의1, 전 세계 교역량의 30%를 차지하는 거대한 경제권으로 유럽연합보다 큰 자유무역지대를 만드는 협정이다. RCEP가 최종 타결돼 발효에 들어갈 경우 세계시장 판도에 상당한 변화가 올 것으로 보인다. 인도는 중국과의 무역적자 가능성 때문에 일단 불참했으나 무역적자를 개선하는 방안이 타결되면 합류할 것으로 예상된다.

이로써 중국은 역내 경제를 주도하며 새로운 성장동력을 확보하는 것은 물론 중화주의 부흥의 강력한 발판을 마련할 것이다. 당연히 미국은 견제에 들어갔다. 이번에 불참을 결정한 인도와 인도태평양전략 보고서(Indo-Pacific Advancing a Shared Vision)를 채택해 중국 압박에 나선 것이다.

미국은 RCEP가 중국의 주도로 빠르게 진행되자 이에 대응하기 위해 환태평양 경제동반자협정(TPP: Trans-Pacific Partnership Agreement)의 타결을 서둘렀다. 2005년 6월 뉴질랜드, 싱가포르, 칠레, 브루나이 등 4개국은 2015년까지 모든 무역장벽을 철폐하는 것을 목표로 환태평양 전략적 경제동반자협력체제(TPSEP: Trans-Pacific Strategic Economic Partnership)을 구축했다.

2008년 미국이 협정참여를 위한 교섭을 시작하면서 명칭이 TPP로 바뀌고 참여국의 숫자도 일본, 말레이시아, 베트남, 페루, 호주,

캐나다 등이 추가로 참여해 12개국으로 늘었다. TPP는 참여국들 간의 이견으로 난항을 겪다가 2015년 10월 전격적으로 타결됐다.

TPP는 GDP합계로 세계경제의 40%를 차지하는 최대 규모의 자유무역협정이다. TPP가 먼저 타결됨에 따라 RCEP를 추진하던 중국으로서는 불안감을 가질 수밖에 없었다. 중국은 아시아-태평양 국가들의 중국경제 의존도를 줄여 중국의 팽창주의를 막겠다는 의도로 미국이 TPP에 주도적으로 참여했다는 판단이다. 따라서 중국은 RCEP에 더 집중하는 모습을 보였다. 그러나 상황이 곧 바뀌었다.

2017년 1월 미국 우선주의(America First)를 주창하던 트럼프 미국대통령이 TPP가 미국인의 일자리를 빼앗는다고 주장하며 탈퇴를 선언했다. TPP는 12개 참여국들 전체 GDP의 60%를 차지하던 미국이 탈퇴를 선언하자 와해위기에 처했다. 그러나 미국을 제외한 나머지 국가들은 일본의 주도하에 일부 미국과 관련된 항목들을 동결하고 TPP협상을 다시 전개해 기존 협정문의 틀 안에서 새로운 협정을 도출했다. 동결한 항목들은 미국이 복귀하면 재고하기로 했다.

이후 새로운 협정의 명칭을 '포괄적·점진적 환태평양경제동반자협정(CPTPP: Comprehensive and Progressive Agreement for Trans-Pacific Partnership)'으로 바꿨다. CPTPP는 회원국들이 자국내 승인절차를 마치면서 2018년 12월 30일 발효됐다.

이로써 인구 5억 명에 전 세계 GDP의 13%를 차지하는 자유무역지대가 출범했다. 이렇게 되자 RCEP는 중국의 아시아-태평양 진출의 교두보로서 의미가 더 커졌다. 더구나 CPTPP가 미국의 자국우선주의에 따른 보호무역조치나 보복관세 부과 등에 대항하는 기구로 역할을 함에 따라 중국의 입지가 강화되는 현상이 나타났다. CPTPP가 미국의 보호무역주의 공격에 제동을 걸 경우 RCEP는 더욱 큰 힘을 받아 아시아 지역의 거대한 경제블록으로서 확대 발전할 소지가 있다. 이렇게 되면 중국은 중화주의 실현에 박차를 가할 수 있을 것이다.

중국은 RCEP와 별도로 2014년부터 아시아-태평양 자유무역지대(FTAAP: Free Trade Area of the Asia-Pacific) 구축을 추진하고 있다. FTAAP는 러시아, 미국, 멕시코, 베트남, 일본, 인도네시아, 중국, 칠레, 한국, 호주 등 21개 아시아-태평양 경제협력체(APEC: Asia-Pacific Economic Cooperation) 국가들 모두를 묶는 자유무역협정이다. RCEP가 세계 교역에서 차지하는 비중이 30% 수준인 반면 FTAAP가 세계 교역에서 차지하는 비중은 50%가 넘는다.

따라서 FTAAP가 중국의 의지대로 타결이 될 경우 중국은 막강한 경제성장 잠재력을 갖고 명실공히 세계경제를 주도할 수 있는 경제영토를 확보하게 되는 것이다. 미국이 TPP를 탈퇴하고 RCEP 협정문이 타결을 봄에 따라 FTAAP 협상이 힘을 받을 가능성이 있다. 시진핑 중국 국가 주석은 2016년 11월 당시 미국의 대통령 당선자인 트럼프가 TPP탈퇴를 제기하자 중국은 문호를 더 개방하겠다며 FTAAP 구축에 대한 강한 의지를 나타낸 바 있다.

2017년 1월 미국의 일자리를 빼앗는다는 이유로 TPP탈퇴를 선언한 트럼프 행정부는 중국의 팽창주의를 견제하기 위한 목적으로 반중 경제블록인 '경제번영네트워크(EPN : Economic Prasperrty Network)'를 다시 들고 나왔다.

2020년 4월 폼페이오 미국 국무장관이 기자회견에서 아시아-태평양 동맹국들과 전 세계 공급망과 관련해 논의했다고 밝혀 EPN추진을 공식화 했다. EPN은 인도, 일본, 한국, 베트남, 호주, 뉴질랜드 등 미국과 협력하는 국가들만 참여하는 산업공급망으로, 중국 견제를 확실한 목표로 하고 있다. 향후 EPN의 성사여부와 영향력의 크기에 따라 세계 경제의 판도는 다시 한번 흔들릴 전망이다.

RCEP 타결은 우리나라 경제에 호재라고 볼 수 있다. 역내 주요 국가들로 수출시장을 다변화하고 투자를 확대해 우리경제에 새로운 기회를 부여할 것이기 때문이다. 특히 서비스의 자유화에 따라 높은 성장세를 보이고 있는 역내 국가들에 대한 전자상거래와 세계적으로 관심을 끌고 있는 한류 콘텐츠의 활발한 진출이 예상된다.

반면 TPP에서 미국이 탈퇴하고, 축소된 형태인 CPTPP가 출범한 것은 우리나라가 아시아-태평양 지역에서 배제된 것은 물론 미국의 통상압력을 집중적으로 받을 수 있다는 면에서 우려가 있다. 더욱이 CPTPP를 일본이 주도함으로써 우리나라에 우호적인 무역환경을 기대하기 어렵다. 일본은 RCEP와 CPTPP에 동시 가입하고 있어 아시아와 태평양 지역에서 큰 영향력을 행사할 수 있는 위치에 있다.

따라서 새로운 산업발전으로 국제경쟁력을 확보하고 강력한 대외진출 전략을 세워 RCEP의 기회를 최대한 활용하며 효과적인 경제외교를 통해 미국의 통상압력과 일본의 배타적인 정책을 최소화하는 적극적인 전략이 필요하다.

팍스 시니카(Pax Sinica)

중국의 중화주의 부흥이 추구하는 것은 '팍스 시니카'의 실현이라고 볼 수 있다. 팍스 시니카란 중국의 지배하에 세계 평화가 유지되는 시대를 의미한다.

고대 로마는 전쟁을 통해 지중해 연안에 제국을 건설하고 오랫동안 평화를 누렸다. 로마제국 통치하의 평화를 '팍스 로마나(Pax Romana)'라고 부른다. 팍스 로마나는 로마에게는 번영과 평화였지만 로마제국의 지배를 받던 식민지에게는 착취와 고통이었다. 영국은 18세기 중반 산업혁명을 이룩하고 경제의 근대화를 추구했다. 더불어 17세기 이후 시작한 식민정책을 계속 강화하면서 대영제국 건설에 박차를 가했다.

19세기 들어 영국은 유럽, 미주, 아시아, 호주, 아프리카 등 세계 전역에 식민지를 만들어 '해가 지지 않는 제국'을 이룩하며 세계를 지배했다. 대영제국의 식민통치 체제하에 평화를 '팍스 브리타니카(Pax Britanica)'라고 부른다. 팍스 로마나와 마찬가지로 이 또한 자국의 번영과 평화를 위해 식민지 국가에 착취와 고통을 강요했다.

팍스 브리타니카는 독일의 세력 확장과 미국의 국력신장 등으로 인해 1914년 제1차 세계대전을 계기로 힘을 잃기 시작했다. 제1차 세계대전이 끝난 후 미국경제가 눈부시게 발전하자 세계경제의 중심축이 미국으로 기울기 시작했다. 1930년대 세계경제가 대공황을 겪은 후 제2차 세계대전이 끝나자 미국은 세계 최강의 경제력과 군사력을 보유한 국가로 부상했다. 자연히 팍스 브리타니카는 '팍스 아메리카나(Pax Americana)'에 자리를 내줬다.

이후 미국은 막강한 지배력을 갖고 세계평화를 수호하며 미국식 자본주의 경제를 이끌었다. 특히 1991년 소련이 붕괴한 이후 미국은 세계 유일의 강대국이 되어 지역전쟁에 개입하고 각국의 분쟁에 정치적인 영향력도 행사하고 있다. 팍스 아메리카나 역시 팍스 로마나와 팍스 브리타니카처럼 안팎이 다른 양면의 모습을 갖췄다. 대내적으로 민주주의와 평화를 추구하지만 대외적으로 패권주의 폭력행사를 불사한다. 중국의 팍스 시니카는 이와 같은 미국의 팍스 아메리카나를 대체하겠다는 것이다.

그렇다면 '팍스 시니카'는 실현 가능한가? 현재 미국이 세계 최강의 경제력과 군사력을 가진 이상 팍스 아메리카나는 쉽게 무너지지 않을 것이다. 아무리 중국이 경제발전을 하고 군사력을 강화한다 해도 중국의 경제발전과 군사력 강화가 팍스 아메리카라는 틀 안에서 이뤄지고 있다는 면에서 중국의 도전에 한계가 있다.

물론 큰 경제흐름으로 볼 때 세계경제의 중심축이 유럽에서 미국으로 바뀌고, 미국에서 다시 아시아로 바뀌고 있는 것은 사실이다. 그러나 패권은 사생결단의 싸움이다. 빼앗으려는 나라의 힘이 지키는 나라의 힘보다 월등하게 높지 않는 한 결코 바꾸기 어렵다.

중국, 인도, 일본, 한국 등의 경제를 합치면 미국경제를 압도할 수 있는 상황이다. 그렇지만 인도, 일본, 한국 등이 미국을 배제하고 일방적으로 중국의 편에 선다는 것은 상상하기 어렵다. 더구나 중국은 협력이 필수적인 아세안 국가들과 대립관계에 있다. 말레이시아, 필리핀, 베트남 등의 국가들과 영토나 영해분쟁을 하고 있어 서로 물러날 수 없는 입장을 취하고 있다.

팍스 브리타니카가 팍스 아메리카나로 넘어갈 때는 제1, 2차 세계대전이라는 세계적인 사태가 있었다. 세계질서의 판도를 바꾸는 대형사태가 없는 한 세계를 지배하는 패권이 바뀔 가능성은 낮다.

더욱이 중국은 사회주의 국가다. 그렇지만 세계 각국은 대부분 민주주의 국가다. 사회주의 국가가 패권을 갖고 민주주의 국가들을 지배한다는 것은 결코 쉬운 일이 아니다. 사회주의 국가의 경우 지속적인 민주화 요구 때문에 체제자체의 불안이 내재되어 있다.

홍콩의 민주화 운동과 이를 탄압하기 위해 중국이 전격적으로 시행한 '홍콩보안법'은 중국체제의 불안을 여실히 드러낸다.

1997년 중국은 영국으로부터 홍콩을 반환 받으며 기존의 홍콩 체제를 2047년까지 50년간 유지하는 '일국양제(一國兩制)'를 약속했다. 그럼에도 홍콩정부의 수반인 행정장관을 간선제를 통해 선출하여 간접통치를 했다. 홍콩의 민주진영은 행정장관의 직선제를 끊임없이 요구했다. 2014년 8월 중국은 2017년부터 행정장관을 직선제로 선출하겠다고 밝혔다. 문제는 홍콩장관의 입후보 자격을 친중국계로 제한하는 것이었다.

같은 해 9월부터 이에 불복하는 홍콩주민들의 민주화 시위인 우산시위가 대대적으로 일어났다. 중국의 강력한 진압에 밀려 우산시위는 12월 막을 내렸다. 2020년 7월 1일, 중국은 홍콩보안법을 전격적으로 시행해 일국양제를 부정하고 홍콩의 중국화를 노골화했다.

홍콩보안법은 홍콩 내 반정부 활동을 전면적으로 금지하는 법으로 국가분열, 정권전복, 테러활동, 외세결탁 등에 대해 최고 무기징역형에 처한다. '홍콩의 중국화'는 중국역사의 최대 치욕이었던 아편전쟁으로 빼앗긴 홍콩을 되찾고 중화주의 부흥의 교두보를 마련한다는 차원에서 중국으로서는 보통 의미가 큰 일이 아니다. 그러나 홍콩의 중국화는 거꾸로 중화주의 부활에 걸림돌로 작용할 가능성이 크다.

미국이 관세, 투자, 무역, 비자발급 등에서 홍콩에 제공하던 특혜를 일시에 박탈하고 군사장비와 첨단기술제품의 수출을 제한하는 등 무역전쟁을 강화했기 때문이다. 여기에 영국이 영국과 관련한 홍콩주민들에게 시민권을 부여하는 등 서방국가들이 일제히 중국의 압박에 나섰다. 홍콩의 자본과 인재들이 탈출하는 이른바 헥시트(HK-exit)가 줄을 이을 전망이다. 이렇게 되면 중국의 패권주의 전략이 혼란에 빠질 수 있다. 자칫하면 중국은 홍콩도 잃고 팍스 시니카의 힘도 잃게 된다.

그렇다면 경제적 측면에 국한할 때 '팍스 시니카'가 성공할 수 있을까? 이것에 대한 의문도 크다. 사회주의 정치체제와 자본주의 시장경제의 동시발전이 한계에 부딪칠 수 있기 때문이다.

1976년 문화혁명이 끝난 후 중국은 자본주의이거나 공산주의이거나 인민을 잘 살게만 하면 된다는 덩샤오핑의 개혁개방 정책인 '흑묘백묘론(黑猫白猫論)'에 따라 계획경제를 기본틀로 하는 시장경제 메커니즘을 도입했다. 이에 따라 중국은 '사회주의 시장경제'라는 특수한 형태의 경제체제로 고속성장을 시작했다.

사회주의 시장경제는 한편으로 공유제를 기본 골격으로 해서 계획경제체제를 유지하고, 다른 한편으로 시장기능에 근거한 기업활동을 유도한다. 기업의 형태로 주식회사 제도도 채택한다. 대외적으로 자유무역을 주창하고 외국인 투자도 유치한다. 지방정부도 국유기업을 설립하고 자율적인 대내외 활동을 허용한다. 중앙정부는 전국적인 통일체계를 갖춘 경제시스템을 거시 조절수단을 활용해 운영한다.

이러한 체제의 중국경제는 1990년대 본격적인 성장을 시작해 10% 수준의 고속성장을 실현하고 2010년대에 들어서 세계의 공장으로 자리를 잡으면서 명실공히 G2의 지위에 올랐다.

그러나 중국이 고속의 경제성장을 하는 것과 세계경제에 패권을 행사하는 것은 전혀 다른 문제다. 사회주의 경제체제로 자국의 경제성장은 가져올 수 있어도 다른 나라 경제는 관제하기 어렵다. 중국은 공유제를 근간으로 하는 정부중심의 시장경제이고 다른 나라들은 사유제를 근간으로 하는 민간중심의 시장경제라는 기본이념과 체제의 근본적인 차이 때문이다.

중국이 사회주의 시장경제 체제로 세계경제를 주도할 경우 다른 나라 경제와 충돌이 불가피하다. 특히 중국이 경제패권을 차지하려면 통화인 위안화가 기축통화로서 미국의 달러화를 대체할 수 있어야 한다. 그러나 중국은 기본적으로 시장자율기능을 배제하고 통화금융정책과 환율을 중앙정부가 관리한다. 이런 체제로 세계경제를 이끈다면 다른 나라들이 수용하기 어려워 세계경제가 혼란에 빠질 수 있다.

무엇보다 중국의 사회주의 시장경제는 내부적으로 심각한 문제를 야기해왔다. 공산당 통치체제 하에 권력의 집중으로 인한 부정부패가 심해 사회적 불안이 크다. 국가부채가 통제하기 어려운 수준으로 증가하고 있고 계층간 소득 양극화는 세계 어느 나라보다 심각하다. 또 동서 지역간 격차가 날로 확대하고 낙후 지역의 불만이 고조되고 있다. 그런데 이러한 문제들은 단기간에 해결되기가 어렵다.

중국이 추진하는 '중국제조 2025' '일대일로' 등의 정책이 결실을 보기까지 예기치 못한 변수들이 돌출될 수도 있는 상황인 것이다. 그러한 사태를 맞닥뜨리게 될 경우 중국경제는 어떤 위기로 번질지 알 수 없는 상당한 잠재적 불안요소를 안고 있다. 중국경제가 지속적으로 성장해서 세계 최대 경제강국이 돼도 체제변화와 내부모순의 해결이 없는 한 팍스 시니카는 요원한 일이 될 것이다.

11 미국과 중국의 패권전쟁

약육강식의 무역전쟁

세 계경제의 역사는 곧 무역전쟁의 역사라고 볼 수 있다. 약육강식의 원칙에 따라 무한전쟁을 벌이며 승리한 나라가 세계 경제의 중심이 되었다. 15세기 중반 유럽의 열강들은 대항해를 시작하며 치열한 해상 무역전쟁을 벌였다. 대항해를 시작한 포르투갈과 스페인이 먼저 패권을 차지했다. 17세기에 들어서 영국, 네덜란드, 프랑스 등의 유럽인들은 동방 진출을 목적으로 인도의 동쪽 지역에 동인도회사(The East India Company)를 세워 동양을 상대로 무역을 하고 식민지로 점령하는 정책을 폈다.

유럽 각국은 중상주의(重商主義)[58]를 내세우며 향료, 커피, 무명,

---

58) 근대 절대주의국가의 성립기부터 영국 산업혁명의 개시기에 이르는 대략 15세기 중엽부터 18세기 중엽까지의 약 300년간 유럽제국에서 지배적이었던 경제정책과 이론을 총칭한다.

사탕 등 동양의 특산품을 놓고 무역전쟁을 벌였다. 동인도 회사를 처음 세운 나라는 영국이었다. 동인도 회사 초기에 영국은 세계무역을 주도했다. 그러나 곧바로 네덜란드가 영국을 물리치고 말레이시아, 인도네시아 지역의 섬들을 정복하며 무역의 독점권을 확보했다. 17세기 중반 네덜란드의 동인도회사는 현대적 기업형태인 주식회사로 발전해 해상무역의 전성기를 구가했으나 18세기 말 부실경영으로 점차 소멸했다.

18세기 중반 영국은 산업혁명을 일으켜 눈부신 발전을 시작했다. 19세기 들어 막강한 국력을 확보한 영국은 해군력을 길러 해상 무역 패권을 장악했다. 동시에 세계 전역에 식민지를 만들어 해가 지지 않는 대영제국을 건설하고 팍스 브리타니카(Pax Britannica) 체제를 구축했다. 영국의 팍스 브리타니카는 100년의 영화를 누렸다. 20세기 들어 제1, 2차 세계대전을 거치면서 국력이 쇠약해진 영국은 결국 새로운 경제대국으로 부상한 미국에 패권을 넘겼다.

19세기 두 건의 중요한 무역전쟁이 일어났다. 1866년 미국과 캐나다 사이에 무역전쟁이 일어난데 이어 1886년 프랑스와 이탈리아 간에 무역전쟁이 일어났다. 미국은 남북전쟁 이후 보호무역주의를 내세워 캐나다와 맺은 호혜계약을 파기하고 캐나다산 제품에 고율의 관세를 부과했다. 이후 미국과 캐나다는 서로 보복관세를 주고받는 무역전쟁을 근 1세기 동안이나 계속했다. 두 나라 사이의 교역이 급격히 감소했고 캐나다는 미국보다 영국과 친밀한 관계를 유지했다.

1871년 통일을 달성한 이탈리아는 1886년 자국산업을 육성하기 위해 프랑스와 맺은 무역협정을 파기하고 프랑스 제품 수입에 대해 고율의 관세를 부과했다. 이에 대해 프랑스가 바로 반격에 나서며 두 나라 사이에 무역전쟁이 일어났다. 당연히 두 나라 사이에 교역이 급감하는 부작용이 나타났다. 이후 이탈리아는 프랑스를 배제하고 독일과 친밀한 관계를 형성했다.

1930년대 미국에서 경제공황이 나타나자 세계는 다시 무역전쟁에 휩싸였다. 미국은 경제공황에서 벗어나기 위해 '스무트-홀리 관세법[59]'을 제정해 수입품에 대해 고율의 관세를 부과하고 무역 대상국들에 대해 수입제한, 환율통제 등의 조치를 취했다. 미국의 교역국들은 즉각 대응에 나섰다. 이로 인해 세계 교역량이 급격히 감소하면서 미국의 공황이 세계의 대공황으로 확산했다. 미국이 세계 경제대공황을 부채질한 셈이었다.

대공황 이후 세계경제를 강타한 보호무역주의는 제2차 세계대전이 끝난 뒤 '관세와 무역에 관한 일반협정(GATT: the General Agreement on Tariffs and Trade)'이 타결될 때까지 계속됐다.

제1, 2차 세계대전을 거치며 막강한 경제력을 확보한 미국은 제2차 세계대전이 끝나자 팍스 아메리카나 체제를 구축했다. 그러나 소련을 중심으로 하는 사회주의국가 진영이 형성되어 동서간의 냉전이 벌어졌다. 미국은 영국, 독일, 프랑스 등 서방국가들과 연합해 사회주의진영 국가에 무역을 규제하는 전략을 폈다. 특히 전략무기나 첨단기술의 수출은 완전 봉쇄작전을 폈다.

---

59) 미국 공화당 소속 리드 스무트 의원과 윌리스 홀리 의원이 주도하여 대공황 초기인 1930년 산업 보호를 위해 제정한 관세법으로, 2만여 개 수입품에 평균 59%, 최고 400%의 관세를 부과하도록 한 법안이다.

소련을 중심으로 하는 사회주의 국가들도 이에 맞대응을 했다. 동서진영 간의 냉전에 따른 보이지 않는 무역전쟁은 1980년대 말 소련이 무너질 때까지 40년이나 계속됐다.

1980년대 후반 미국은 앞서 설명한 '플라자협약'을 통해 일본과 치열한 무역전쟁을 벌였다. 1985년 9월 미국은 일본, 독일 등과 '플라자협약'을 맺고 또 다른 무역전쟁을 벌였다. 제2차 세계대전에서 패망한 일본은 미국의 지원을 받아 경제복구에 나섰다. 빠른 속도로 경제복구에 성공한 일본은 섬유, 화학, 자동차, 가전 등 다양한 산업에 걸쳐 미국시장을 잠식하며 1980년대 중반 세계 최강경제국으로 부상했다. 그러자 경제패권의 위협을 느낀 미국은 일본, 독일, 영국, 프랑스 등 선진 5개국과 함께 플라자협약을 맺고 일본의 엔화를 강제로 절상하는 정책을 폈다.

일본상품의 수출이 결정적인 타격을 받았다. 이에 따라 일본의 제조업이 경쟁력을 잃었다. 더욱이 일본 기업들이 엔화절상으로 인해 수지를 맞추기 어려워지자 공장을 해외로 이전해 산업공동화 현상도 나타났다. 일본은 금리인하와 통화팽창으로 맞섰으나 역부족이었다. 결국 일본은 미국이 벌인 무역전쟁에 무릎을 꿇고 잃어버린 20년을 겪었다.

아편전쟁의 흑역사[60]

근대 중국역사에 가장 치욕적인 무역전쟁은 청나라 시대의 '아편전쟁'이다. 18세기 중국 청나라는 무역의 강대국이었다. 특히 청

---

60) 〈중국사 다이제스트 100〉 중 "아편전쟁" : NAVER 지식백과 참조

나라는 영국, 스페인 등 유럽 국가들과 활발한 교역을 했다. 유럽 국가들은 국민들 사이에 인기가 높은 차, 도자기, 비단 등 청나라의 주산물을 대규모로 수입했다. 이러한 무역을 통해 청나라는 막대한 은을 벌어들였다. 그러나 청나라가 유럽국가들로부터 수입한 품목은 미미했다. 이렇게 되자 문제가 된 것이 무역적자였다. 영국은 청나라와 무역적자를 해소하기 위해 당시 식민지에서 생산하던 마약을 동인도 회사를 통해 대량으로 청나라에 수출했다. 자국의 경제적 이익을 위해서 다른 나라 국민을 마약중독자로 만드는 반인간적인 악의 속임수였다.

영국은 청나라에 아편을 저렴한 가격에 수출해 청나라 국민들의 중독을 촉진하는 정책을 펴기도 했다. 아편에 중독된 청나라 국민의 숫자가 늘수록 소비가 증가해 수출을 많이 할 수 있다는 계산이었다. 이에 따라 영국은 청나라 국민들을 대거 마약중독자로 만들어 막대한 양의 은을 빼앗아 갔다. 청나라는 여러 차례에 걸쳐 아편 수입을 금지했지만 별 효과가 없었다. 영국은 청나라 조치에 아랑곳하지 않고 아편을 수출했고 중독에서 벗어나지 못한 청나라 국민들은 오히려 비싼 가격을 지불하면서까지 계속 소비를 했다.

영국이 중국에 아편을 수출하기 시작한 것은 18세기 초반이었다. 19세기에 들어 아편수출을 무역적자의 해소 수단으로 사용하면서 영국의 아편수출은 가파른 성장세를 기록했다. 1780년경 10톤 미만이었던 아편수출이 1830년대 300만 톤에 육박했다.

상위 권력층부터 일반 국민들에 이르기까지 모든 계층에 마약중독자가 퍼졌다. 상황이 최악에 이르자 1939년 1월 청나라는 아편무역 금지 조치를 내렸다. 그러나 이 조치는 영국에게 청나라를 침략하는 빌미를 제공했다. 1840년 6월 영국은 중국과 안정적인 무역을 해야 한다는 명분을 내걸고 20척의 함선을 파견해 중국을 공격했다. 대포를 장착한 영국의 함선공격에 낡은 범선으로 맞선 청나라 군대는 연전연패 했다. 청나라 국민들은 자위대까지 결성해 대항했으나 역부족이었다. 결국 청나라는 영국에 무릎을 꿇었고, 1842년 8월 난징조약을 체결했다.

'난징조약'은 청나라가 영국과 맺은 불평등조약으로, 중국은 (1) 홍콩을 영국에 넘겨준다, (2) 5개 항구를 개항한다, (3) 아편배상금과 전쟁배상금을 영국에 지불한다 등을 기본내용으로 하였다. 중국은 정작 국민들을 병들게 하고 사회를 무너뜨린 아편무역에 대해 항의조차 못했다. 청나라가 무력하다는 사실이 드러나자 미국, 프랑스 등 세계열강들이 일제히 나서 난징조약과 유사한 조약을 맺을 것을 요구했다. 청나라는 어쩔 수 없이 이에 응해 1844년 미국과 망하조약61), 프랑스와 황포조약(黃埔條約, 황푸조약)을 맺었다.

그러나 아편전쟁의 악몽은 여기서 끝나지 않았다. 얼마 지나지 않아 2차 아편전쟁이 벌어졌다. 1856년 10월 청나라가 중국인 소유의 해적선인 애로호를 나포한 사건이 발생했다. 이 선박은 단속을 피하기 위해 영국기를 달고 있었다. 애로호 선원 체포과정에서 중국이 영국기를 훼손했다는 이유로 영국은 프랑스와 합세하여 다시 중국을 공격해 2차 아편전쟁을 일으켰다.

대항능력이 없었던 청나라는 다시 항복을 하고 '천진조약(天津條約, 톈진조약)'을 체결했다. 1858년 6월에 체결한 톈진조약의 대상국은 영국, 프랑스뿐만 아니라 미국과 러시아도 조약체결 당사국이었다.

---

61) 청나라와 미국이 체결한 양국 최초의 조약으로 왕샤조약이라고도 함.

톈진조약의 주요내용은 (1) 항구의 추가적인 개항, (2) 영국, 프랑스, 미국, 러시아 공사관 설치, (3) 영국과 프랑스에 전쟁배상금 지불 등이었다. 톈진조약 체결을 주도한 영국은 ① 영국 외교사절의 베이징 상주, ② 영국인들의 중국 내륙 여행 보장과 양쯔강(揚子江) 통상의 승인, ③ 새로운 무역규칙과 관세율 협정(아편무역 합법화), ④ 개항장(開港場)의 향후 추가, ⑤ 기독교 공인 등을 청나라로부터 확약받았다.

그런데 청나라는 톈진조약에 따른 공사관을 설치를 둘러싸고 또다시 전쟁을 치러야 했다. 영국과 프랑스가 베이징에 공사관을 설치하며 군대를 함께 파견했고, 청나라가 이에 반대해 베이징에 진입하는 영국군을 막자 곧바로 두 나라 사이에 전쟁이 벌어진 것이다.

1860년 10월 청나라는 다시 영국에 패해 베이징이 함락됐다. 이에 청나라는 톈진조약을 강화한 '베이징조약'을 체결해야 했다. 베이징 조약은 톈진조약에 추가해 (1) 톈진항의 개항, (2) 구룡반도(주룽반도) 일부 양도, (3) 영국과 프랑스에 전쟁보상금 추가 지불, (4) 아편무역의 합법화 등을 주요내용으로 담았다. 국가간 조약이라 불릴 수 없을 정도의 굴욕적인 항복문서였다.

중국에게 아편전쟁의 패배는 단순한 패배가 아니었다. 마약중독의 덫에 걸려 나라와 국민을 함께 잃은 참담한 국가몰락이었다. 영국은 경제적 이득을 위해서 마약을 무기로 사용하는 반인간적인 전쟁을 저질렀다. 양육강식의 세계에서 무지하고 힘이 없으면 먹이 희생물로 전락되고 마는 냉엄한 전쟁의 현실을 적나라하게 드러냈다. 아편전쟁의 패배로 인해 중국은 서구열강에 서서히 대륙을 내줘야 했다.

아편전쟁은 중국역사에서 중화주의의 영화를 일시에 지운 전쟁이었다. 세계 최고의 문화강국, 최강의 무역대국으로 위세가 드높았던 중국이 아편전쟁에서 패배한 후 하루아침에 병든 호랑이처럼 쓰러졌다. 중국의 거대한 아성을 무너뜨린 아편전쟁은 일본이 예상을 깨고 청나라를 물리친 청일전쟁과도 무관치 않다.

아편전쟁을 보며 청나라의 허상을 읽은 일본은 우리나라 침략에 걸림돌이 된 청나라를 주저 없이 공격해 물리쳤다. 국제정세가 어떻게 돌아가는지도 모르고 청나라에 의존해 내부적으로 권력싸움만 벌였던 우리나라는 청나라가 무너지자 속수무책으로 일본의 침략을 당해 식민지 지배를 받았다.

아편전쟁이 끝나고 150년이 흐른 2010년대에 들어서 중국은 일본을 누르고 세계 2위의 경제대국으로 다시 부상하여 G2의 위상을 확보했다. 그리고 중화주의 부흥을 천명하며 이를 실현하기 위해 일대일로 건설, AIIB 설립, RCEP 체결 등 갖가지 전략을 맹렬하게 추진하고 있다. 아편전쟁의 흑역사를 지우고 유구했던 중화주의 역사를 다시 일으켜 세계패권을 거머쥔 중심국가로 서겠다는 뜻이다.

미국의 보호무역 부활

1947년 미국 등 23개국은 스위스 제네바에서 국제무역의 확대를 도모하기 위해 '관세 및 무역에 관한 일반협정(GATT: General Agreement on Tariffs and Trade)'을 체결했다. 이에 앞서 1944년 미국 등 44개 국가는 미국 뉴햄프셔 주 브레튼우즈에서 국제통화질서의 안정을 위한 국제통화기금(IMF: International Monetary Fund)을 설립하기로 결정했다. 이로써 미국을 비롯한 세계 각국은 통화부문은 IMF체제, 무역부문은 GATT체제를 형성해 제2차 세계대전 후 세계경제발전을 위한 새로운 국제경제질서를 구축했다.

주도국은 물론 세계 최강의 경제력을 보유하고 달러화를 기축통화로 만든 미국이었다. 따라서 IMF와 GATT는 전후 세계경제를 이끈 팍스 아메리카나 체제의 두 기둥이라고 볼 수 있다. GATT협정의 주요 내용은 (1) 회원국들은 다각적인 교섭을 통해 관세율을 인하하고 회원국끼리 최혜국대우를 한다, (2) 수출입 제한은 원칙적으로 폐지한다, (3) 수출을 늘리기 위한 보조금 지급을 금지한다 등이었다.

1945년 제2차 세계대전이 끝난 후 미국경제는 세계 최강국의 지위를 누리며 전후 경제복구를 위해 여러 나라에 원조정책을 폈다. 이와 같은 미국경제의 힘을 바탕으로 GATT는 1960년대까지 세계무역질서의 기반으로 자리를 잡았다. 그런데 1970년대 이후 상황이 바뀌기 시작했다. 유럽에서 독일, 프랑스, 영국 등 주요 국가들이 전후 복구를 마치고 아시아에서는 일본경제가 급부상하면서 미국경제가 세계경제에서 차지하는 비중이 떨어지기 시작한 것이다.

특히 한국, 대만, 홍콩, 싱가포르 등 아시아의 네 마리 용도 고도성장을 하기 시작해 미국의 경계심을 자아냈다. 급기야 미국은 1974년 기존의 무역조항을 강화해 '무역법 301조'를 제정했다. 무역법 301조는 외국이 미국을 차별하거나 비합리적인 관행을 갖는 경우 또는 무역합의를 준수하지 않는 경우 미국은 수정을 요구하고, 만일 상대국이 수정요구를 받아들이지 않을 경우 미국은 보복조치를 취할 수 있다는 조항이다. 무역법 301조가 본격적으로 사용된 것은 1985년 신자유주의 경제정책을 편 레이건 행정부 때였다. 무역적자가 2천억 달러에 육박해 미국산업이 타격을 받자 레이건 대통령이 이를 바로 잡기 위한 보도(寶刀)로 꺼내 들었다.

미국은 무역법 301조의 주요대상으로 일본을 정했다. 1986년 미국은 일본과 반도체 협정을 체결해 일본 반도체의 시장점유율을 억제하는 조치를 취하는 등 다양한 무역압박을 가하기 시작했다. 일본은 1985년 9월에 맺은 플라자협약으로 이미 수출이 타격을 받고 있는 상태였다. 미국의 이러한 조치는 GATT협약을 지키지 않고 자국의 법을 이용했다는 면에서 GATT체제의 무력화를 의미했다.

1988년 미국은 무역법 301조를 강화해 '수퍼 301조(Super 301)'와 '스페셜 301조'를 제정했다. 무역법 301조가 외국의 불공정 무역관행에 대해 미국무역대표부(USTR: US Trade Representative)에서 자체적으로 조사여부를 결정하도록 규정했으나, 이에 반해 무역법 수퍼 301조는 USTR이 매년 2회 외국의 불공정 무역관행에 대해 의무적으로 조사하고 결과를 의회에 보고한 후 대응조치를 취하도록 했다. 무역법 스페셜 301조는 미국의 지적재산권에 대한 외국의 침해를 제재하는 조항으로 절차는 수퍼 301조와 같다.

미국 무역법의 301조, 수퍼 310조, 스페셜 301조 제정은 사실상 GATT에 의한 자유무역체제를 무너뜨리고 국가이기주의에 따른 보호무역주의를 부활시켰다. 결국 GATT협약이 불리해지자 미국이 힘의 논리로 이를 부정하고 보호무역주의를 강제한 것으로 볼 수 있다. 1990년대 들어 미국경제는 정보통신산업의 발달로 새로운 성장동력을 회복하고 전 세계 금융시장을 지배하며 기업의 인수합병과 투자를 활성화해 사상 최고 수준의 호황을 누리며 팍스 아메리카나의 부흥을 가져왔다. 그러나 미국이 최혜국 대우와 비차별을 기본원칙으로 하는 GATT의 자유무역체제를 일방적으로 무시하고 자국이기주의에 입각한 공격적인 보호무역주의를 택한다는 비판이 거세게 일었다.

1986년 9월 우루과이에서 열린 GATT각료회의는 '우루과이라운드'를 구성해 새로운 무역협정 협상을 시작할 것을 합의했다. 일본과 EU가 주도한 우루과이라운드는 7년간의 긴 협상 끝에 1993년 12월 완전 타결에 이르렀고, 1995년 1월 1일 GATT를 대체하는 '세계무역기구(WTO: World Trade Organization)'를 출범했다.

WTO는 국가간 경제분쟁에 대해 판결권을 갖고 마찰과 분쟁을 조정한다. 또한 GATT와는 달리 관세인하, 반덤핑 규제 등에 대해 준사법적 권한을 행사하며 서비스, 지적재산권 등도 포괄해 세계 교역을 증진시키는 역할을 한다. 무엇보다 다자간 호혜주의를 지향하며 미국의 수퍼 301조 같은 일방적 조치를 배제한다.

브렉시트와 고립주의 확산

G ATT에 이어 다시 출범한 WTO도 미국의 힘의 논리에는 특별한 대응이 어려웠다. 이러한 현상은 2017년 1월 트럼프 행정부가 출범하면서 더욱 심각한 양상으로 나타났다. 도널드 트럼프 대통령은 취임식에서 미국우선주의를 표방하며 모든 경제정책을 미국의 국익우선으로 펴겠다고 선언했다. 트럼프 대통령은 지난 수년 동안 미국은 자국산업을

희생해서 다른 나라를 부강하게 만들고 미국의 사회간접자본이 황폐화하고 녹슬 때 외국에 수조달러를 사용했다고 주장하며, 앞으로 모든 정책은 미국 근로자와 가족들의 이익을 고려해 결정할 것이라고 밝혔다.

트럼프 행정부의 미국우선정책은 WTO자체를 인정하지 않겠다는 것이다. 미국 중심의 일방적인 보호무역정책을 대외경제정책으로 펴겠다는 뜻이기도 하다. 트럼프 대통령이 선언한 미국우선주의는 세계경제패권을 갖고 있는 미국이 다자주의에 입각한 자유무역체제를 부정하고 자국이기주의에 의한 경제발전을 천명한 것으로 세계경제를 흔드는 충격이었다.

트럼프 행정부의 미국우선주의 경제정책은 파격적이었다. 관세보복을 통한 보호무역주의 강화, TPP(환태평양경제동반자협정) 탈퇴, 한미 FTA 재협상 등 대외정책이 극도의 고립주의 정책 기조였다. 여기에 제조업 부활과 해외기업 유치, 1조 달러 규모의 사회간접자본 건설, 법인세 최고세율 35%에서 15%로 인하, 소득세 최고세율 39.6%에서 33%로 인하 등 대내정책은 미국 공화당 고유의 강경한 보수주의 정책기조였다.

유럽에서는 영국이 브렉시트(Brexit) 즉, 유럽연합(EU)의 탈퇴를 선언하고 고립주의의 길을 택했다. 영국은 1993년 마스트리히트 조약에 따라 탄생한 유럽연합에 대해 회의가 있었다. 가장 불만이 컸던 문제가 관세동맹의 주도권이다. 유럽연합의 의사결정은 인구수 비례로 이뤄졌다. 인구수로 볼 때 영국은 독일과 프랑스에 이어 3위였다.

그럼에도 유럽연합에 대한 재정 부담률은 독일 및 프랑스와 유사했다. 미국은 물론 호주, 뉴질랜드, 인도 등 대형의 영연방 국가들과 관세동맹을 체결하여 경제적 이득을 취하고 강력한 영향력을 행사했던 영국으로서는 받아들이기 어려운 일이었다. 그러나 대국적인 견지에서 유럽연합의 경제적 이익이 영국에게도 유리할 것이라는 판단으로 영국은 어쩔 수 없이 가입을 택했던 것이다.

2000년대에 들어서서 유로화를 통화로 사용하는 유로존이 형성되는 등 유럽연합은 국가동맹으로 본격적인 역할을 하기 시작했다. 그러나 유럽연합의 주도권은 독일이 차지하고 영국의 위상은 계속 하락했다. 유럽연합이 동유럽과 발칸국가들을 대거 동맹국으로 받아들임에 따라 영국의 불만은 더 커졌다.

특히 문제가 된 것이 앵글로 색슨 계열의 종족주의 개념이 남아있는 영국에 무슬림과 라티노[62] 인구가 들어오는 것에 대해 영국인들이 갖는 반감이었다. 무슬림과 라티노들이 영국이나 유럽에 대거 진입하는 것은 사회·경제적으로 유익하지 못하다는 것이 영국 국민들의 중론이었다. 이런 가운데 영국의 브렉시트에 결정적으로 영향을 미친 것이 시리아 난민 사태였다. 시리아의 내전이 계속 확산하고 난민들이 유럽으로 쏟아져 들어오자 영국은 유럽 어느 국가보다 혼란이 컸다. 영국은 인구이동의 자유를 제한하고 유럽연합에 잔류하는 방안을 제기했으나 독일의 앙겔라 메르켈 총리를 중심으로 하는 유럽연합 지도부가 이를 받아들이지 않았다. 이후 영국은 유럽연합 잔류와 탈퇴를 놓고 다른 회원국들과 치열한 논쟁을 벌였다.

---

62) 미국에 거주하는 라틴아메리카계 시민을 일컫는 말이다.

영국은 2016년 6월 브렉시트를 놓고 국민투표를 실시하기에 이르렀다. 투표결과는 유럽연합 탈퇴 찬성이 51.9%였다. 유럽연합 탈퇴 과정에서 영국은 또 다른 혼란에 빠졌다. 영국 내부에서 잔류파와 탈퇴파의 갈등은 투표 이전 이상으로 치열했기 때문이다. 2019년 7월 영국 보수당 대표경선에서 브렉시트 강경론자인 보리스 존슨이 승리해 테리사 메이의 뒤를 이어 총리에 취임했다. 존슨은 유럽의 트럼프라고 불리는 강력한 보수주의자다. 존슨의 주도하에 결국 영국은 2020년 1월 유럽연합을 공식 탈퇴했다.

브렉시트가 현실이 됨에 따라 영국과 유럽경제는 물론 세계경제에 많은 영향을 미칠 것으로 보인다. 일단 영국과 유럽연합 양측은 2020년 말까지 유예기간을 설정해 브렉시트의 연착륙을 위해 노력하고 자유무역협정 등 새로운 관계를 정립하기로 했다. 영국은 관세면제 등 국가별로 자유무역협정을 추진하되 자국산업의 보호에 역점을 둘 전망이다.

우리나라는 영국과 양자 자유무역협정을 원칙적으로 타결해 2021년 1월부터 발효하는 것으로 되어 있어 큰 혼란은 없을 것으로 보인다. 기본적으로 양국은 기존의 한국-유럽연합 자유무역협정에 따라 모든 공산품의 관세철폐기조를 유지한다.

미국이 트럼프의 미국우선주의에 따라 고립주의를 택한 상황에서 영국의 유럽연합 탈퇴로 유럽은 물론 세계 국가들이 각자도생(各自圖生)의 고립주의로 흐르고 있다. 세계경제의 흐름에 이 같은 변혁이 오면서 불확실성이 더욱 확산되고 있다.

이런 가운데 프랑스도 고립주의 변화의 흐름에 합류했다. 프랑스 경제는 대외경쟁력의 하락, 실업률 증가, 재정적자 등의 고질적인 문제를 겪고 있다. 2017년 5월 대선에서 승리해 집권한 에마뉘엘 마크롱 대통령은 프랑스 경제문제를 해결하기 위해 실용중도노선을 표방하고 강력한 친기업 자유주의적인 경제정책을 펴고 있다.

기업성장과 고용창출을 위해 규제를 완화하고 금융을 개혁하는 것은 물론 법인세 인하 정책을 펴고 있다. 또 산업생태계 전환과 기술혁신을 위해 대규모 투자사업도 진행 중이다. 벤처기업의 창업도 적극적으로 육성해 스타트업(Start-up)에 열기를 불어넣고 있다.

특히 마크롱 정부는 경직적인 노동시장의 개혁과 유연화를 주요 정책으로 추진하고 있다. 근로자 해고시 기업의 책임을 줄이고 기업이 산별노조63) 대신 기업별 노조와 임금협상을 하도록 해 협상력을 높였다. 더 나아가 공무원 수를 줄이고 공공부문의 효율성을 강화하며 재정의 지속가능성도 높이고 있다. 가계의 구매력을 확대하고 내수를 진작시키기 위해 거주세를 면제하며 노란조끼의 반정부 시위에도 불구하고 부유세도 폐지했다. 전례를 찾아보기 힘든 프랑스의 고립주의 대변신이다.

미국과 중국의 패권전쟁

2 017년 1월 트럼프 대통령이 취임하자 중국의 중화주의가 미국우선주의와 충돌했다. 자연히 두 나라 간의 패권전쟁이 막을 올렸

---

63) 동일 산업에 종사하는 모든 노동자를 하나의 노동조합으로 조직한 것.

다. 2018년 7월 미국이 먼저 관세전쟁의 포문을 열었다.[64] 미국은 340억 달러 규모의 중국산 수입 품목에 대해 25%의 관세부과를 단행했다. 곧바로 중국은 국가 핵심이익과 국민의 이익을 수호하기 위해 반격에 나설 수밖에 없다고 선언하고 미국과 똑같이 340억 달러 규모의 미국산 제품에 대해 25%의 관세를 부과했다. 이어 미국을 세계무역기구(WTO)에 제소했다. 이로써 미국과 중국은 전면적인 보복 관세전쟁에 돌입했다.

미국과 중국의 무역전쟁은 자국산업을 보호하고 무역적자를 줄이는 단순한 무역전쟁이 아니다. 미, 중 두 나라 중 한 나라가 쓰러지지 않으면 싸움이 끝나지 않는 무한 패권전쟁의 시작인 것이다.

향후 어느 나라가 승세를 잡는가에 따라 세계경제 판도가 달라지는 상황이다. 이렇게 되자 유럽연합, 러시아, 멕시코, 캐나다 등도 미국의 보복관세 부과에 반발하여 갖가지 대응조치를 취하여 미중 무역전쟁이 세계무역전쟁으로 비화하는 양상을 띠었다.

미국의 관세전쟁 선포는 피터 나바로 당시 국가무역위원회 위원장(현 무역제조업정책국 국장)의 무역안보론을 근거로 했다. 이 이론은 미국을 상대로 무역흑자를 창출하는 나라들은 경제적 수단을 통해 미국을 침략하는 미국의 적국이며, 따라서 경제를 수단으로 하는 침략행위에 대해 미국이 자국수호 차원에서 무역흑자 창출국가를 반격하는 것은 당연하다는 논리다. 그러나 이 침략론은 자본주의 개방경제 체제에서 매우 위험한 논리다.

무역수지는 시장논리에 따라 결정된다. 어느 나라에 무역흑자가 발생하면 해외자금이 유입되어 그 나라 통화가치가 상승한다. 그러면

---

64) 이필상, "미중 패권전쟁, 한국경제 전략은", 일요신문, 2018. 7. 15. 참조

수출가격경쟁력이 떨어져 자연히 무역흑자가 해소된다.

무역적자가 발생하면 반대 현상이 생긴다. 물론 산업발전이 낙후하고 생산제품의 국제경쟁력이 떨어진 나라는 무역적자가 누적될 수 있다. 그러나 이 경우도 그 나라의 통화가치가 계속 떨어져 수출이 증가하고 산업이 발전해 모든 나라 경제가 공정하게 발전할 수 있다는 것이 시장논리다.

그럼에도 자본주의 시장경제를 주도하고 있는 미국에서 침략론이 나온 것은 시장을 포기해도 중국의 도전은 인정할 수 없다는 '패권주의 지상론'에서 나온 행위라고 볼 수밖에 없다.

2018년 7월에 터진 1차 관세폭탄은 예고편이었다. 8월에 미국과 중국은 추가로 160억 달러 규모의 상대국 제품에 대해 25%의 보복관세를 부과했다. 같은 해 9월 미국은 2천억 달러 규모의 중국산 제품에 대해 10%의 보복관세를 다시 부과했다. 중국은 이에 대응해 600억 달러 규모의 미국산 제품에 대해 5-10%의 보복관세로 대응했다. 2018년 12월 미국과 중국은 일단 휴전을 하고 협상에 들어갔으나 2019년 5월 양국의 무역협상이 결렬되면서 사태는 다시 악화했다. 협상의 주요쟁점인 기술 강제이전, 지식재산권 침해, 국가보조금 지급 등에 대해 양국이 이견을 좁히지 못했기 때문이다.

관세보복전은 다시 불이 붙었다. 미국은 2019년 5월 2천억 달러 규모의 중국산 제품에 대해 25%의 보복관세를 부과했다. 중국은 곧바로 600억 달러 규모의 미국산 제품에 대해 최고 25%의 보복관세를 부과한다고 맞섰다. 그러자 미국은 추가로 3천250억 달러 규모의 중국산 제품에 대해 25%의 보복과세를 물리겠다고 경고했다.

2019년 6월, 미국의 트럼프 대통령과 중국의 시진핑 주석은 일본 오사카에서 열린 G20 정상회의에서 미국이 3천250달러 규모의 중국산 제품에 대한 보복과세 부과를 유예하고 두 나라가 무역협상을 재개하기로 합의했다. 그러나 7월, 중국 상하이에서 열린 무역협상은 다시 결렬되었다. 9월, 미국은 3천억 달러 규모의 중국산 제품에 10%의 보복관세를 부과하겠다고 밝혔고 이에 맞서 중국은 미국산 농산물 수입중단을 발표했다. 그리고 2019년 10월, 미국과 중국은 미국에서 무역협상을 재개해 부분적인 합의를 도출한 후 일단 휴전 상태에 들어갔다. 그러나 언제 다시 터질지 모르는 휴화산이다.

이번 미국과 중국의 무역전쟁은 단순한 관세보복전이 아니다. 기술 전쟁, 통화선쟁, 금융전쟁 등 다양한 형태의 경제전쟁을 수반하고 있다. 2019년 5월 트럼프 대통령은 미국 기업들이 국가안보를 위협하는 외국산 장비를 사용하지 못하도록 행정명령을 내렸다. 화웨이 등 중국의 통신장비업체를 겨냥한 것이었다. 따라서 구글, 인텔 등 미국의 업체들이 중국업체들과 거래중단에 나섰다.

이 명령은 사실상 중국의 핵심 미래산업 육성계획인 "중국제조 2025"를 겨냥한 것이다. 중국의 4차 산업혁명의 성공을 가로막고 미국의 우위를 유지하겠다는 계산이었다.

이에 대해 상황이 악화할 경우 중국은 희토류의 공급을 중단할 것이라는 게 일반적인 관측이다. 2019년 8월 미국과 중국의 무역전쟁이 악화하자 중국은 수출을 늘리기 위해 위안화 가치를 달러당 7위안 이하로 하는 위안화 평가절하 정책을 폈다. 그러자 미국은 즉각 중국을 환율조작국으로 지정했다.

중국은 세계 1위의 외환보유국이다. 특히 막대한 양의 미국 국채를 보유하고 있다. 따라서 향후 무역전쟁이 재연될 경우 미국 국채를 매각해서 보복을 할 것이라는 분석도 있다.

지난 2년 동안의 미국과 중국의 무역전쟁은 중국의 '팍스 시니카' 공격에 대비해 미국은 무슨 일이 있어도 '팍스 아메리카나'를 지키겠다는 전쟁으로 장기적인 패권전쟁의 시작에 불과하다. 그런데 결코 간과해서는 안 되는 중대한 문제가 있다. 무역전쟁은 모든 나라가 손해를 보는 자해적인 행위라는 것이다.

무역전쟁의 자해적 현상은 1930년대 대공황 때 적나라하게 드러났다. 1930년 미국은 경제가 대공황을 맞자 스무트-홀리 관세법을 제정해 수입품에 대한 관세율을 평균 59%까지 올려서 미국산업을 보호하려 했다. 그러나 곧바로 캐나다, 프랑스, 영국 등 20개국으로부터 보복관세, 환율통제, 수입제한의 반격을 받았다. 이로 인해 결국 세계경제가 대공황에 휩싸여 모든 나라가 피해를 입었다.

향후 미중 간에 시작된 무역전쟁으로 인해 세계무역전쟁이 가열할 경우 세계 각국의 경제는 성장력을 상실하여 스무트-홀리 관세법의 재앙을 재현할 가능성이 있다.

지난 75년간 세계무역체제는 지속적인 발전을 했다. 특히 세계 각국은 1944년 관세 및 무역에 관한 일반협정(GATT)를 체결하고 이후 1995년 세계무역기구(WTO)를 출범하여 현재의 개방적 무역체제를 구축했다. 세계 각국에서 동시다발로 번지는 무역전쟁은 이와 같은 세계무역체제를 한꺼번에 무너뜨릴 수 있다.

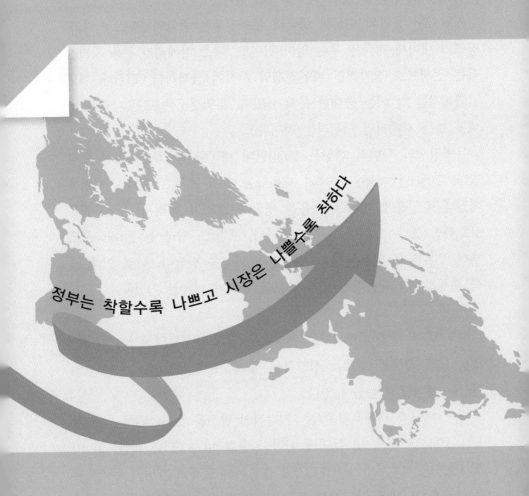

정부는 착할수록 나쁘고 시장은 나쁠수록 착하다

백척간두에 선
한국경제 회생의 길
- 창조적 파괴와 포용경제 -

무역전쟁의 틈바구니에 끼 한국경제

폭풍 전야의 세계경제

세 계경제가 기본질서를 잃고 극도로 불안하다. 불확실성의 고조로 위축된 세계경제를 더욱 우려 섞인 시선으로 바라보게 되는 이유는 불안의 정체가 경기 순환적인 불안이 아니라 '구조적인 불안'이라는 데 있다. 더욱이 대외의존도가 절대적인 우리경제는 마치 거센 풍랑 이는 바다 위에 위태롭게 떠있는 배와 같다.

1980년대 이후 세계경제는 약 10년을 주기로 경제위기를 겪고 있다. 첫 번째 위기가 1984년 발생한 남미 외환위기다.

1979년 2차 석유파동이 일어나 스태그플레이션이 극도에 달했다. 1981년 레이건 행정부가 출범하면서 미국은 고금리, 고달러화 정책을 폈다. 이렇게 되자 멕시코 등 남미 주요국가에 진출했던 미국의 투자자금이 대거 미국으로 다시 환류(還流)했다. 곧바로 멕시코가 채무불이행 사태를 겪는 등 남미경제가 외환위기에 휩싸였다. 결국 미국이 행한 자국중심의 금리인상 정책이 남미의 외환위기를 불러왔던 것이다.

두 번째 위기인 1997년 우리나라를 포함한 아시아 외환위기도 같은 형태로 일어났다. 1990년대 초 미국은 경기회복을 위해 금리인하정책을 폈다가 1994년 물가안정을 위해 다시 금리인상정책을 폈다. 이 과정에서 고금리 투자처를 찾아 해외로 나갔던 자본이 다시 미국으로 유입되면서 아시아 외환위기의 단초를 제공했다.

당시 외환보유액이 부족했던 우리나라에서는 외국자본의 상환요구가 빗발쳐 결국 국가부도상태에 처했다. 이를 계기로 부채경영으로 부실했던 기업들과 자금을 대출해준 금융회사들이 함께 무너지면서 우리경제는 사상 최악의 위기를 겪었다.

세 번째 세계경제 위기인 2008년 글로벌 금융위기도 미국의 자의적인 금리정책이 촉발했다.

2000년대 초 미국은 경기침체가 심해 기준금리를 대폭 낮췄다가 물가불안이 야기되자 다시 급격히 올리는 정책을 폈다. 이 과정에서 수년간 저금리현상이 나타나자 치열한 대출경쟁을 벌이던 금융회사들은 신용등급이 낮은 차입자들에게 대거 주택담보대출을 해주고 부채담보부증권(CDO: Collateralized Debt Obligation) 등 갖가지 파생금융상품을 만들어 팔았다. 이런 상태에서 미국연방준비제도가 갑자기 금리를 올리자 주택담보대출이 집단적으로 부도가 나고 파생금융상품은 휴지조각으로 변했다. 미국의 주요 금융회사들이 연쇄적으로 무너지면서 미국경제는 물론 세계경제가 위기에 휩싸였다.

이에 미국은 기준금리를 사상 처음으로 0%대까지 낮추고 그것도 모자라 연방준비제도가 직접 자금을 공급하는 양적완화정책까지 동원했다. 이에 따라 미국경제가 회복세를 보이자 2015년부터 미국은 기준금리를 다시 올리는 정책을 펴기 시작했다. 그러자 터키, 아르헨티나, 러시아, 남아프리카 공화국 등 신흥국에서 외국자본이 빠져나오면서 언제 위기에 처할지 모르는 형편에 처했다.

이런 상황이 최근까지 전개되어 오던 중에 전 세계경제가 뜻하지 않은 '코로나바이러스감염증(COVID-19)'이라는 신종 바이러스로 인해 사상 초유의 재앙을 만났다. 다시 미국이 금리를 0%대까지 낮추며 무제한 자금을 공급하는 정책을 펴고 있다. 다른 나라들도 미국을 따라 조건 없는 팽창정책을 펴고 있다.

2020년, 경제위기 10년 주기설이 현실화하면 1930년대 이후 최악의 세계경제공황이 빚어질 가능성이 크다.

문제는 과거의 경제위기는 미국의 금리정책이 주요 촉발원인으로 작용했으나, 앞으로는 세계 각국에서 나타날 수 있는 어떤 사건도 세계 경제위기의 촉발원인이 될 수 있다는 것이다. 중국 우한에서 발생한 '코로나19' 사태는 예상의 범주를 뛰어넘으며 전염병이 전 세계를 대공황의 함정에 빠뜨리는 심각한 상황을 낳고 있다.

이러한 현상은 자유무역과 상호번영을 목표로 하는 개방경제체제의 모순이라고 볼 수 있다. 개방경제체제 하에서는 각국 경제들의 상호의존도가 높아 어떤 나라의 경제가 충격을 받으면 그 충격이 모든 나라로 번지고 영향을 미치는 구조적 속성이 있다. 이렇게 볼 때 세계경제는 언제라도 공동의 위기가 닥칠 수 있는 구조적 불확실성을 안고 있다.

이런 면에서 우려가 더욱 큰 것이 신흥국발 세계경제 위기다. 터키, 아르헨티나, 인도네시아 등 신흥국들의 수출과 외환보유액이 계속 감소하면서 국가부도가 위험수준으로 치닫고 있다.

이 뿐만이 아니다. 미국의 셰일석유 개발을 계기로 사우디아라비아, 러시아 등이 석유전쟁에 돌입했다. 베네수엘라는 이미 국가부도 상태다. 석유파동발 세계경제 위기가 언제 일어날지 모르는 위태로움이 시시각각 위협적으로 다가오고 있다.

유럽경제 역시 위기를 촉발할 수 있다. 그리스, 포르투갈, 이탈리아, 스페인 등의 남유럽국가들은 2010년 이미 국가부도위기를 겪은 바 있다. IMF, 유럽연합, 유럽중앙은행의 도움으로 위기를 모면했으나 언제 다시 쓰러지며 유럽경제를 위기로 몰아넣을지 모른다.

여기에 영국의 브렉시트도 변수다. 올 연말까지 영국의 질서 있는 유럽연합 탈퇴가 이뤄지지 않을 경우 유럽경제에 어떤 일이 벌어질지 모른다.

특히 세계경제 위기의 암초로 부상한 것이 중국경제다. 중국은 세계의 공장으로서 국제공급망의 핵심이다. 중국경제는 외형적으로 고속성장을 했으나 내면적으로는 부채가 많은 부실구조의 한계를 안고 있다. 자칫해서 중국경제에 위기가 오면 전 세계경제는 각국의 의사와 관계없이 위기에 휘말린다.

더욱이 미국과 중국의 무역전쟁은 발등의 불이다. 현재 일시적인 휴전상태에 있으나 전면전으로 확산하면 세계경제는 한치 앞을 내다보기 어려운 상황으로 치달을 수 있다. 1995년 출범한 세계무역기구(WTO)체제가 최대의 위기에 봉착해 있다.

쓰러지는 자전거의 공포

중국경제는 과속으로 달리는 자전거와 같다. 두 바퀴로 달리는 자전거는 멈추면 쓰러지듯 14억의 인구가 타고 고속으로 달리는 자전거가 멈추면 중국은 대혼란에 빠진다. 중국경제 의존도가 큰 우리경제의 혼란은 생사를 가를 정도로 심각해질 수 있다. 1990년대 중국경제가 개방정책을 펴며 고도성장을 시작할 때 중국은 우리경제에 기회의 땅이었다. 그러나 2010년대 들어 중국경제가 일본경제를 제치고 세계 2위의 대형경제로 부상하며 중화주의를 앞세워 팽창정책을 펴자 중국은 우리경제에 공포의 땅으로 바뀌었다.

1990년대 들어 중국경제는 개방경제체제를 구축하고 고속성장을 본격화했다. 2001년 중국은 세계무역기구에 가입하면서 세계경제의 주역으로 발돋움하며 세계의 공장으로서 역할을 하기 시작했다.

반면 우리경제는 1997년 외환위기를 맞으면서 기업과 금융기관이 함께 무너지는 산업기반의 와해현상이 나타났다. 이런 상황에서 결정적인 도움이 된 것이 중국경제의 성장이었다. 중국경제가 10%대의 고속성장을 하면서 우리나라 상품의 수출을 대거 흡수하기 시작했다. 특히 중국 경제성장에 필요한 중간재의 수출이 많았다. 그로 인해 우리경제가 다시 성장의 활로를 찾았다.

중국경제는 우리경제에 수출의 기회를 제공한 것뿐만 아니라 투자의 기회를 제공해 우리 기업들이 대거 중국에 진출하는 현상도 나타났다. 우리경제도 중국으로부터 소비재와 원자재를 저렴한 가격에 수입할 수 있었다. 실로 중국경제와 우리경제가 윈윈(win-win)하는 상생체제를 형성했다.

이에 따라 우리 경제는 2000년대 이후 5%수준의 잠재성장률을 기록하며 지속적인 발전을 할 수 있었다. 그러나 이러한 상생경제체제는 오래가지 않았다.

중국경제가 점차 우리 경제를 추격하면서 상생의 대상이 아니라 공격의 대상으로 바뀐 것이다. 심지어 기술을 탈취하고 인력도 빼가는 불공한 행위도 서슴지 않았다. 중국에 진출한 우리나라 기업들에 대한 부당한 대우나 방해공작도 많았다. 2000년대 이후 우리경제는 중국의존이 구조화하고 그 정도가 심각한 상황으로 치달았다.

중국수출이 전체 수출의 4분의1이 넘고 핵심 원자재와 부품에 수입에 대한 의존도도 높다. 우리경제는 1997년 외환위기를 만나 뼈를 깎는 아픔으로 구조조정을 하여 천신만고 끝에 살아났으나 곧 중국의 덫에 걸려 점차 힘을 잃는 구조로 비꿔었다.

이런 상황에서 2008년 미국발 금융위기가 발생했다. 이후 금융위기가 세계 각국으로 번지고 세계경제가 침체에 빠지자 급기야 2012년 중국경제가 불안에 빠졌다. 10%이상을 자랑하며 승승장구하던 경제성장률이 6%대로 하락하고 고속성장 과정에서 과도하게 늘어난 국가부채가 부도위험을 낳기 시작했다. 중국정부는 통화정책과 재정정책을 동원해 경제의 안정화에 안간힘을 기울였으나 10%수준에 이르던 고속성장으로의 회복은 요원하다.

중국경제는 더 이상 속도를 내지 못한 채 어쩔 수 없이 성장률이 떨어지고 경기가 침체하는 불안에 처했다. 중국은 원래 농업국가에서 산업화를 추진해 고속의 경제성장 과정에 진입했다. 그런데 갑작스럽게 경제성장률이 떨어지자 실업이 심각한 문제로 나타났다.

특히 중국은 사회안전망 제도가 미비한 상태라 사회혼란이 클 수밖에 없다. 무엇보다 신흥국 경제발전의 특징인 부채의존적 성장은 경제의 부도위험을 유발하는 현상으로 나타났다. 중국의 경제성장이 멈추면 달리던 자전거가 쓰러지는 것과 같은 속성을 가진 이유다.

2008년 미국발 금융위기가 발생하자 대외의존도가 높은 우리경제는 세계 어느 나라보다 타격이 컸다. 외국자본이 연쇄적으로 유출하면서 또 다른 외환위기를 재촉했다. 이런 상태에서 중국경제가 위기에 처하자 우리경제는 미국발 금융위기의 피해를 직접 받는 것은 물론 중국경제부터 간접적인 피해도 함께 받는 2중의 피해를 받아야 했다. 당연히 큰 타격을 입은 경제가 성장동력을 잃고 비틀거리기 시작했다. 우리나라는 미국과 300억 달러의 통화스왑 계약을 체결해 금융시장 불안과 외국자본 유출을 다급하게 막았다. 동시에 다시 구조조정을 실시해 부실기업을 정리하고 실업을 양산했다.

우리경제는 1960년대 이후 세계가 놀랄 정도의 고속성장을 했으나 외부의 충격이 있을 경우 경제자체가 무너질 수 있는 취약점을 갖고 있다. 여기에 외국자본 의존도가 높아 금융시장에서 외국자본의 유출이 시작되면 경제가 속수무책으로 부도의 위기에 처하는 구조다. 따라서 기본적으로 우리경제 역시 달리다가 멈추면 쓰러지는 자전거 경제의 속성이 컸다.

이런 속성 때문에 1997년 외환위기와 2008년 미국발 금융위기 때 우리경제는 직접적인 타격을 받아 어느 나라보다 피해가 컸던 것이다. 여기에 2012년 이후 중국경제가 미국발 금융위기의 타격으로 위기가 고조하자 우리경제는 그에 따른 2차 피해를 받아 숨이 막히는 부작용이 나타나고 있다. 중국경제가 위기에 처하면 곧바로 수출과 수입이 타격을 받는 우리경제 위기가 중국경제 위기 이상으로 증폭하는 구조다. 즉, **중국경제라는 거대한 자전거가 우리 자전거를 덮치며 함께 쓰러질 수 있는 형국이다.**

무역전쟁의 포로가 된 한국경제

IMF위기 이후 한국경제의 잠재성장률은 빠른 속도로 떨어졌다. IMF위기 이전 8%를 넘던 잠재성장률이 최근 3%이하다. 이런 상태에서 경제대국으로 부상한 중국경제에 발목이 잡혔다. 2017년 트럼프 행정부가 출범한 후 미국은 아예 세계경제를 무역전쟁터로 만들었다.

트럼프 행정부는 미국경제를 위해 중국에 무역전쟁을 선포하고 중국은 물론 대미 무역흑자를 기록하는 나라들을 대상으로 무차별적인 보복을 하고 있다. 여기에 중국은 정면으로 맞서고 유럽연합, 일본 등도 자국경제보호에 공세적이다. 이렇게 되자 세계 각국은 다른 나라 경제에 피해를 입혀 궁핍하게 만들면서 자국이익을 극대화하는 '근린궁핍화(beggar thy neighbor) 경쟁[65]'에 돌입했고 대외의존도가 절대적으로 높은 한국경제는 무역전쟁의 포로로 잡혔다.

미국과 중국의 틈바구니에서 샌드위치가 된 우리경제는 숨이 막히는 형국이다. 미중 무역전쟁은 관세전쟁을 넘어 통화전쟁과 기술전쟁으로까지 확전하고 있다. 미국은 중국의 통신장비업체인 화웨이와 거래를 차단하는 등 중국이 추진하는 4차 산업혁명을 저지하는 전략을

---

65) 또는 beggar my neighbor policy

펴고 있다. 미국은 중국이 수출을 늘리기 위해 위안화를 절하하면 상계관세(compensation duties)66)를 부과해 수출을 막겠다고 방어막을 쳤다. 중국은 첨단 전자제품에 필수적인 희토류의 수출을 중단하는 등 상황이 악화하면 결사항전을 하겠다는 자세다.

우리나라는 미국과 중국 두 나라가 서로 편을 들라는 통상압력을 받으며 거절할 경우 보복을 당할 수밖에 없는 진퇴양난의 함정에 빠졌다.67) 특히 통상압력에 불응할 경우 외교나 군사, 안보문제를 제기하게 되면 우리나라는 속수무책이다.

2020년 들어 미국은 미국중심의 경제블록인 경제번영네트워크 (EPN: Economic Prosperity Network)를 구축해 중국을 아예 고립시키는 전략을 펴고 있다. 미국은 세계에서 뜻을 같이 하는 국가, 기업, 시민사회로 EPN을 구성하며 민주적 가치에 따라 운영한다는 원칙을 세워 반중국 동맹을 결성하고 있다. 미국은 우리나라가 '미국의 위대한 동맹으로 깊고 다양한 관계를 맺고 있으며 파트너십을 만드는 공동의 가치를 공유한다'고 밝힘으로써 우리나라의 EPN 참여를 공개적으로 압박했다. 미국과 중국의 패권전쟁 최전선에서 포로로 잡힌 우리나라는 양국으로부터 무슨 보복을 당할지 모르는 위태롭고 암담함 상황에 처했다. 트럼프 대통령은 경제에 관한한 우방이 없다. 우리나라에 대해 표면적으로는 동맹이라고 지칭하면서 내면적으로 무역적대국으로 간주하고 갖가지 무역압박을 가하고 있다.

---

66) 다른 나라 기업이 정부로부터 장려금이나 보조금을 지원받아 가계경쟁력이 높아진 물품을 수출하여 자국산업이 피해를 입을 경우 이러한 제품의 수출을 불공정한 무역행위로 보아 이를 억제하기 위해 부과하는 관세.
67) 이필상, "미중 무역전쟁의 공포", 일요신문, 2018. 5. 20. 참조

트럼프 행정부가 들어서자마자 미국은 세탁기와 태양광 패널에 대해 긴급수입제한 조치를 취한 것을 필두로 우리나라에 철강 수출물량의 축소, 미국산 자동차 수입 확대를 요구했다. 급기야 미국은 한미자유무역협정까지 자신들의 의도에 따라 개정했다. 이것도 부족해 우리나라가 환율감시대상국이라는 사실을 강조하며 필요하면 환율조작국으로 지정해서 우리나라의 대미 무역적자를 줄이겠다는 강압적인 입장을 견지하고 있다.

이런 가운데 중국은 우리경제를 미국과 무역전쟁을 승리로 이끌고 중화주의 실현을 위한 발판으로 삼기 위해 공략을 서두르고 있다. 과감한 기술개발과 대규모 투자로 조선, 해운, 철강, 화학, 자동차 등 우리나라 주력산업을 추월하고 반도체와 정보통신산업도 중국의 추월은 시간문제다. 여기에 인공지능, 드론, 로봇, 빅 데이터 등 4차 산업혁명은 우리나라보다 훨씬 앞서 있다. 규모와 숫자 면에서 상대가 안 되는 중국의 기업들이 고기술 저비용을 무기로 우리나라 기업들에 대해 인해전술식으로 공략하고 있어 속수무책이다. 여기에 사드설치 등을 문제 삼아 수시로 경제보복을 하고 있다.

유럽 각국은 영국의 유럽연합 탈퇴를 계기로 고립주의로 돌아서고 있다. 자국경제를 보호하고 자생력을 높인다는 국가이기주의가 확산하고 있는 것이다. 우리경제에 있어 제3의 돌파구인 유럽국가들까지도 장벽을 쌓아 수출과 투자의 길이 막히고 있다.

극도의 보수주의와 자국이기주의를 뿌리로 하는 일본의 아베노믹스는 우리경제의 수출을 길목에서부터 막고 있다. 세계시장에서 우리나라 수출품과 일본의 수출품 50%이상이 중복되는 경쟁상태다. 일본이 엔화를 무제한 방출해 일본 수출품의 가격경쟁력을 높이는 정책을 폄에 따라 우리나라 수출이 심각한 타격을 받고 있다. 더구나 일본은 일본기업의 강제징용 피해보상에 대한 한국법원의 판결을 문제삼아 주요 부품과 원자재에 대한 수출제한까지 하며 우리경제의 목을 조이려고 하고 있다.

동남아, 중동, 아프리카, 남미 등 신흥국가들은 자국의 부도위기를 막는 것이 더 급급한 상황이다. 우리나라 해외 수출의 거의 절반을 차지하는 신흥국 수출마저 점차 길이 막히고 있다.

이런 사면초가의 위기 상황에서 설상가상으로 우리경제는 산업공동화의 불안이 확산되는 내부적인 악재를 안고 있다.[68]

2008년 미국발 금융위기 이후 경제불안과 기업환경의 악화로 인해 우리나라 주력산업인 자동차, 반도체, 화학 등 분야의 주요 대기업들이 생산공장의 해외이전과 외국기업 투자를 서두르고 있다. 수직계열화에 따라 생존기반이 불안한 중소기업들도 어쩔 수 없이 대기업을 따라 해외로 생산시설을 옮겨 국내산업 생태계가 파괴되는 현상이 나타나고 있다.

반면 국내투자는 급격히 줄고 있다. 1997년 외환위기 이후 설비투자도 최저수준으로 떨어지고 있다. 이와 같은 산업공동화 현상은 이명박 정부 이후 본격화했다. 2008년 미국발 금융위기가 닥치자 이명박 정부는 부실기업 구조조정과 통화팽창을 서둘러 위기를 모면했다. 그러나 4대강 정비 등 토목사업에 치중하느라 새로운 성장동력 창출

---

68) 이필상, "산업공동화의 적신호", 일요신문, 2019. 5. 19. 참조

에 실패했다. 이어 출범한 박근혜 정부는 경제를 살리기 위해 부동산 시장 부양을 주요정책으로 폈다. 그 결과 경제가 거품으로 들뜨고 산업의 공동화는 더 빠르게 진행됐다. 문재인 정부는 그동안 적재되어 온 산업기반의 부실상태에서 법인세 인상, 최저임금 인상, 근로시간 단축, 비정규직 축소, 국민연금 의결권 행사 등의 정책을 폄으로써 기업들의 고통과 부담이 커지자 기업들의 해외 탈출을 촉진하는 결과를 빚고 있다.

미국과 일본에서는 기업들이 본국으로 되돌아가고 있다.[69] 이에 반해 우리나라 기업들은 해외로 빠져나가기 바쁘다. 다른 나라 기업들은 자국의 경제를 살리려는데 반해 우리나라 기업들은 나라경제를 버리고 있는 형국이다.

미국은 2008년 금융위기 발생이후 제조업 살리기에 정책적 노력을 집중했다. 자금지원, 세금감면 등의 정책을 동원해 기업환경을 개선했다. 특히 해외에서 돌아오는 기업에 대해서는 공장 이전비용까지 지원했다. 잃어버린 20년을 되찾겠다고 선언한 일본의 아베노믹스는 기업경쟁력 제고와 투자활성화에 적극적으로 나섰다. 그 결과 미국과 일본의 기업들이 대거 자국으로 돌아가고 제조업이 다시 활기를 찾는 현상이 나타나고 있다.

우리나라 기업들이 해외로 나가는 이유는 다양하다. 기본적으로 임금수준이 상대적으로 높아 수익성이 떨어진다. 또 땅값이 비싸 기존 공장을 확대하거나 신규 사업의 추진이 어렵다. 인허가 규제 또한 많아 창업과 투자가 근본적으로 어려운 여건이다. 여기에 노사관계가

---

69) 이필상, "나라를 떠나는 기업들", 일요신문, 2015. 2. 8. 참조

불안해 산업현장에서 분규가 잦다. 더욱이 기업인에 대한 사회적 대우가 낮고 비판적 시각이 많다. 이러한 사회적 분위기는 기업인들이 자초한 탓이기도 하지만, 나라경제에 이바지하는 기업인의 역할을 존중하고 우대하는 다른 나라 국가들에 비해 극히 대조적이다.

기업들이 해외로 나가 산업공동화가 나타날 경우 가장 큰 문제는 일자리가 없는 것이다. 기업들이 계속 해외로 빠져나가면 국민들은 어떻게 먹고 살 것인가? 더불어 문제가 되는 것이 기술이전이다.

기업들이 해외로 나가면 수십 년간 투자를 해서 축적한 기술이 곧바로 다른 나라로 넘어간다. 일단 기술이 나가면 다시 그 기술과 관련된 산업을 일으키는 것은 불가능에 가깝다.

1997년 외환위기 이후 우리나라 기업들은 임금이 낮은 중국으로 대거 진출해 중국시장을 공략하는 전략을 폈다. 그러나 2010년대 이후 중국의 임금수준이 점차 높아지고 중국기업들의 자국시장 점유율이 높아지자 철수를 하거나 베트남 또는 방글라데시 등으로 공장을 옮기고 있다. 이 과정에서 우리나라 기업들은 중국에 기술을 넘겨주고 쫓겨나오는 토사구팽의 결과를 낳았다.

부채의 함정은 경제재앙의 전조

나라가 부채가 많으면 정상적인 발전이 어렵다. 심한 경우 국가는 부도가 나고 국민의 삶은 파국으로 치닫는다.[70] 우리나라의 경우 대외적으로 경상수지 적자가 심상치 않다.

70) 이필상, "적자의 덫에 걸린 경제", 일요신문, 2019. 6. 16. 참조

대내적으로는 기업부채, 가계부채, 정부부채가 동시에 증가하고 있다. 이에 따라 국가의 대외부채가 쌓이고 기업, 가계, 정부가 모두 빚더미에 올라앉을 경우 나라가 위태로워질 수 있다.

우선 문제가 되는 것이 경상수지 적자다. 경상수지는 무역수지에 임금, 배당, 이자 등 서비스와 소득의 이전수지를 합한 것으로 국가신용등급을 결정하는 핵심변수다. 우리경제는 수출산업에 의해 발전하는 구조여서 기본적으로 수입보다 수출이 많아 경상수지 흑자를 기록하면 경제가 성장하고 국민소득이 증가한다. 그러나 경제가 국제경쟁력을 상실해 경상흑자가 경상적자로 돌아설 경우 점차 해외부채가 늘어 국가부도 위험이 나타난다.

2020년 4월 말 기준 무역수지는 마이너스 9억5천만 달러로 99개월 만에 적자로 돌아섰다. 최근 우리나라는 2019년 4월 일시적으로 적자를 기록한 것을 빼면 2012년 5월부터 2020년 3월까지 거의 8년간 경상수지 흑자를 기록했다. 그런데 2020년 4월에 이르러서는 경상수지 적자가 32억2천만 달러를 기록했다. 향후 수출여건이 악화하여 경제가 계속 경상적자를 기록하는 상황에 처할 경우 환율이 치솟고 해외자금 조달이 어렵다. 나아가 국가신용도가 떨어지고 외국자본이 유출하게 된다.

우리나라 외환보유액은 4,000억 달러 규모다. 1년 안에 갚아야 하는 단기외채는 1,350억 달러 정도다. 그렇다고 아직 여유가 있다고 볼 수 있을까? 장기외채를 합치면 전체 외채가 4,650억 달러에 이른다. 여기에 증권시장에 들어와 있는 외국자본이 4,500억 달러가 넘는다. 이러한 상황에서 경상수지 적자에 따라 외환보유액이 감소하고 외국자본이 빠져나가면 우리나라가 다시 국가부도 위기에 처하게 될 가능성을 배제하기 어렵다.

현재 우리경제는 국제무역전쟁의 포로상태다. 향후 국제무역전쟁이 가열할 경우 우리경제는 무역적자가 급속히 늘어 경상수지 적자국가로 전락하고 국가부도 위기에 처할 가능성이 있다.

최근 우리나라 기업과 가계, 정부부채를 합한 국가부채가 총 5,000조원을 넘어 국내총생산(GDP)의 250%를 초과한 것으로 추정된다. 민간 기업부채가 1,800조원, 가계부채 1,600조원, 정부부채는 1,700조원에 이른다. 이런 가운데 경제성장률이 계속 하락세를 보이며 기업들의 경영난이 극도로 악화하고 있다. 우리나라 코스피와 코스닥 두 증권시장에 상장된 기업의 수는 2,130개에 달한다. 이중 영업이익으로 이자도 갚지 못하는 한계기업이 3분의 1이다. 향후 경제성장률이 더 떨어질 경우 기업들의 부채가 급격히 늘면서 연쇄부도의 대란이 일어날 수 있다.

가계부채 역시 심각한 수준이다. 가구당 가계부채가 8,000만원에 이른 상태에서 경제성장률은 하락하고 실업이 늘어 상환이 점차 어려워지고 있다. 특히 가계부채 중 주택담보대출이 차지하는 비중이 커 부동산 시장이 침체할 경우 연쇄부도의 뇌관이 될 수 있다.

실로 가장 큰 문제는 정부부채다. 〈2019년도 국가결산보고서〉에 따르면 중앙정부 부채가 699조원, 지방정부 부채가 29조8천억 원으로 총 728조 8천억 원에 달한다. 이는 국내총생산 1,914조원 대비 38%에 해당하며 국민 1인당 1,409만원의 부담이 되는 규모다.

여기에 공무원 및 군인연금 채무 1,014조8천억 원을 합하면 정부부채는 총 1,743조6천억 원이 달한다. 국내총생산의 91%이며 국민 1인당 3,370만원의 빚을 지고 있는 것이다.

2020년 정부의 본예산은 512조3천억 원으로 전년도에 비해 9.3% 증가했다. 여기에 코로나 사태가 터지면서 정부는 3차에 걸쳐 총 59조2천억 원 규모의 추가경정예산을 편성했다. 이에 따라 GDP대비 정부부채비율이 43.5%로 상승했다. 경제성장률의 하락이 가속해 세수가 감소하면 정부부채는 빠른 속도로 늘어날 수 있다.

정부의 재정건전성은 경제정책의 효과적인 수행은 물론 국가위기 관리차원에서 보통 중요한 것이 아니다. 정부의 재정이 건전해야 필요한 재정사업을 원활하게 추진할 수 있어 경제발전을 안정적으로 이끌 수 있다. 또한 복지정책을 효과적으로 펴 사회안전망을 구축할 수 있게 된다.

무엇보다 경제가 위기에 처할 때 재정의 건전성은 위기극복의 필수적 요건이다. 경제가 위기를 맞아 기업들이 연쇄적으로 무너지고 실업자가 대량으로 발생할 경우 정부가 자금지원을 제대로 하지 못하면 경제는 파국으로 치닫기 때문이다. 더구나 정부가 복지지출을 못해 사회안전망이 무너지면 나라는 걷잡을 수 없는 혼란에 빠진다. 우리나라와 같이 안보가 중요한 나라는 국방지출까지 영향을 받아 국가안보 위기까지도 초래할 수 있다.

정부가 어떤 정치이념으로 재정정책을 펴는가에 따라 정부부채는 다르게 나타난다. 재정정책은 크게 남미형 모형과 독일형 모형으로 나눌 수 있다.

'남미형 모형'은 재정정책의 초점을 경제의 구조개혁이나 산업발전보다는 연금확대나 현금복지에 맞춘다. 이 모형은 연금확대나 현금복지를 늘리면 소비가 늘어 기업의 투자와 경제성장도 뒤따른다는 논리를 함의하고 있다. '독일형 모형'은 반대이다. 재정정책의 초점을 산업발전과 경제성장에 맞추고 연금제도나 노동시장도 개혁을 추구한다. 경제가 성장해야 연금확대나 현금복지가 가능하다는 것을 기본논리로 한다.

결과적으로 보면 남미형 재정정책 모형은 실패가 많다. 대표적인 사례가 아르헨티나와 베네수엘라다. 세계에서 가장 풍부한 천연자원을 가진 두 나라가 복지지출에 치중하다 결국 국가가 부도위기를 수시로 맞으며 경제가 파탄에 이르렀다.

유럽국가 중 남미형 재정정책을 펴 국가부도위기에 처한 대표적인 나라가 그리스다. 1981년 안드레아스 파판드레우(Andreas Papandreou, 1919-1996) 총리가 집권한 후 '국민이 원하는 것은 다 주라'고 선언하며 무제한의 복지정책을 폈다. 60세의 은퇴한 근로자에게 퇴직 전 임금의 80%를 연금으로 지급하고 공무원 수를 두 배로 늘리는 등의 정책을 펴자 1980년 22.5%였던 국내총생산 대비 정부부채비율이 2018년 184.8%까지 치솟았다.

2008년 미국발 금융위기가 발생해 유럽경제와 금융시장이 불안해지자 그리스는 유럽국가 중 가장 먼저 국가부도위기에 처했다. 2009년 총리로 취임한 아들 조지 파판드레우(George Papandreou)는 상황이 심각하다고 판단해 복지개혁을 시도했으나 무위로 끝났다. 2010년, 결국 그리스는 국가부도를 막기 위해 2,900억 유로의 구제금융을 받아야 했다.

이탈리아도 남미형 재정정책으로 부실한 나라가 됐다. 유럽의 4대 경제대국이었던 이탈리아는 2008년 미국발 금융위기가 발생해 유럽 금융시장이 타격을 받자 부도위기에 처하면서 구제금융으로 연명하는 나라가 됐다. 1980년 이탈리아는 국내총생산 대비 정부부채 비율이 20%도 안 될 정도로 재정이 건전했다. 그러나 불과 14년 만에 정부부채 비율이 120%를 넘었다. 이후 이탈리아는 만성적인 재정적자 국가로 전락해 급기야 2010년대 들어 부도국가의 덫에 빠졌다.

일본도 유사한 전철을 밟았다. 1990년대 들어 잃어버린 20년을 겪자 일본은 경제구조조정과 신산업 발전 대신 금리를 내리고 자금을 푸는 정책을 폈다. 이 과정에서 경기를 활성화하기 위한 목적으로 상품권까지 무상으로 나눠주는 정책을 폈다. 그러나 일본은 잃어버린 20년을 극복하지 못하고 장기불황을 겪었다. 이 과정에서 일본정부는 재정팽창정책을 계속 펴 1990년 20%에 머물던 국내총생산 대비 정부부채 비율이 230%를 넘었다.

이에 반해 독일은 재정건전성을 오히려 개선한 나라로 꼽힌다. 독일은 정부가 재정지출을 늘려 정부부채가 증가하는 것을 금기시했다. 정부부채가 증가하면 그 부담을 미래세대가 떠안아야 한다는 사실을 중시하고 재정건전성 유지를 기본 정책기조로 했다. 헌법에 신규 국채발행시 발행규모를 국내총생산의 0.35%이내로 제한하는 조항도 넣었다. 특히 2000년대 들어 슈뢰더 총리는 '하르츠 개혁정책'을 펴 연금개혁과 노동개혁을 통해 재정의 건전도를 높이기도 했다.

독일은 1990년 동독과 통일 후 '유럽의 병자'라는 별명까지 들었다. 체제가 다른 두 나라의 통합으로 경제가 혼란에 빠졌던 것이다. 그러나 독일은 통일비용으로 2,600조원의 거대한 자금을 투입하면서도 강력한 재정건전성 유지정책을 폈다. 재정정책을 경제통일과 산업발전에 집중했다. 그 결과 놀랍게도 독일경제는 유럽의 최강경제로 다시 부상했다. 2008년 80% 수준이었던 국내총생산 대비 정부부채 비율이 2019년 60%대로 떨어지는 뜻밖의 일이 일어났다.

우리나라의 경우 역대정부는 재정건전성을 중시하는 정책을 폈다. 외환위기가 발생한 1997년 우리나라의 국내총생산 대비 정부부채 비율은 11.1%에 불과했다. 이러한 재정건전성은 우리나라가 외환위기를 극복하는데 결정적인 힘이 되었다. 2008년 미국발 금융위기가 발생했을 때도 국내총생산 대비 정부부채 비율은 26.8%수준이었다.

당연히 금융위기 극복에 큰 힘이 되었다. 강력한 재정건전성 유지정책에 힘입어 2012년 우리나라는 국가신용도가 일본을 앞질렀다. 그러나 이러한 재정건전화 정책은 문재인 정부 들어서 후퇴했다.

문재인 정부는 소득주도성장을 경제정책의 기본기조로 설정하고 재정을 팽창해 정부가 직접 일자리를 만들고 복지를 확대하는 정책을 펴고 있다. 이러한 경제정책기조를 유지하는 가운데 경제가 회복할 기미를 보이지 않는 상태에서 정부부채가 빠른 속도로 늘고 있다. 급기야 국내총생산 대비 정부부채 비율이 마지노선으로 여겼던 40%를 무너뜨리고 50%선을 바라보고 있다.

'코로나19' 경제감염의 대재앙

세계경제에 뜻하지 않은 재앙으로 닥친 것이 '코로나바이러스감염증-19(COVID-19)'사태다. 세계 각국 경제가 '코로나19'에 매몰되어 지금껏 겪어보지 못한 전염병과의 전쟁을 치르는 형국이다. 1930년대 세계경제위기를 '1차 대공황'이라 한다면 2020년 '코로나19'로 인한 경제위기는 '2차 대공황'이라 할 수 있다. 사람을 감염시키는 바이러스가 세계 각국의 경제에까지 엄청난 파장을 몰고 오면서 코로나에 대한 대응이 단순한 전염병과의 싸움을 넘어선 경제전쟁으로 확대된 것이다.

1930년대 1차 대공황과 2020년 현재 세계가 겪고 있는 2차 대공황은 성격이 다르다. 1차 대공황이 기본적으로 사람이 만든 수요와 공급의 불일치가 가져온 인재(人災)였다면, 2차 대공황은 자연에서 발생한 신종 바이러스가 시장을 마비시켜 만든 속수무책의 천재(天災)다. 빠른 전염력으로 번지는 '코로나19' 바이러스가 사람들에게 질병을 일으키고 생명을 앗아가면서 사람의 이동을 막고 있다. 이제껏 없었던 이동의 강도 높은 제한으로 말미암아 경제의 세 기둥인 투자, 생산, 소비가 동시에 마비상태로 치닫고 있다.

한시바삐 치료제와 백신을 개발해 '코로나19' 바이러스를 퇴치하는 것은 물론, 이미 코로나사태로 인해 파괴된 일상을 보수하고 회복시킬 수 있는 특단의 대책이 조속히 실행되지 않으면 경제를 황폐하게 만들 수 있는 아주 엄혹한 대재앙에 직면해 있다. 국제통화기금(IMF)의 2020년 세계경제성장률 전망치는 -4.9%다.

'코로나19' 사태가 계속 확산하거나 재발할 경우 2021년 이후의 경제전망은 예측조차 어렵다. 의료체제가 고도로 발전한 우리나라는 '코로나19' 방역의 모범국가로 세계적인 평가를 받고 있다. 의료진의 헌신적인 노력과 국민들의 적극적인 협력이 돋보였다. 그러나 경제방역은 녹록치 않다. '코로나19'에 감염됐을 때 가장 위험한 환자가 기저질환이 있는 환자다. 기저질환을 가진 환자의 치사율이 절대적으로 높다. 경제도 마찬가지다.

우리나라의 경우 경제의 기저질환이 심각한 상태다. '코로나19' 사태가 발생하기 전인 2019년 실적에 따르면 우리나라 50대 기업의 영업이익이 1년 전에 비해 반토막이 났다. 2019년도 삼성전자의 영업이익은 2018년도 영업이익에 비해 마이너스 52.8%로 감소했다. SK하이닉스의 영업이익은 마이너스 87.0% 감소다. 현대제철과 LG화학의 영업이익은 각각 마이너스 67.7%와 마이너스 60.1%다. 반도체, 전자, 철강, 화학은 물론 자동차, 항공 등 우리나라 주력산업이 모두 곤두박질을 하고 있었다. 이런 상태에서 '코로나19' 사태가 터져 경제의 숨통을 조이며 경제 전반을 뒤흔들고 있다.

2020년 우리나라 경제성장률 전망치는 -2.1%로 다른 나라들보다 낮은 편이다. '코로나19' 방역을 효과적으로 한 덕분이다. 그러나 결코 안심하고 있을 상황이 아니다.

수출은 우리경제의 생명선이다. 아무리 우리경제가 선방을 해도 미국, 중국, 일본, 유럽 등 경제대국은 물론 신흥국들까지 '코로나19' 사태를 벗어나지 못하면 수출 길이 막힌다. 이 경우 경제에 대한 불안으로 외국자본이 유출을 시작하면 경제는 부도위험에 빠진다. 올해 들어 수출은 4월 -25.5%, 5월 -23.6%, 7월 -10.9%로 3개월 연속

두 자리 수 감소를 기록했다. 우리나라 산업구조는 수출산업이 살아야 내수산업도 사는 낙수구조다. 수출감소가 보통 심각한 상황이 아니다.

정부는 우리경제가 '코로나19'와 전쟁상태라고 간주하고 위기극복에 전력을 기울이고 있다. 우선 정부와 한국은행이 펼 수 있는 재정정책과 통화정책이 완전가동 중이다. 1차, 2차, 3차 연속으로 추가경정예산을 편성해 위기를 겪고 있는 기업과 근로자에게 긴급자금지원을 하고 있다. 특히 '코로나19'의 타격이 큰 소상공인과 자영업자들을 위해 신용보증기금이 대출금의 95%까지 채무를 보증해주고 있다. 침체하는 소비를 부양하기 위해 전 국민을 상대로 가구당 최대 100만원의 재난지원금을 지급하는 정책도 실행했다.

여기에 한국은행은 기준금리를 0.50%로 낮추고 금융기관을 상대로 무제한 유동성을 공급하고 있다. 또 자금난을 겪고 있는 기업들을 지원하기 위해 특수목적기구(SPV: Special Purpose Vehicle)를 세워 투기등급 회사채까지 사들이고 있다. 재정정책과 통화정책을 통한 기업지원 자금의 규모가 총 245조원에 달해 국가예산의 거의 절반에 이른다.

문제는 '코로나19' 사태가 언제 끝날지 모른다는 것이다. 우리나라에서 '코로나19' 사태가 진정이 된다 해도 다른 나라에서 진정이 안되면 경제가 타격을 받는 것은 마찬가지다. 따라서 아무리 자금지원을 해도 모래밭에 물 붓기가 될 수 있다. 경제가 전쟁상태라면 경제를 살리는데 모든 수단과 방법을 가리지 않고 동원해야 한다.

이런 견지에서 정부는 경제정책의 유연성을 발휘해 최저임금과 근로시간 규제를 일시적으로 완화하는 정책도 함께 펼 필요가 있다. 실제로 소상공인이나 자영업자가 사업과 고용을 유지하는데 필수적인 조치는 임금과 근로시간을 자유롭게 조정할 수 있는 것이다. 여기에 대통령 직속의 '경제사회노동위원회'도 다시 가동하여 '코로나19' 경제위기 극복을 위해 노사정이 서로 양보하고 협력하는 대타협을 강구하는 방책도 절실하다.

문재인 대통령은 취임 3주년 특별연설에서 우리나라가 '코로나19' 방역에서 선도적인 모범국가가 되었다고 밝히고 경제 역시 선도형 경제로 포스트 코로나 시대를 열 것을 천명했다. 이를 위해 해외에 있는 한국기업의 U턴과 혁신벤처 및 스타트업이 주력이 되어야 한다고 강조하고 시스템 반도체, 바이오 헬스, 미래차 등 3대 신성장 산업의 강화를 제시했다.

세계경제가 '코로나19'와 전쟁을 하고 있는 상황에서 각국경제는 생존을 위한 치열한 몸부림을 하고 있다. 경제가 전쟁을 벌일 때 중요한 것은 끝까지 살아남아 다시 일어나는 것이다. 그러면 이 전쟁은 경제영토를 넓혀 오히려 전화위복의 기회가 될 수 있다.

이런 견지에서 볼 때 3대 신성장산업을 '코로나19'를 극복하고 포스트 코로나 시대를 이끄는 선도산업으로 강화하겠다는 정책은 매우 의미가 크다. 그러나 3대 산업만으로 경제를 살릴 수 있는 것은 아니다. 그리고 어떤 산업이 발전해 경쟁력을 가질 것인가는 시장이 결정하는 것이다. 따라서 **정부는 3대 신성장산업의 강화를 넘어 근본적으로 산업생태계를 바꾸는 큰 그림의 정책이 필요하다.**

13 소득주도성장의 허상이 만든 덫

잘사는 포용경제

2017년 5월 문재인 정부 출범 당시 우리경제는 불안했다. 경제성장률이 떨어지고 일자리가 사라져 실업자가 많았다. 특히 청년실업은 심각한 상태였다. 여기에 가계부채가 많아 서민들은 빚더미에 눌려 언제 연쇄부도의 불안에 휩싸일지 모를 상황이었다. 사회 곳곳에서 서민들의 좌절과 분노가 터지고 직장을 잃은 근로자들의 눈물이 골을 이뤘다. 한강의 기적을 이룬 우리경제가 한강의 눈물을 쏟아냈다.

세계경제의 침체와 보호무역주의의 강화로 경제성장의 원동력인 수출이 감소세였다. 여기에 중국이 세계의 공장으로 부상하며 우리 기술을 따라잡고 저가공세를 펴 우리경제의 활로를 막았다.

산업발전은 끊임없는 변화와 혁신을 요구한다. 시대의 흐름에 앞서며 끊임없이 도전적인 개혁으로 발전을 주도해 나가지 못하면 도태

되고 소멸되는 것은 한순간이다. 우리나라의 경우 재벌기업들이 주요 산업을 독점하며 현실에 안주하는 세습경영이 새로운 산업발전을 가로막는 큰 걸림돌이 되었다. 이를 방치한 근본적인 책임은 정치권력에 있다.

「정치권력-정부-국책은행-재벌기업」으로 연결되는 정경유착의 고질적으로 고착화된 악의 사슬이 원인을 제공한 것이다. 집권세력은 정치적 부담과 지지기반의 상실을 우려해 부실기업에 대한 구조조정을 피하고 지원을 제공해 연명하는 정책을 폈다. 이 정책에 따라서 산업은행이나 수출입은행 등 국책은행은 부실기업을 인수하거나 구제금융을 제공했다. 이러한 악순환이 우리나라 산업혁신을 막고 경제를 부실하게 만들었다.

문재인 정부는 '다 같이 잘사는 포용경제'를 목표로 하는 'J-노믹스 (J-nomics)'를 내놨다. J-노믹스는 소득주도성장, 혁신성장, 공정경제를 3대 축으로 한다.

'소득주도성장'은 정부가 재정을 투입해 직접 일자리를 만들고 국민들의 소득을 지원해 경제를 살리는 정책이다. 정부가 일자리를 만들고 소득을 지원하면 국민들의 구매력이 높아져 소비가 증가한다. 소비가 증가하면 시장이 활성화하고 기업들 매출이 증가한다. 그러면 기업의 투자가 늘어 다시 일자리가 늘어난다. 그러면 「소비→투자→고용」의 선순환이 나타나 경제가 살아난다는 논리다. 이때 정부가 저소득층과 소외계층을 복지정책을 확대하면 누구나 잘사는 포용경제가 된다.

'**혁신성장**'은 4차 산업혁명을 서두르고 미래 신산업을 발굴하는 동시에 벤처기업과 중소기업을 발전시켜 경제의 성장동력을 회복하고 고용창출능력을 높이는 정책이다. 성장잠재력과 국제경쟁력이 떨어져 저성장의 함정에 빠진 우리경제를 다시 일으키는 방안이다.

'**공정경제**'는 재벌기업들의 불공정 거래와 경제력 집중을 막아 공정한 시장질서를 확립하는 것은 물론 부당한 소득과 부의 집중을 억제하는 정책이다. 재벌기업들이 시장을 독점해 중소기업과 벤처기업의 발전을 막는 구조적 문제를 해결하는 동시에 부유층이 부동산 투기, 편법증여와 탈세 등으로 부를 증식하는 것을 차단해 누구에게나 경제성장의 과실을 공평하게 배분하는 조치다.

이 같은 내용을 골자로 하는 문재인 정부의 J-노믹스가 성공할 경우 우리경제는 무너진 성장동력을 회복하는 것은 물론 국민 모두가 함께 잘사는 나라가 될 수 있을 것이다. 그런데 문제가 있다. J-노믹스가 정치적 이념의 영향을 받았다는 것이다.

문재인 정부는 촛불혁명이 만들어 낸 진보정권이다. 진보정권은 속성상 성장보다는 분배를 강조한다. 따라서 소득주도성장, 혁신성장, 공정경제 3대 정책 중에서 소득주도성장에 역량을 집중하고 나머지 정책은 부수적으로 추진하고 있다. 이런 견지에서 볼 때 J-노믹스는 정부가 재정정책을 확대해 저소득층이나 소외계층의 삶의 질을 높이는 분배정책의 성격이 강하다. 따라서 정부의 경제정책이 시장의 기본기능을 가로막는 현상을 유발한다.[71]

---

71) 이필상, "시장실패와 정부실패", 일요신문, 2018. 12. 30. 참조

정부가 예산을 투입해 직접 일자리를 만들고 저소득층의 소득을 늘리는 정책을 펴면 정부는 시장의 관리자가 아니라 시장의 침해자 역할을 하게 된다. 이렇게 될 때 우선 피해를 보는 것이 기업들이다.

기업들이 생산과 투자를 해서 상품을 판매하고 일자리를 창출하는 시장영역을 정부가 차지해 막상 기업들은 시장에서 쫓겨나는 구축현상이 나타나는 것이다. 이때 특히 문제가 되는 것이 노동시장이다.

정부가 직접 일자리를 만들어서 고용을 하고 높은 임금을 주면 기업들도 어쩔 수 없이 높은 임금을 줘야 한다. 근로자의 임금을 높이는 게 나쁘다는 것이 아니다. 근로자의 임금을 높여도 충분히 감당할 수 있는 구조가 되어야 하는데 우리의 경제구조를 받치고 있는 현실이 그렇지 못하다는 데서 문제가 야기되는 것이다.

우리나라의 경우 중소기업과 자영업은 경영구조가 취약해 임금이 조금만 올라도 견디기 어렵다. 최저임금 인상, 노동시간 단축, 비정규직의 정규화 등 강도 높은 노동정책을 한꺼번에 밀어붙이면 우리 중소기업이나 자영업의 대부분은 도저히 감당할 수 없어 결국 경영난이 가중될 수밖에 없다.

정부의 정책이 기업들을 쓰러뜨리는 부작용을 낳고 있다. 기업들과 자영업이 쓰러지고 경제의 기본구조가 흔들리는데 저소득층과 소외계층이 더 잘 살 수 있게 하겠다는 J-노믹스의 분배정책인들 과연 효과를 거둘 수 있겠는가?

정부의 잘못된 시장개입으로 또 다른 문제를 일으키는 곳이 부동산시장이다. 우리나라 역대 정부는 예외 없이 부동산시장을 정치적 수단으로 이용해왔다. 경기가 침체하면 부양정책을 펴고 투기바람이 불면 안정화정책을 폈다. 새로운 정부가 들어설 때마다 온탕냉탕 식으로 들쑥날쑥한 정책을 펴 수요와 공급이 제대로 이뤄지지 않자 국민 삶의 기본요소인 주거가 시간이 갈수록 불안한 구조적 문제를 낳고 있다.

문재인 정부에 들어서 부동산 투기열풍이 불었다. 특히 전세를 안고 주택을 구입하는 갭(Gap) 투자[72]가 만연했다. 이에 대한 대책으로 정부는 초강력 투기억제정책을 펴고 있다. 조세강화, 은행대출제한, 분양가 상한제, 재건축 초과이익 환수 등의 조치를 20차례 이상 취했다. 그러나 정부의 부동산 투기억제정책은 두더지 잡기식이다.

투기과열 지역을 중심으로 투기억제 정책을 펴면 곧바로 인근지역으로 투기 불길이 옮겨서 붙는다. 정부의 투기억제 정책이 강도를 높이면 높일수록 부동산 투기의 연쇄반응은 더욱 가열했다.

그 결과가 어떠한가? 정부의 투기억제 정책은 순차적으로 투기에 불을 질러 부동산 투기가 전국으로 확산되는 부작용을 낳았다. 급기야 정부는 극단적인 조치로 토지허가거래제를 도입하고 취득세, 종합부동산세, 양도소득세의 세율을 각각 최고 12%, 6%, 70%까지 올려 세금폭탄을 부과하는 정책을 내놨다. 부동산시장을 안정시키는 것과 죽이는 것은 전혀 다른 것이다. 정부의 투기억제정책은 부동산시장이 죽을 때까지 규제를 가하고 세금을 부과하겠다는 것이다.

문재인 정부가 철저히 간과하고 있는 것이 있다. 정부는 결코 시장과 싸워서 이길 수 없다는 것이 자본주의 철칙이라는 점이다.

---

72) 시세차익을 목적으로 주택의 매매 가격과 전세금 간의 차액이 적은 집을 전세를 끼고 매입하는 투자 방식이다.

정부의 정책에 따라 부동산 투기는 일단 숨을 죽일 수 있다. 그러나 시간만 지나면 다시 고개를 들어 더욱 큰 투기의 불길을 일으킨다. 기본적으로 공급보다 수요가 많기 때문이다. 서울시민 가운데 아파트에 거주하는 시민의 비율이 60% 수준이다. 그러나 아파트에 살고 싶어 하는 시민의 비율은 80%이상이다. 이런 상태에서 수요를 억제하고 공급을 막으니까 정부의 정책만 나오면 오히려 호재로 받아들여 투기가 치솟는 역설이 발생하는 것이다.

경제정책에 힘의 논리는 금물이다. 수요가 있는 한 공급을 늘려 시장 스스로 투기를 잡는 경제원칙을 따라야 한다.

이러한 경제원칙에 입각할 때 정부는 수요에 맞춰 아파트를 짓는 공급정책을 먼저 내놔야 한다. 그 다음 투기이익을 환수해 투기가 발을 붙이지 못하도록 하는 것이 수순이다. 정부는 뒤늦게 태릉골프장을 택지로 활용하고 재건축, 재개발 용적률을 높이는 등 서울과 수도권에 13만2천 가구의 주택을 추가로 공급하는 대책을 내놨으나, 얼마나 효과가 있을지는 미지수다.

경제의 심장역할을 하는 금융시장도 정부의 간섭이 많다. 모든 금융기관의 상품판매와 가격결정에 대한 정부의 간섭은 관행이 되어 있다. 한국은행의 금리정책도 불안하다. 한국은행이 정부의 뜻에 묵시적으로 따르거나 또는 압박을 받아 기준금리를 낮추거나 올릴 경우 경제에 부작용을 일으킬 수 있다.

과거 자본주의가 수많은 경제위기를 겪은 것은 기본적으로 시장실패 때문이다. **정부의 역할은 시장실패를 바로잡는 것이지 시장기능을 정부가 대신해 시장기능 자체를 무력화시키는 것이 결코 아니다.**

이런 견지에서 볼 때 자칫하면 문재인 정부의 J-노믹스는 시장실패를 가져와 위기에 처한 경제를 더 어려운 궁지로 몰아넣을 가능성이 있다.

우물 안 개구리

세계경제에 무역전쟁의 불안이 한껏 고조되어 있다. 이런 상태에서 문재인 정부가 펴고 있는 J-노믹스는 분배를 강조해 내부정책에 집중하는 우물 안 개구리식의 정책이다.[73] 세계 무역전쟁의 핵심에는 미국과 중국의 경제패권전쟁이 자리 잡고 있다. 미국과 중국은 2018년부터 자국경제 보호를 위해 수입 제한조치를 취하고 보복관세를 부과하는 무역전쟁을 벌이고 있다. 그러나 이것은 단순한 무역전쟁이 아니다. '범미주의(Pax Americana)'와 '중화주의(Pax Sinica)'가 충돌하는 경제패권 전쟁의 서막이다. 두 나라 중 한 나라가 쓰러질 때까지 싸우는 무한전쟁의 막을 올린 것이다.

미국과 중국이 무역전쟁을 시작하자 다른 나라들도 유사한 조치를 취하며 자기방어에 나서고 있다. 영국은 EU를 탈퇴해 독자노선을 걸으면서 자국경제보호에 앞장서고 있다. 미중 무역전쟁으로 우리나라는 자동차, 철강, 화학, 가전, 반도체 등 주력산업이 피해를 입고 있다. 앞으로 국제무역전쟁이 확산할 경우 우리경제는 심각한 난관에 처할 수 있다. 더구나 '코로나19'라는 사상 초유의 복병을 만나 세계경제가 한치 앞을 장담하기 어려운 폭풍에 휩싸여 있다.

---

73) 이필상, "우물 안 개구리 경제정책", 세계일보, 2018. 7. 23. 참조

이처럼 세계경제가 살얼음판을 딛듯 위태롭게 다가오고 있는데도 불구하고 정부는 내부적으로 분배중심의 경제정책을 펴고 있다.

우리경제에 우선적으로 필요한 정책은 구조개혁과 혁신성장을 서둘러 국제경쟁력을 확보하는 것이다. 특히 앞으로 세계경제의 판도를 좌우할 4차 산업혁명에 정책적 노력을 집중해 미래산업 발전을 선도해야 한다. 그리하여 무슨 일이 있어도 무역전쟁을 스스로 이겨내는 역량을 길러 승자가 되어야만 한다.

이와 더불어 우리경제에 필요한 것은 강력한 경제외교다. 우리경제는 세계 어느 나라 경제보다 대외의존도가 높다. 따라서 외교적으로 경제영토를 넓히는 일은 필수다. 당연히 우리나라는 미국과 중국 등 주요 교역국들과 경제외교를 강화해야 한다. 더 나아가 인도, 동남아, 동유럽, 남미, 아프리카 등 지구 곳곳의 신흥시장을 적극적으로 개척해 수출시장을 넓혀야 한다.

무역전쟁은 말 그대로 전쟁이다. 무역전쟁에서 승자가 되면 새로운 경제영토를 얻는다. 그러나 패자가 되면 경제영토를 잃는다. 이런 차원에서 볼 때 문재인 정부의 j-노믹스는 자칫하면 무역전쟁에서 스스로 패자의 길을 걷는 정책이 될 수 있다.

J-노믹스의 또 다른 우려는 진보적 성향의 정책으로 지나치게 반기업, 친노동의 성격을 띠는 것이다. 법인세 인상, 최저임금 인상, 노동시간 단축, 비정규직 축소, 국민연금의 주식의결권 행사 등의 정책은 기업들에게 부담이 클 수밖에 없다. 이에 따라 자연히 나타나는 현상은 두 가지다.

하나는 부실기업이 늘고 창업과 투자가 감소하는 것이다. 또 하나는 기업들의 해외 탈출이다. 두 가지 현상이 동시에 나타날 경우 산업이 공동화해 경제의 성장동력이 꺼질 수 있다.[74]

2008년 미국발 금융위기 이후 우리나라 산업은 빠른 속도로 침체의 길을 걸었다. 이명박 정부는 미국과 통화스왑 체결 등으로 위기를 조기에 극복했으나 4대강 사업 등 토목건설에 치중해 근본적인 산업 구조조정과 새로운 성장동력 창출에는 실패했다. 이어 부동산 시장 활성화를 주요정책으로 편 박근혜 정부도 마찬가지였다. 이에 따라 조선, 해운, 철강, 전자 등 주력산업들이 중국에 밀리며 우리나라 산업은 '잃어버린 10년'을 겪었다. 더욱이 과도한 통화팽창으로 인해 경제를 들뜨게 만든 부동산 투기거품이 언제 경제를 안고 꺼질지 모르는 형국이다.

이러한 상태에서 문재인 정부가 펴고 있는 J-노믹스는 우리경제가 봉착한 총체적 난국을 이 정부가 정확한 진단을 하고서 자구책을 마련하고 있는지 의구심이 들지 않을 수 없다. J-노믹스는 반시장, 반기업 기조로 인해 기업투자를 위축하고 산업기반의 부실을 재촉하는 등 오히려 성장동력을 꺼트리는 방향으로 역행하고 있기 때문이다.

산업공동화는 산업의 부실로 끝나는 것이 아니다. 상황이 악화하면 경제의 부도를 유발한다. 경제부도의 도화선이 되는 것이 외국자본 유출이다. 산업이 부실화하면 기업들의 경영이 급속도로 악화해 연쇄부도의 위기에 처한다. 그러면 외국자본이 앞다투어 빠져나가 금융시장과 외환시장이 대혼란에 빠진다. 그러면 결국 경제가 작동을 멈추고 국가는 부도위기에 처하게 된다.

74) 이필상, "산업공동화의 적신호", 일요신문, 2019. 5. 19. 참조

고장 난 펌프

문재인 정부가 펴고 있는 소득주도성장정책을 '마중물 정책'이라고 부른다. 펌프로 물을 퍼 올리려면 미리 마중물을 부어야 한다. 같은 논리로 정부가 예산을 투입해 일자리를 만들고 소득을 지원하면 이것이 경제성장과 일자리 창출에 마중물 역할을 한다. 이에 따라 세금이 많이 걷히면 복지지출을 늘려 양극화를 해소하고 국민 모두가 잘사는 포용국가가 된다는 것이 '마중물 정책'의 논리다. 그러나 우리경제 현실에서 이러한 마중물 논리는 대단히 허구적이다. 왜일까? 한마디로 펌프가 고장 났기 때문이다.

상식적으로 펌프가 고장 난 상태에서는 아무리 마중물을 퍼부어도 물을 퍼 올릴 수 없다. 오히려 마중물마저 낭비해 낭패를 겪는다.

우리경제는 3대 마이너스 공포에 시달리고 있다. 첫 번째 마이너스 공포는 '수출감소'다. 세계경제 침체, 보호무역주의 강화, 중국경제의 추월 등 복합적인 원인으로 수출산업이 위기를 맞았다. 자동차, 철강, 화학, 전자, 반도체 등 우리나라 수출을 이끌던 주력산업이 하나같이 경쟁력을 잃고 시장을 빼앗기고 있다.

두 번째 마이너스 공포는 '물가하락'이다. 주력산업이 무너지면서 연관 산업이 함께 침체해 기업투자가 감소세다. 여기에 고용이 불안하고 가계부채가 쌓여 소비가 위축됐다. 투자와 소비가 저조해서 물가가 하락하는 추세다. 물가가 하락해 경제가 디플레이션에 빠지면 기업은 상품가격의 하락으로 인해 손실을 볼 수 있어 투자와 생산을 줄인다. 투자와 생산이 줄면 일자리가 줄어 고용이 불안하고 국민소득도 감소한다. 소비자들은 소비여력 자체가 없어 물가가 하락해도 소비를 하지 못하고 오히려 물가가 더 떨어질 때까지 기다린다.

자칫하면 디플레이션이 투자, 생산, 소비를 한꺼번에 감소하게 만들어 경제를 붕괴의 함정에 밀어 넣을 수도 있다.

세 번째 마이너스 공포는 '성장률 하락'이다. 고도경제성장을 할때 10%를 넘나들던 경제성장률이 1997년 외환위기와 2008년 금융위기를 겪으면서 계속 떨어져 2019년에는 겨우 2%를 기록했다.

최근 우리나라 경제성장률은 '코로나19' 사태로 인해 더 떨어져 마이너스 성장률을 배제할 수 없다. 경제성장률이 마이너스라는 이야기는 일자리가 줄고 소득이 감소하며 부채가 늘어 모든 경제활동이 혼란에 빠진다는 뜻이다. 사실상 경제추락을 의미한다.

이렇게 볼 때 우리나라 경제 펌프는 녹슬고 깨진 지 오래다. 소득주도성장은 이처럼 녹슬고 깨진 펌프에 마중물을 붓는 자가당착, 시대착오적인 정책인 셈이다.

경제위기에는 두 종류가 있다. 하나는 경제가 기업이나 가계가 부채가 많은 상태에서 자금이 부족하면 겪는 '금융위기'이다. 국가적으로 볼 때 외환보유금액이 부족해 대외채무를 갚지 못하면 그 나라는 외환위기를 겪는다. 우리경제는 1997년 위기를 외환위기라고 부르고 2008년 위기를 금융위기라고 칭하나, 사실상 두 위기는 금융위기와 외환위기의 복합 위기였다.

또 하나의 경제위기는 산업기반이 무너지면서 성장동력이 꺼지고 실업자를 쏟아내는 '산업위기'다. 현재 우리경제가 겪고 있는 위기가 바로 산업위기다. 주력산업이 무너져 대외적으로 수출이 감소세로 돌아서고 대내적으로 내수가 침체해 경제성장률이 곤두박질하고 있다.

특히 고용시장이 무너져 경제의 허리인 30-40대 일자리가 큰 폭으로 줄고 있다. 문제는 산업위기가 따로 나타나는 것이 아니라는 것이다. 산업이 위기에 빠지면 기업들은 자금난을 겪고 금융위기에 처한다. 그러면 증권시장이 폭락하면서 국내에 들어와 있는 외국자본이 대거 빠져나간다. 그러면 경제는 외환위기에 빠진다. 결국 산업위기, 금융위기, 외환위기가 뒤섞여 경제를 파국으로 몰고 간다.

이렇게 볼 때 현재 우리경제에 진행되고 있는 산업위기는 보통 심각한 문제가 아니다. 이런 경제에 소득주도성장정책을 펴기 위해 자금을 투입하는 것은 밑 빠진 독에 물 붓기나 마찬가지일 수 있다.

문재인 정부는 양극화를 해소해 다 함께 잘사는 포용경제를 목표로 하고 있으나, 소득주도성장정책은 반대로 서민경제부터 어렵게 만드는 결과를 낳고 있다.[75]

소득주도성장정책의 타격을 가장 먼저 받는 곳이 서민들 삶의 터전인 자영업과 소상공인이다. 우리나라 경제는 대기업 수출산업 중심으로 발전을 해 경제력 집중이 심하다. 따라서 서민들의 생계기반으로 자영업과 소상공인의 비중이 세계 어느 나라보다 높다.

우리나라의 경우 자영업과 소상공인은 근로자들의 죽음의 계곡이나 마찬가지다. 주력산업이 무너지고 실업자가 많이 발생하면 선택지가 없는 이들이 마지막 생계수단으로 자영업에 뛰어들거나 소상공인으로 바뀐다. 그런데 수요에 비해 업체의 수가 지나치게 많다 보니 서로를 쓰러뜨리는 과당경쟁이 불가피하다. 더욱이 이들은 관련 전문지식이나 실무경험이 없이 사업을 시작하는 경우가 많아 퇴직금을

---

75) 이필상, "자영업발 경제위기", 일요신문, 2018. 8. 12. 참조

날리거나 은행 빚더미에 올라앉는 경우가 흔하다.

이런 상태에서 정부는 소득주도성장정책의 주요수단으로 최저임금을 30%이상 올리고 주 근로시간을 68시간에서 52시간으로 줄였다. 여기에 비정규직의 정규화를 강력히 추진하고 있다. 이는 자영업과 소상공인들을 자멸할 수밖에 없는 붕괴의 수렁으로 밀어 넣는 정책이다. 과연 누구를 위한, 무엇을 위한 정책인지 묻지 않을 수 없다.

못사는 갈등국가

2017년 5월 문재인 정부가 출범한 이후 경제상황은 그야말로 악화일로다. 소득주도성장정책이 본래 의도와는 달리 부작용을 일으키는 것이 주요 원인이다. 시장경제는 시장이 수용할 수 있는 정책을 펴면 효과를 발휘하지만 시장이 수용하기 어려운 정책을 펴면 거꾸로 경제를 반격하는 속성이 있다. 이는 마치 아무리 좋은 보약을 환자에게 먹여도 환자가 약을 잘 흡수하고 소화시킬 능력이 없으면 오히려 약이 독이 되는 것과 마찬가지다. 여기서 특히 문제가 되는 것은 시장의 반격이 경제적 약자에 집중한다는 것이다.

정부가 소득주도성정정책의 일환으로 최저임금을 올리고 근로시간을 줄이니까 1차적으로 경영상태가 취약한 자영업과 소상공인부터 쓰러지고 이어 중소기업과 대기업으로 피해가 확산하는 연쇄반응이 나타나고 있다. 그런데 정부정책의 부작용은 이것으로 끝나지 않는다. 정부가 부동산 투기를 잠재우기 위해 강력한 억제정책을 펴고 있으나 부동산 가격은 거꾸로 천정부지다.

문재인 정부 출범 이후 서울지역의 아파트 중위가격이 50%이상 뛰었다. 청년과 서민들을 영구적인 주거난민으로 만들었다. 이번 생에서 내 집 마련은 불가능하다는 집 없는 사람들의 한숨소리에 땅이 꺼질 정도다. 반면 집을 몇 채씩 가지고 있는 사람들은 자신들도 믿지 못할 정도로 재산이 늘고 있다. 더욱이 부동산 거래가 막히고 자금이 돌지 않아 투자와 소비가 줄고 경기침체가 악화하는 부작용도 있다.

문재인 정부의 소득주도성장정책을 냉엄하게 진단하면 경제를 일으키는 것이 아니라 쓰러뜨리는 정책이고, 서민을 도와주는 것이 아니라 무너뜨리는 나쁜 정책이다.

유화적으로 표현하면 시대를 잘못 만난 정책이라고도 할 수 있을 것이다. 악재 속에서 버텨오던 우리경제가 '코로나19'라는 대재앙의 위기까지 만나 앞을 내다보기 어려운 짙은 어둠에 가려진 상황이니 말이다. 그러나 '코로나19'라는 전혀 예상치 못했던 변수를 핑계 삼을 수만은 없는 것은, 코로나 사태 이전에 이미 우리경제가 넘어서야 할 난제가 첩첩산중이었다는 것이 엄연한 사실이기 때문이다.

경제 현실을 냉정히 진단하지 못한 채 이념의 수렁으로 경제를 끌어온 탓에 경제를 회생시키거나 돌파구라도 만들 기회를 계속 놓쳐온 것은 결코 부인할 수 없는 이 정부의 엄중한 실책이다. 어쩌면 코로나 사태가 우리경제에는 진짜 기회일 수도 있을 것이다. 문재인 정부가 경제정책의 실책을 정직하게 인정할 수 있는 기회, 코로나를 핑계 삼아서라도 이념을 위한 경제가 아니라 나라를 살리기 위한 경제로 선수(船首)를 되돌려 바로잡을 수 있는 기회 말이다.

문재인 정부의 소득주도성장정책을 프랑스의 혁명가인 로베스피에르(1758-1794)의 경제정책과 유사하다는 비판이 있다. 로베스피에르는 1789년 프랑스 혁명을 일으켜 왕정을 무너뜨리고 정권을 잡았다. 집권 후 로베스피에르는 우유 값이 너무 비싸다는 프랑스 국민의 불만을 받아들여 목축업자에게 우유를 반값에 공급할 것을 명했다. 당연히 목축업자들은 손실이 커 로베스피에르의 명에 따를 수 가 없었다. 궁여지책으로 목축업자들은 젖을 짜던 소를 도축해 시장에 식용으로 팔았다. 그러자 시장에 우유공급이 떨어지고 프랑스 국민들은 더 큰 고통을 겪었다. 시장의 수요-공급 원칙을 부정한 경제정책의 결과가 어떠한지를 여실히 보여주는 사례로 꼽힌다.

　문재인 정부가 출범한 지 3년이 지났으나 J-노믹스는 여전히 역주행을 하고 있다. 정부정책의 잘못으로 인해 경제가 성장동력과 고용창출능력을 잃는 방향으로 역행하고 있는 것이다. 특히 청년실업이 심각한 상태로 치닫고 있다. 게다가 자영업과 소상공인들이 위기를 맞아 경제 저변이 급속도로 무너지고 있다. 이런 가운데 주택소유가 양극화하고 주택가격이 역대 최고 수준으로 올랐다. 계층간 소득격차는 악화하고 사회가 분열과 갈등에 휩싸이고 있다. 함께 잘사는 포용경제가 아니라 '함께 못사는 갈등경제'로 변하고 있는 것이다.

　국민들이 가장 크게 피부로 느끼는 경제적 고통이 경기침체로 인한 일자리 부족이다. 정부는 일자리가 지난해에 비해 40-50만개 늘었다며 소득주도성장정책이 효과를 발휘하는 증거라고 주장한다.
　예년의 일자리 증가가 30만 명 수준인 것에 비하면 일자리의 수가 늘어난 것은 사실이다. 그러나 정상적인 일자리의 증가가 아니다. 정부가 예산을 풀어 만든 인위적인 일자리가 대부분이기 때문이다. 일자리 증가의 90%이상이 50-60대의 단기 임시 일자리다. 물론 임금도 몇 십만 원의 용돈 수준이다. 경제를 이끄는 30-40대 일자리는 급격한 감소세다.

정부가 일자리 예산을 소진하면 단기 임시 일자리는 모두 사라질 수밖에 없다. 그러면 그때 나타나는 고용대란을 어떻게 할 것인가? 정부가 만드는 일자리는 세금을 먹는 일자리다. 경제가 고용창출을 하지 못하고 계속 정부가 만드는 일자리에 의존할 경우 궁극적으로 경제도 망치고 정부도 망치는 최악의 결과를 가져올 수도 있다.

일자리는 세금을 먹는 일자리가 아니라 세금을 내는 일자리가 돼야 한다. 그래야 경제와 정부가 상생할 수 있다.

우리경제는 금융산업의 낙후로 인해 '깔때기' 형태의 자금흐름 구조를 갖고 있다. 이는 정부와 한국은행이 아무리 돈을 풀어도 경제를 살리는 곳으로 흐르지 않고 부동자금으로 떠돌다가 결국 고소득계층의 투기이익으로 돌아가는 현상을 낳는 것을 말한다.

사람의 몸에서 피가 제대로 흐르며 순환되지 않으면 생명이 위험한 것처럼 경제에서 돈이 거꾸로 흐르면 경제가 올바르게 작동하지 않아 위태롭게 된다. 우리경제는 근본적으로 산업이 부실해 자금을 풀어도 투자와 생산으로 흐르지 않는 기형구조가 된 지 오래다. 현재 시중을 떠도는 부동자금이 1,200조원 수준이다.

문제는 금융시장이 부동자금을 부익부 빈익빈으로 배분하는 것인데, 신용도가 높은 고소득층은 저금리로 돈을 빌려 부동산이나 증권투자를 통해 부를 축적한다. 반면에 신용도가 낮은 자영업자와 저소득층은 돈을 빌리는 것 자체가 어렵고 빌려도 높은 금리를 부담해야 한다. 특히 이들은 제2금융권이나 대부업체 등에서 고금리의 생계형 대출을 받는 경우가 많다. 경기가 침체해 일자리가 없고 자영업의 생존이 어려우면 이들은 헤어나기 어려운 가계부채의 연쇄부도 위험에 처한다.

경제의 궤도이탈

자본주의 시장경제에서 가장 큰 문제는 경제가 이념의 지배를 받아 시장논리를 배제하는 것이다. 경제의 건전한 발전의 핵심은 성장과 분배의 균형이다. 일단 경제는 성장능력이 있어야 한다. 그래야 일자리를 제공하고 국민소득을 증가시킨다. 그 다음 성장의 과실을 공정하게 분배해야 국민들의 소득이 골고루 늘어난다. 또 경제가 성장해야 정부가 세금을 거둬 국정을 운영하고 소외계층에 대한 복지정책을 펼 수 있다. 성장의 과실을 공정하게 분배하면 소비가 건전하게 증가해 다시 기업투자를 늘리고 경제가 성장한다. 즉 성장과 분배가 선순환 하는 구조가 되어야 경제와 사회가 함께 발전하는 것이다.

문재인 정부의 경제정책은 방향이 정반대다. 성장률이 급격히 떨어지는 상태에서 복지지출과 선심성 지출을 늘려 소비를 늘리는 정책을 중점적으로 펴고 있다. 그러나 정부가 인위적으로 소비를 늘려도 경제가 산업발전 능력을 잃어 기업투자와 일자리가 증가하지 않는다. 이렇게 되면 정부지출이 소모성으로 끝나고 만다.

이에 따라 정부부채가 빠른 속도로 증가하고 있다. 이대로 갈 경우 정부와 경제가 정상적인 발전의 궤도를 이탈해 회복하기 어려운 위험한 길로 갈 수 있다.

앞에서 설명한 바와 같이 원래 J-노믹스는 소득주도성장, 혁신성장, 공정경제의 3가지 축으로 돌아갈 예정이었다. 그러나 분배를 중시하는 소득주도성장에 치우쳐 결국 정상 궤도를 벗어나고 있다. 경제가 수용능력을 잃은 상태에서 펴기엔 현 정부의 재정팽창과 선심정책이 지나치게 과도하다. 공무원 증원, 임시 일자리 만들기, 기초연금 확대, 아동수당과 청년수당 지급, 무상의료, 무상보육, 무상교육 등 보편적 복지가 줄을 잇고 있다.

님미국가들의 경제정책 실패를 반면교사로 삼을 필요가 있다고 수많은 경제전문가들이 입을 모아 호소해온지 오래다. 세계 1위의 석유매장량을 가지고 1990년대까지 풍요롭게 살던 베네수엘라가 최근 참혹하리만큼 최악의 빈국으로 전락했다. 1998년 이후 반미성향의 좌파정권인 차베스 정부가 들어서자 인기영합정책에 치중해 석유산업을 국가통제 하에 넣고 기본소득제를 실시해 의료, 교육, 식품, 주택 등 갖가지 분야에서 무상정책을 폈다.

2014년 뜻하지 않게 국제유가가 하락하고 미국의 경제제재가 가해지자 베네수엘라 경제가 무상복지정책을 견디지 못하고 파탄을 맞았다. 무상복지정책을 계속 펴기 위해 화폐를 대량으로 발행하자 물가가 폭발했다. 정부가 가격을 통제하는 강수를 두자 시장은 마비상태로 치달았다. 2018년, 식량과 생활필수품까지 동이나 사회폭동이 일어났다. 전체인구의 10%가 넘는 400만 명의 인구가 해외로 탈출하는 일까지 벌어졌다. 사실상 국가붕괴 상태에 이른 것이다.

세계에서 가장 부유한 나라 중 하나였던 아르헨티나도 유사한 고통을 겪고 있다. 1970년대 이후 수십 년간 좌파정권이 들어서면서 분배위주의 인기영합정책을 펴 재정이 바닥이 나고 경제가 무너지는 파국에 처했다. 대규모의 공무원 증원, 과도한 임금인상과 보조금 지급, 연금의 과다지급, 무상 의료 등 복지정책의 남발이 수차례 재정파탄과 국가부도위기를 불러왔다. 2015년 보수성향의 정권이 들어서 재정개혁에 나섰지만 복지에 익숙해진 국민들의 반발이 거세다. 칠레, 에콰도르 등의 남미국가도 재정적자와 경제난이 심각해 유혈폭동이 일어나는 등 비상사태다.

우리나라는 부채공화국이라 할 만큼 부채가 많다. 정부의 정책기조가 반시장, 친노동의 성격을 띠어 기업들의 투자활동이 위축되고 경영이 악화해 「기업발전→경제성장→세수증가」의 선순환이 깨졌다. 기업부채, 정부부채, 가계부채가 모두 증가하는 구조다. 이런 구조 하에서 정부는 예산을 대규모로 팽창해 공공일자리 창출, 임금지원, 복지확대 등 선심성 지출을 늘리고 있다. 그리하여 「재정낭비→경제부실→세수감소」의 악순환을 만들었다. 당연히 정부부채가 증가하는 구조다. 여기에 경제성장률이 떨어져 소득이 줄고 실업자가 늘어 가계부채도 증가할 수밖에 없는 상황이다.

경제가 위기에 처할 때 국가부채가 많으면 곧바로 부도위험에 빠진다. 1997년 외환위기를 겪을 당시 기업부채는 많았지만 가계부채가 적어 공적자금을 조성해 가까스로 국가부도 위기를 막을 수 있었다. 2008년 금융위기를 겪을 때는 정부부채가 비교적 적어 구조조정을 서두르고 미국과 통화스왑을 체결해 위기를 극복했다. 그러나 2020년 현재, 우리 경제상황은 그때와 다르다.

앞으로 정부, 기업, 가계 모든 부문의 부채가 빠른 속도로 증가할 경우 경제가 더는 버틸 수 없는 위기의 한계상황에 처한다면 대응이 어렵다. 이런 상태에서 우리경제에 결정적인 타격을 줄 수 있는 것이 수출감소와 대외부채 증가다. 향후 수출이 계속 감소해 무역적자가 쌓일 경우 우리경제는 외채의존도가 높아진다. 상황이 더 악화해 외채상환능력이 부족해지면 우리경제는 정부, 기업, 가계가 한꺼번에 부도의 늪에 빠질 수 있다.

더 늦기 전에 소득주도성장정책의 허상이 만든 덫을 걷어내지 않으면 안 되는 이유다.

14

한국판 뉴딜, 성공할 것인가?
망할 것인가?

세계경제공항과 뉴딜정책

세 계경제가 '코로나19' 사태로 인해 미증유(未曾有)의 위기에 휩싸
　　　　이고 있다. '코로나19'는 빠른 속도로 사람들을 감염시켜 건강을
해치고 생명을 앗아가는 악성 바이러스다. 아직까지 치료제와 백신이 없어
대응이 극히 어렵다. '코로나19'는 사람간 전파력과 같은 속도로 경제를 해
치며 고통을 유발하고 있다. 기본적으로 사람과 자원의 이동을 막아 경제의
기능을 마비시키는 현상을 낳고 있다. 이에 따라 세계 각국은 '코로나19'와
전쟁을 선포하고 경제 살리기에 총력을 기울이고 있다.

　이런 가운데 2020년 7월 14일, 문재인 정부는 대규모 국가사업을
추진해 포스트 코로나 시대의 혁신성장을 견지해 나갈 것이라고 천
명하고 '한국판 뉴딜정책'을 펼 것을 선언했다. 한국판 뉴딜정책의

기본 방향은 토목공사의 개념에서 벗어나 디지털경제 전환과 4차 산업혁명에 대비한 새로운 일자리 창출이라고 설명했다.

2008년 글로벌 금융위기 이후 우리경제는 주력산업이 경쟁력을 잃고 잠재성장률이 떨어지는 구조적인 위기를 겪고 있다. 이런 상태에서 설상가상으로 '코로나19' 사태를 맞아 언제 추락할지 모르는 절체절명의 위기를 맞았다. 이에 따라 정부가 시장을 대신해 경제를 살리겠다는 한국판 뉴딜정책을 내놓은 것이다.

그렇다면 1930년대 미국의 대공황을 극복하기 위해 국가주도로 프랭클린 루즈벨트 대통령이 폈던 뉴딜은 어떤 정책이었나?

1932년 후버를 꺾고 대통령에 당선한 루즈벨트는 취임 후 자신이 선거공약으로 제시했던 뉴딜을 대공황을 극복하는 정책으로 폈다. 자본주의 중심국가로 미국이 견지하던 자유방임주의를 포기하고 정부가 개입해 경제위기를 해결하는 국가개입주의를 택했던 것이다.

루즈벨트의 뉴딜정책은 기본적으로 3R, 즉 구제(Relief), 회복(Recovery), 개혁(Reform)을 목표로 했다.

'루즈벨트 뉴딜정책'은 대공황의 고통을 받는 사람들을 구제하기 위해 긴급구제법을 제정해 실업자나 빈곤층에 대한 지원을 했다. 농업조정법을 만들어 농산물 생산량을 조절해 가격을 안정시키고 농민에 대한 직접적인 지원도 실시했다. 또한 미국경제의 회복을 위해 대표적인 사업으로 테네시강 유역 개발사업을 벌였다. 홍수예방과 전력생산 등을 목적으로 테네시강 본류와 지류에 대규모 댐공사를 실시해 경기부양과 고용창출의 2중 효과를 추구했다. 이외에도 도로, 철도, 교량, 공항 등 사회간접자본과 학교, 건물 등의 공공시설을 건설하는 국가주도의 공공사업을 대대적으로 펼쳤다.

한편 루즈벨트의 뉴딜정책은 경제개혁조치로 긴급은행법을 만들어 은행의 구조조정과 구제를 서두르고 금리규제, 예금보호 등 은행의 공공성과 안정성을 강화했다. 산업부흥법을 만들어 산업별로 최저가격을 정하고 사장의 과열경쟁도 막았다. 또 사회보장법을 제정해 노령연금과 실업보험을 제도화해서 사회안전망을 구축했다. 소득세법도 강화해 소득분배의 불평등을 해소하는 조치를 취했다. 더 나아가 노동관계법(와그너법)을 만들어 근로자의 단결권과 단체교섭권을 보장하고 사용자의 부당노동행위를 금지했다. 이와 함께 주40시간 근로제와 최저임금제도 도입했다. 1936년 재선에 성공한 루즈벨트 대통령은 이러한 뉴딜정책을 지속적으로 폈다.

루즈벨트 대통령의 뉴딜정책으로 인해 미국경제는 대공황을 극복하고 연평균 5%성장의 회복세를 보였다. 그러나 물가상승, 재정적자 등이 부담으로 작용하자 1937년, 루즈벨트 대통령은 긴축재정정책을 펴기 시작했다. 이를 계기로 미국경제에 다시 공황이 재발해 실업자가 급증했다.

1939년 제2차 세계대전이 발발하자 미국경제는 뜻하지 않은 호황을 맞았다. 제1차 세계대전 때와 마찬가지로 전쟁물자를 수출하면서 제조업이 활성화해 성장률이 높아지고 고용을 대거 창출했다. 조선, 자동차, 항공 등 중공업이 급속도로 발전하고 섬유, 식품, 음료 등의 생활필수품 산업도 전시수요의 급증으로 호황을 누렸다. 제2차 세계대전의 발발로 인해 미국경제는 대공황에서 완전히 벗어나는 것은 물론 전후 세계 최강의 경제로 다시 부상했다. 이에 힘입어 미국은 세계 각국의 대표를 모아 브레튼우즈 협약을 맺고 미국중심의 '팍스 아메리카나 경제체제'를 구축했다.

국가개입주의

미국의 뉴딜정책은 정부가 개입해 자유방임에 따른 자본주의경제의 실패를 막고 안정적인 경제와 사회발전을 모색하는 수정자본주의의 요체가 되었다. 1930년대 구축된 수정자본주의는 오늘날까지 세계경제의 기본체제로 유지되고 있다. 특히 1980년대 말 소련의 붕괴로 사회주의 경제체제가 무너지자 수정자본주의는 세계 각국이 채택하고 있는 경제의 유일체제가 되었다.

근대 군주국가가 형성된 15세기부터 18세기까지 약 300년 동안 유럽국가들은 '중상주의(Mercantilism)'를 채택했다. 중상주의는 국가가 안보를 확립하고 번영을 하기 위한 핵심요소가 국부(國富)라고 여겼다. 중앙집권적인 왕정체제 하에서 국가가 안보를 유지하고 중앙집권적인 통치제도를 운영하려면 군대의 양성은 물론 관리조직이 필요했다. 이를 위해 막대한 국고지출이 필요하자 자연히 중상주의가 유럽국가들 사이에 풍미했다. 중상주의는 국부가 국력을 강화하고 국력은 다시 국부를 증가시킨다는 논리에 근거했다.

이러한 중상주의 체제 하에 유럽 각국은 원자재와 노동력을 탈취하고 이를 이용한 제품의 판매를 독점해 국부와 권력을 축적하는 치열한 식민지 점령경쟁을 벌였다. 19세기에 들어 중상주의는 '경제국가주의(Economic Nationalism)'로 변천했다.

중상주의가 국제무역을 통해 국부를 증가시킨 반면 경제국가주의는 국내 산업을 국부창출의 주요원천으로 삼고 이를 위해 국가이익이 개인이익에 우선한다는 국가개입의 정당성을 표방했다. 이러한 경제국가주의는 자연히 자국의 이익을 보호하고 확대하는 보호무역주의를 동반한다. 따라서 국내 산업을 보호하고 육성하기 위해 관세부과나 수입억제, 보조금 지급 등을 정책으로 폈다.

아담 스미스(Adam Smith, 1729-1790)는 국가가 경제에 강력하게 개입하는 중상주의와 경제국가주의를 비판했다. 1776년 『국부론(The Wealth of Nations, 國富論)』을 출판해 개인의 자유로운 경제활동이 국부를 축적하며 시장 메커니즘이 자원을 효율적으로 배분한다는 이론을 제시했다. 아담 스미스는 시장 메커니즘을 보이지 않는 손으로 지칭하고 경제에 대한 국가의 간섭을 배제했다.

19세기 세계경제는 '보이지 않는 손'의 이론을 토대로 자유방임주의(Laissez-Faire) 시대를 열었다. 국가의 기능을 최소화해 개인의 자유를 최대한 보장함으로써 경제가 발전하는 '순수자본주의(Pure Capitalism) 체제'였다. 그러나 자유방임주의는 점차 시장독점, 노동착취, 빈부격차 등의 문제를 야기해 국가의 시장개입과 국민생활보호에 대한 요구를 유발했다.

이런 가운데 1929년 경제대공황이 발생해 루즈벨트가 뉴딜정책을 펴자 곧바로 자유방임주의는 힘을 잃고 수정자본주의가 등장했다.

이후 경제의 안정적인 발전을 위해 정부개입을 강조하는 '케인즈(John Maynard Keynes, 1883-1946) 경제학'이 발전해 경제학의 주류로 자리를 잡았다. 그러나 1970년대 물가와 실업이 동시에 증가하는 스태그플레이션이 경제를 강타하자 1980년대 들어 케인즈 경제학은 영국의 대처 총리와 미국의 레이건 대통령이 표방한 신자유주의에 다시 자리를 내줘야 했다.

'신자유주의 경제'는 외형적으로 개방과 자유경쟁을 추구했으나 내면적으로는 자국의 이익을 위해 국가가 개입하는 신중상주의 성격을 띠었다. 당연히 강력한 보호무역주의를 동반했다.

1985년 미국이 무역적자를 해소하고 자국산업을 보호하기 위해 체결한 플라자협약이 대표적인 '신중상주의'의 산물이다. 특히 미국 등 경제 강대국이 세계 각국에 금융개방을 요구하고 자본을 투입해 기업사냥을 벌이는 일은 신중상주의 경제의 두드러진 행태다. 2008년 미국발 금융위기 이후 세계 각국은 위기극복을 위해 재정과 통화를 무제한 팽창하는 정책을 폈다. 정부가 직접 구조조정을 하며 재정자금을 투입하는 것은 물론 중앙은행이 금리를 사상 최저수준으로 낮추고 직접 통화를 대규모로 공급하는 양적완화정책을 폈다.

이에 따라 신중상주의는 더욱 힘을 받았다. 이 과정에서 일본의 아베노믹스, 중국의 중화주의, 미국의 미국우선주의가 등장하면서 세계경제가 약육강식의 치열한 무역전쟁터로 변했다. 세계 경제패권을 놓고 싸우는 미국우선주의와 중화주의의 충돌은 양국의 신중상주의가 벌이는 경제전쟁의 극치다.

이런 상태에서 '코로나19' 사태가 터져 세계경제가 앞을 내다보기 힘든 위기를 맞았다. 앞서 언급했듯 1930년대 세계 경제위기를 1차 대공황이라 한다면 2020년 '코로나19' 경제위기는 2차 대공황이라 할 수 있다.

중요한 사실은 이번 2차 대공황이 1차 대공황보다 예측불가이며 급진적이고 장기화할 수 있다는 것이다. 세계경제가 1930년대에 비해 개방정도와 상호의존도가 절대적으로 높아 '코로나19' 사태가 완전히 끝나지 않는 한 세계경제 위기는 확산할 수밖에 없는 상황이다. 이렇게 되자 **세계 각국은 시장기능을 완전히 배제하고, 신중상주의에 입각한 국가개입의 무한경쟁에 돌입했다.**

　　미국의 경우 연방준비제도가 기준금리를 0.00-0.25%로 낮추고 무제한 양적완화에 나섰다. 기업대출은 물론 투기등급의 정크본드(junk bond)[76]까지 매입하는 강수를 두고 있다. 이와 별도로 미국정부는 일정소득 이하의 계층에 월 1,200달러의 현금을 지급하는 등 총 2조 2,000억 달러 규모의 재정확대 정책을 펴고 있다.

　　'코로나19' 사태를 겪는 대부분의 국가들이 이와 같은 국가개입정책을 동시다발적으로 펴고 있다. 사실상 세계 각국이 18세기 이전 중상주의 시대 이상의 강력한 '국가개입주의'를 택하고 있는 것이다.

한국판 뉴딜정책[77]

2020년 7월 14일, 문재인 대통령은 청와대에서 국민보고대회를 열어 '한국판 뉴딜 종합계획'을 발표했다. '한국판 뉴딜'은 추격형 경제에서 선도형 경제로, 탄소의존 경제에서 저탄소 경제로, 불평등사회에서 포용사회로 바꿔 우리나라가 포스트 코로나 시대의 선도국가로 도약하기 위해 마련한 정부주도의 국가대전환 프로젝트다. '디지털 뉴딜'과 '그린

---

76) 신용등급이 낮은 기업이 발행하는 고위험·고수익 채권.
77) 이필상, "한국판 뉴딜, 농촌은 어떻게 하나", 농민신문, 2020. 6. 1. 참조

뉴딜'을 사업의 양대 축으로 하고 '고용과 사회안전망'을 강화하는 것을 주요 내용으로 한다.

 2025년까지 총사업비 160조원을 투입해 일자리 190만1000개를 만들 계획이다. 디지털 뉴딜에 58조2000억 원, 그린 뉴딜에 73조4000억 원, 사회안전망 강화에 28조4000억 원을 투입해 각각 90만3000개, 65만9000개, 33만9000개의 일자리 창출을 목적으로 하고 있다.
 '디지털 뉴딜'은 국가의 산업기반을 디지털로 전환하는 사업이다. 데이터(Data), 5세대 이동통신(Network), 인공지능(AI)으로 대표되는 'DNA' 생태계를 구축하고 의료와 교육 등 비대면 산업을 육성하는 것을 골자로 한다. 저탄소 경제전환을 목표로 하는 '그린 뉴딜'은 풍력과 태양 등의 신재생 에너지 기반시설을 구축하며 친환경 기술을 개발하고 전기차와 수소차 보급 확대, 공공시설과 주택을 친환경 에너지 고효율 건물로 바꾼다는 내용이다.
 '고용과 사회안전망 강화'와 관련해서는 예술인과 특수형태 근로자 등에 고용보험 지원을 확대하여 전 국민 고용안전망을 만든다, 부양의무자 기준을 폐지하고 아프면 쉴 수 있는 상병수당 도입을 추진한다, 경제와 사회변화에 맞는 인재를 양성하고 교육과 훈련도 강화한다는 등의 내용이 발표되었다.
 '한국판 뉴딜'은 집권 후반기에 접어든 문재인 정부가 승부수로 던진 경제정책이다. 문재인 정부는 출범 이후 소득주도성장을 주요정책으로 폈으나 거꾸로 경제의 성장동력을 꺼뜨려 실업과 부채를 양산하고 빈부격차만 확대하는 부작용을 낳았다.

이 와중에 전 세계를 휩쓸고 있는 '코로나19' 사태는 우리경제에 설상가상의 악재로 밀어 닥쳤다. 일단 우리나라는 '코로나19' 방역에 모범을 보여 경제적 타격이 다른 나라에 비해 적은 편이다. 코로나 19' 사태를 통해 어떤 위기도 극복할 수 있다는 자신감을 얻기도 했다. 그러나 '코로나19' 사태는 언제 끝날지 모르는 상황으로 치닫고 있다.

이로 인해 전 세계적으로 경제와 사회생태계가 근본적으로 바뀌고 있다. 이 같은 상황에서 포스트코로나시대를 선도하는 경제성장체제를 구축하고 전력투구한다면 우리나라는 국제경쟁에서 승자로 부상하고 다시 도약할 가능성이 있다. 이처럼 대내외적인 위급함으로 코너에 몰린 문재인 대통령이 '한국판 뉴딜'을 정권의 명운을 걸고 내놓은 것이다. 사실상 정권의 명운이 문제가 아니라 국가의 명운이 달려있는 대단히 중차대한 시점인 만큼 '한국판 뉴딜'의 성패여부에 촉각을 세울 수밖에 없다.

그렇다면 문재인 정부의 '한국판 뉴딜'은 성공할 것인가?

이에 대해 긍정적인 평가를 낼 수 없다는 것이 안타까움을 넘어 참담한 심정이다. 정부가 내놓은 한국판 뉴딜정책은 기본적으로 정책의 현실성이 부족하다. 우리경제에 필요한 목표를 제시하고는 있으나 그 목표를 어떻게 달성할 것인가에 대한 구체적인 방법론은 보이지 않는다. 막연하게 자금을 투입해서 디지털 경제를 만들고 녹색성장을 하며 고용과 사회 안전을 보장하겠다는 것이다.

문재인 대통령은 "'한국판 뉴딜'은 선도국가로 도약하는 대한민국 대전환의 선언이자 새로운 100년의 설계"라고 천명했다. 그럼에도 앞으로의 100년을 위해 대한민국을 어떻게 바꿀 것인가에 대한 손에 잡히는 확실하고 혁신적인 설계도가 없다는 점에서 성공가능성이 의문시될 수밖에 없다.

문재인 정부의 임기는 2022년 5월에 끝난다. 임기가 불과 2년도 채 남기 않은 시점에서 발표한 '한국판 뉴딜'은 2025년까지 추진을 목표로 한 프로젝트다. 초당적인 협치 가운데 만들어진 경제정책이 아니다 보니 차기 정부에서 정책의 지속성이 담보될지도 의문이다.

총사업비 160조원 가운데 114조1000억 원은 국비로 조달하겠다는 계획인데 그만큼 국가부채도 늘어난다. 문재인 정부는 소득주도성장의 실패로 인해 언제 국민의 불만이 폭발할지 모르는 살얼음판을 걷고 있다. 이런 상태에서 부동산 투기가 속수무책으로 치솟고 갖가지 권력형 비리가 잇따라 여론이 돌아서는 위기까지 맞고 있다.

문재인 대통령은 경제를 다시 살리는 동시에 정치적 국면을 전환하려는 이중적 포석으로 '한국판 뉴딜'을 서둘러 내놓았다. 그러나 유구한 경험칙상 방법론이 없는 정책은 정치적 구호로 끝나고 만다는 것을 우리는 잘 알고 있지 않은가! 문재인 정부의 '한국판 뉴딜'에 대해 불안과 우려가 큰 이유다.

한국판 뉴딜정책은 '코로나19' 사태에 따른 경제공황의 위기를 극복하고 미래 우리경제가 살아갈 길을 연다는 차원에서 그 성공이 그 어느 때보다도 절실한 정책이다. 실패하면 경제가 또 다시 타격을 받아 국민의 생계가 불안한 것은 물론, 사회가 지속가능성을 잃고 경제는 회생할 기회를 놓치고 마는 국가적 초대형 재앙을 초래할 수 있기 때문이다.

좀 더 세부적으로 들여다보겠다. 문재인 정부가 내놓은 한국판 뉴딜정책은 경제구조를 개조해 우리경제가 다시 일어서는 개혁과 사업들의 청사진이 아니라 정부가 특정산업이나 사업을 지정해 돕겠다는 지원책의 한계를 벗어나지 못하고 있다.

결국 이 정부가 출범 이후 지지부진하게 추진해온 혁신성장정책을 포장만 바꿔 확대재편한 수준이다. 실제로 한국판 뉴딜정책의 핵심인 디지털 프로젝트는 정부가 2020년 경제정책방향에서 이미 제시한 DNA(Data, Network, AI) 사업을 주요내용으로 한다. 더욱이 그린 뉴딜은 정부의 탈원전 정책에 따라 이미 추진하고 있는 사업의 중복이다. 또 고용과 사회안전망 구축은 정부의 기본정책기조에 따라 추진하고 있는 친노동정책의 연장선상에 있는 사업이다. 한마디로 전혀 새로울 것도 개혁적인 것도 없다.

현재 우리경제는 주력산업이 무너지면서 경제성장동력이 꺼지는 구조적 위기를 겪고 있다. 단순하게 정부가 지원책을 편다고 해서 살아날 수 있는 구조가 아니다. 이런 구조 하에서 정부가 단순한 지원책의 형태로 한국판 뉴딜정책을 추진하면 정부예산만 낭비하는 실패작으로 끝날 가능성이 크다. 정말 경제를 살리겠다는 의지가 있다면 부실산업을 과감하게 정리하고 체계적인 혁신방안을 마련해 이를 바탕으로 DNA 등 첨단사업들을 추진하는 개혁적인 한국판 뉴딜정책을 만들어 추진해야 한다.

한편 **한국판 뉴딜정책의 가장 큰 걸림돌로 작용하는 것이 정부규제다.** 고기술의 신규사업을 대대적으로 추진해야 하는 뉴딜정책 자체가 규제의 덫에 걸려 수행이 어려울 수 있다. 더구나 사업을 실행에 옮겨도 규제에 따라 항상 감시와 감독을 받아야 하기 때문에 정상적인 운영이 제약을 받는다. 한국판 뉴딜정책의 성공을 위해 획기적인 규제개혁이 필요하다.

한국판 뉴딜정책을 가로막는 또 하나의 벽은 집단이기주의와 사회갈등이다. 아무리 경제적으로 타당하고 필요한 사업이라 할지라도 기득권에게 불이익을 주거나 불안을 야기하면 집단적인 반발이나 사회적 갈등이 발생해 사업추진이 어려운 경우가 많다. 대표적인 경우가 인터넷을 이용한 '공유경제'다. 공유경제가 발전하면 과잉생산을 줄이고 다양한 사업모델을 만들어 혁신성장을 촉진하고 새로운 일자리를 만들 수 있다. 그러나 기존의 공급자나 소비자들의 경제활동과 이익을 해칠 수 있어 반발이 있는 것은 불가피하다.

한국판 뉴딜정책의 효과적인 추진을 위해서는 집단이기주의와 사회적 반발을 억제하고 구성원 모두가 힘을 모으는 상생의 노사정 대타협이 필수조건이다. 우리사회는 이념갈등, 빈부갈등, 세대갈등을 포함한 여러 갈등들로 심각한 분열을 겪고 있다.

위기의 때일수록 먼저 사회통합이 이루어지지 않으면 위기극복은 요원하다. 노사정이 대타협을 서둘러 사회구성원 모두가 '코로나19' 위기극복과 경제 살리기에 힘을 모아야 한다. 그렇지 않으면 나눠먹기와 고통전가의 이전투구로 인해 스스로 무너지는 재앙을 자초하게 될 것이다. 침몰하는 배위에서 싸우는 것은 자살행위나 다름없다.

국가가 있어야 개인도 있다. 그 어느 때보다 상생과 협력, 국민대통합이 절실함을 정부도 기업도 개인도 모두 통감해야 대한민국이 새로운 미래를 꿈꿀 수 있다.

정치적 포퓰리즘의 위기

문재인 정부의 한국판 뉴딜은 '코로나19' 사태에 따른 경제위기를 극복하기 위해 국가가 시장에 개입하는 경제정책이라 볼 수 있다. '코로나19'의 경제위기 성격이 시장 스스로 해결하기 어려운 위기라고 볼 때 불가피한 정책일 수 있다. 그러나 시장기능을 무시하고 강력한 정부개입으로 경제를 살린다는 견지에서 불안이 큰 것도 사실이다. 한국판 뉴딜정책 추진에서 제기되는 근본적인 우려는 정치논리의 작용이다. 정부가 한국판 뉴딜을 정치적인 포퓰리즘(populism)의 수단으로 이용할 경우 '코로나19' 위기를 극복하는 것이 아니라 경제의 근간을 무너뜨리는 아주 위험한 반시장적인 정책으로 끝날 수 있기 때문이다.

문재인 정부는 지난 3년 동안 소득주도성장을 주요 경제정책으로 고수했다. 정부가 국가예산을 확대해 일자리를 만들고 복지지출을 늘려서 경제를 살린다는 이 정책은 기본적으로 시장기능을 무시하는 포퓰리즘의 성격을 띠고 있다.

소득주도성장정책이 효과를 발휘하려면 정부의 재정지출이 시장에서 소비와 투자를 활성화해 경제성장률을 높이고 고용을 창출해야 한다. 그러나 정부의 재정지출은 소모적인 지출로 끝나고 경제는 오히려 성장동력을 잃어 불황이 심화하는 현상이 나타나고 있다.

특히 문제는 기업들이 수용하기 어려운 최저임금 인상과 근로시간 단축이었다. 가뜩이나 경제가 성장률의 하락으로 인해 불황을 겪고 있는 상태에서 임금은 오르고 근로시간이 감소하니까 한계상황에 처한 자영업과 중소기업들이 줄줄이 무너지고 실업자가 쏟아져 나오는 현상이 나타나고 있다. 이를 극복해 보겠다고 정부는 최저임금 인상분을 보전해주고 실업자와 빈곤층에 대한 지원을 강화해 재정지출을 확대하는 정책을 펴고 있다. 이렇게 되자 경제가 밑 빠진 독에 물 붓기 식으로 한없이 정부지출을 늘려야 하는 '재정중독증'에 걸렸다.

결국 소득주도성장정책은 친노동의 정치적 포퓰리즘으로 바뀌어 정부와 경제를 동시에 부실하게 만드는 악성 경제정책이 되고 있다.

그런 와중에 2020년 1월 뜻하지 않게 '코로나19' 사태가 터져 경제가 더욱 심각한 혼란에 빠졌다. 정부와 한국은행은 즉각 자금을 투입하는 정책을 폈다. 경제위기를 막기 위한 불가피한 조치였다.

'코로나19' 사태가 확산하는 상태에서 4.15총선을 치르게 되자 정부와 정치권은 자금지원을 확대하는 정책을 앞다투어 내놨다. 정부는 선거 며칠 전 모든 아동을 대상으로 아동돌봄 쿠폰을 공급했다. 여야 정치권은 재난소득지원정책을 놓고 선심경쟁을 벌이며 전 국민을 상대로 가구당 최대 100만원까지 지급하였다. '코로나19' 경제위기를 극복하기 위한 자금지원정책이 선거와 맞물리면서 정치적 선심정책으로 날개를 달았다.

더구나 정부는 한국판 뉴딜정책을 소득주도성장과 맥을 같이하는 포퓰리즘의 형태로 추진할 가능성이 있다. 그러나 **정부가 경제정책의 기본기조인 소득주도성장을 계속하여 집중적으로 펼 경우 한국판 뉴딜정책은 그동안 이 정부가 형식적으로 추진해온 혁신성장의 연장으로 끝날 수 있다.**

특히 정부가 한국판 뉴딜정책의 핵심 분야인 국가기반시설의 디지털화와 그린뉴딜을 명분으로 사회간접자본 투자에 치중할 경우 한국판 뉴딜정책은 이명박 정부의 그린뉴딜 정책을 답습하는 것이 된다.

2008년 미국발 금융위기가 닥치자 이명박 정부는 4대강 정비사업, 지방의 사회간접자본 확충, 취약계층과 저소득층 복지지원 등의 정책을 폈다. 더불어 그린벨트 해제, 수도권 총량제 완화 등 대대적인 규제완화정책도 폈다. 주력산업이 경쟁력을 잃어 성장동력이 꺼지고 있는 상태에서 토목건설 중심으로 이뤄진 이명박 정부의 그린뉴딜정책은 결국 경제는 살리지 못하고 부동산 투기만 잉태하는 부작용을 낳았다.

문재인 정부의 한국판 뉴딜정책이 단기적인 정치적 실적에 급급할 경우 이명박 정부의 토건정책 실패를 반복할 가능성이 있다.[78] 이미 문재인 정부도 사회간접자본 건설의 중요성을 제기하고 도서관, 체육관 등 생활형 사회간접투자 정책을 적극적으로 펴고 있다. 더욱이 국가의 주요 사회간접자본 건설에 대해 예비타당성 조사를 면제하는 내용의 '2019 국가균형발전 프로젝트'를 심의·의결한 상태다.

문재인 정부의 한국판 뉴딜정책은 박근혜 정부의 창조경제 정책을 답습하는 결과를 낳을 가능성도 있다. 한국판 뉴딜정책의 핵심분야인 AI, 5G, 드론, 빅데이터, 사물 인터넷, 융복합 등 디지털 인프라 구축사업은 박근혜 정부가 폈던 창조경제 정책과 흡사하다.

이런 정책을 박근혜 정부 때와 같이 근본적인 경제구조 개혁과 혁신 없이 피상적으로 추진한다면 문재인 정부의 한국판 뉴딜도 박근혜 정부의 창조경제와 같은 운명을 맞을 수 있는 것이다.

실로 더 큰 문제는 정부재정의 급속한 악화다. 정부는 '코로나19'

---

78) 이필상, "한국형 뉴딜정책 필요하다", 세계일보, 2009. 1. 3. 참조

로 인한 경제위기를 극복하기 위해 투 트랙의 정책을 펴고 있다. 한편으로 자금을 지원해 부도를 막는 재정과 통화의 팽창정책을, 다른한편으로는 새로운 산업을 일으켜 성장동력을 창출하고 일자리를 만들겠다는 정책을 펴고 있다.

문재인 정부는 재정투입의 효율성보다는 정치적인 선심성을 중시하는 경향이 있다. 이에 따라 재정투입을 무분별하게 하면 투 트랙의 정책 모두 중도에 실패로 돌아갈 수 있다. 정책의 실패로 경제위기가 계속 확산하면 정부는 어쩔 수 없이 긴급 자금지원 정책을 계속 펼 수밖에 없다. 그러면 정부부채가 쌓여 국가부도 위험이 커진다. 물론 투 트랙의 정책이 성공을 거둘 경우 우리나라는 경제방역을 선도해 경제강국으로 다시 일어설 수 있는 기회를 얻을 것이다.

그런데 이러한 낙관론으로 기대감을 가지기엔 이미 정부의 방만한 재정운영으로 인해 재정적자가 빠른 속도로 늘고 정부부채가 급격히 늘고 있어 위기감이 팽배해 있는 상황이다. 앞으로 얼마나 투 트랙의 정책을 올바르게 펴고 한정된 재정을 효과적으로 투입하는가에 정부 정책의 성패가 달려 있다.

전화위복의 기회[79]

세계경제는 약육강식의 치열한 무역전쟁의 불이 붙은 상태다. 이런 상태에서 세계 각국은 '코로나19'와 싸워야 하는 또 다른 전쟁을 맞았다. 무역전쟁이 피아(彼我)를 가리지 않고 무조건 싸워야 하는 무한생

---

79) 이필상, "한국판 뉴딜정책, 경제강국 도약하는 전화위복의 기회로 삼아야", 대한민국정책브리핑, 문화체육관광부, 2020. 4. 29. 참조

존전쟁으로 바뀌었다. 그런데 중요한 사실은 위기가 클수록 기회도 크다는 것이다. 세계경제가 어떻게 변할지 모르는 상황 가운데 이 생존싸움에서 끝까지 버티고 다시 일어서는 나라가 경제패권을 차지하는 승전국이 될 수 있다. 반면 그렇지 못한 나라는 파국을 맞고 다른 나라에 의존하는 운명을 맞을 것이다. 이런 차원에서 '한국판 뉴딜정책'은 우리경제의 명운이 걸린 국가적 과제다. 한국판 뉴딜을 경제전쟁의 첨단무기로 만들어 승리로 이끌어 내야만 한다.

　　정부가 한국판 뉴딜정책을 결코 정치적인 전시효과나 단기적인 업적을 올리는 수단으로 펴면 안 되는 절박한 이유다. 한국판 뉴딜정책을 정치적 포퓰리즘의 수단으로 이용할 경우 정부는 세금을 낭비하고 경제를 스스로 무력화해 패배를 불러올 것이 너무나 자명하다. 더욱이 건설토건사업에 치중해 그린뉴딜을 실패한 이명박 정부나 부동산 경기부양으로 경제를 살리려다가 창조경제를 실패한 박근혜 정부의 전철은 결코 다시 밟지 말아야 한다.

　　이런 견지에서 **정부의 경제정책기조 전환이 무엇보다 절실하다.** 정부는 포퓰리즘의 성격을 띤 소득주도성장정책을 과감하게 탈피해야 한다.

　　지난 3년여 동안 정부가 추진한 소득주도성장의 성적표는 참담하다. 경제위기를 오히려 확대해 국민들의 고통을 가중시켰을 뿐이다. 2019년 기준으로 경제성장률은 2.0%를 기록해 10년 만에 최저다. 고용은 30만8천명이 늘었으나 정부가 대부분 인위적으로 만든 60대 이상 고령층의 저임금 임시고용이 37만7천명 증가한 덕분이다. 경제의 허리인 30대와 40대의 고용은 각각 5만3천명과 16만2천명으로 뚜렷이 감소했다. 정부가 예산을 과다하게 풀어 정부부채가 급격히 늘고 있다. 2019년 기준으로 연금충당 부채까지 합하면 우리나라 총 정부부채는 1743조원으로 국내총생산의 91%에 달한다.

무엇보다도 소득주도성장의 최대 목표인 소득격차 해소는 요원해 지고 거꾸로 소득격차 악화를 불러왔다. 2020년 1분기 기준으로 상 위 20%계층의 소득을 하위 20%계층의 소득으로 나눈 5분위 배율이 1년 전 5.18에서 5.41배로 증가했다.

이는 소득주도성장이 최소한의 명분도 잃었다는 것을 여실히 나타 낸다. 그럼에도 불구하고 정치이념에 충실하고자 소득주도성장정책을 기본기조로 계속 유지하면서 한국판 뉴딜정책을 펴는 것은 한편으로 경제를 무너뜨리면서 다른 편으로 경제를 일으키겠다는 양단의 모순 이다.

한국판 뉴딜정책을 성공시키려면 근본적으로 산업생태계를 바꿔야 한다. 정부는 세금 먹는 하마로 변한 부실한 산업과 기업들을 과감하 게 정리하는 구조조정부터 실시해야 한다.

우리나라 산업기반은 과거 고도성장 시기와 비교하면 와해상태나 다름없다. 2019년 기준으로 산업생산 증가율은 0.4%로 19년 만에 최저다. 설비투자는 -7.6%로 10년 만에 최대로 감소했다. 여기에 제 조업 생산능력이 1.2% 떨어져 48년 만에 최악이다. 제조업 가동률은 72.9 %로 21년 만에 최저치를 기록했다.

당연히 규제개혁과 노동개혁, 재정지원, 금융지원과 조세지원 등의 정책을 과감하게 펴 기업하기 좋은 나라를 만들어야 한다. 산업생태 계를 바꿔서 벤처기업과 중소기업들이 자유롭게 일어나 한국판 뉴딜

사업의 주역으로 역할을 할 수 있게 만들어야 한다. 따라서 벤처기업과 중소기업이 4차 산업혁명을 앞당겨 경제의 성장동력을 선제적으로 창출해야 한다.

이렇게 하여 우리경제가 암울한 경제전쟁의 터널을 신속하게 빠져나와야 한다. 동시에 새로운 국제경쟁력으로 무장해 세계시장을 자유롭게 공략하는 힘을 가져야 한다. 그래야만 경제강국으로 부상해 일자리를 만들고 소득을 늘려 '모든 국민이 잘 사는 나라'가 될 수 있다. 이 정부의 중점 경제기조인 소득주도성장의 본래 목적이 바로 이것, '다 같이 잘 사는 경제' 아니던가? 그렇다면 잘못된 부분은 인정하고 추구하고자 한 목적을 이루는데 포커스를 맞추는 대승적인 용기와 결단이 필요하다.

한국판 뉴딜정책에 포함해야 할 주요사업이 농촌대책이다. '코로나19' 사태로 인해 국가간 이동이 제한되자 식량안보가 아주 시급하고 중대한 문제로 대두되고 있다. 이미 인도, 태국, 베트남, 러시아 등은 곡물수출을 금지하거나 제한하기 시작했다. 사태가 악화할 경우 국가들 간에 식량을 무기화 할 가능성이 있다. 우리나라는 쌀을 제외하면 식량의 해외의존도가 절대적으로 높다. 설상가상으로 농촌경제가 일손부족으로 악화일로다. 농가인구의 45%가 65세 이상의 고령인데 '코로나19'사태가 발생해 외국인 근로자 구하기도 어려운 형국이다.

농촌정책은 식량안보를 지키기 위한 근간사업이자 미래산업이라는 인식으로 그 중요성과 공공역할을 강화해야 한다. 따라서 식량안보를 지키고 농촌경제를 발전시키기 위해 농업의 스마트화를 한국판 뉴딜정책의 주요사업으로 추진해야 할 것이다.

전통적인 영농을 전면적인 스마트 팜(smart farm) 체제로 바꾸고 첨단 정보통신기술을 접목해 농수산물의 유통체제를 혁신해야 한다. 또한 안정적인 생산체제와 소비구조의 구축이 시급하다.

이와 더불어 안정적인 농가소득을 위해 농산물 수급불안을 해소하고 자금지원을 강화하는 조치를 취함은 물론 농민수당, 농민연금 등의 사회안전망도 적극적으로 강구해야 한다. 그리하여 외국인노동자들에게 의존하던 인력수급구조를 탈피하고 청년층과 은퇴자들의 유입을 대대적으로 유도하여 농업을 포스트코로나시대 주요산업으로 발전시켜야만 한다.

한국판 뉴딜정책의 또 다른 걸림돌은 바로 대기업의 기득권이다. 경제가 위기를 겪을 때마다 정부는 규제를 풀고 자금을 지원하는 정책을 편다. 다급한 정부는 빠른 경제회복과 성장을 위해 대기업들에게 도움을 요청하고 지원을 집중한다. 이를 기화로 대기업들은 갖가지 숙원과제를 풀면서 대규모 정부지원을 바탕으로 위기극복의 책임을 맡는다.

지난 세월 고질적으로 반복되어온 이러한 경제위기 극복방법은 시장 독점, 경제력 집중 등의 경제적 비효율을 낳아 경제위기를 스스로 부르고 다시 대기업들의 역할을 연속적으로 확대하는 악순환의 덫을 만들었다. 또 정경유착 비리와 부정부패를 낳아 나라를 병들게 하는 부작용도 낳았다.

이번 한국판 뉴딜은 대기업의 부당한 이권을 배제하고 벤처기업과 중소기업의 공정한 참여를 전제조건으로 해야 한다. 우리 경제성장률 전망치는 -2.1%로 OECD국가 중 제일 양호하다. 중국의 경제성장률

전망치는 +1.0%로 미국의 -8.0%, 독일의 -5.8%, 프랑스의 -12.5% 등에 비해 월등히 높다. 지난 2분기 중국경제는 전년 동기 대비 +3.2% 성장률이 기록해 세계를 놀라게 했다.

　포스트코로나시대에 세계경제의 중심이 점차 아시아로 이동할 가능성을 기대해 볼 수 있다. 따라서 한국형 뉴딜정책이 성공적인 궤도를 걸어 아시아에서 혁신성장을 주도하는 국가로 부상할 경우 우리나라는 위기를 기회로 바꿔 당당하게 경제강국으로 도약하는 전화위복의 결과를 가져올 수 있다. 자칫하면 다른 나라에 선수를 빼앗긴다. 정부의 신속한 대응과 정치권 및 기업들의 대승적인 협력이 그어느 때보다도 절실하다.

15

정치와 이념에서 탈피해야 경제가 산다

정치의 경제농단

한국경제의 가장 근본적인 문제는 정치의 경제농단이다. 선거 때만 되면 모든 정당과 후보들은 여야를 막론하고 득표를 위해 인기영합 공약을 남발한다. 또 각 정당과 후보들은 당선과 권력 차지를 위해 정책대결을 하는 포지티브 선거 대신 상대방 비리와 약점을 공략하는 네거티브 선거를 한다. 더욱이 지지세력의 표를 모으기 위해 국민을 편 갈라 분열시키는 반헌법적인 행위를 자행한다. 지역갈등, 이념갈등, 빈부갈등, 세대갈등 등 온갖 갈등을 부추기며 국민갈등과 사회분열의 반사이익으로 자신들의 지지세력을 결집하는데 여념이 없다. 치열한 진흙탕 싸움 끝에 선거가 끝나면 집권세력은 권력을 독점한다. 그리고 정부와 공공조직의 요직을 측근인사들로 채우며 이권을 독차지한다. 심지어 공권력을 남용해 기업과 민간조직에 낙하산 인사를 강요하고 뇌물을 받는 등 부정부패를 저지른다.

이것이 이 땅의 정치권력이 공식처럼 반복해 온 뿌리 깊은 해악이다.

모든 권력은 국민에게서 나온다. 선거는 과반의 득표를 한 당선인에 한시적으로 권력을 위임한 것이지 사유물로 준 것이 아니다. 너무나 당연한 만고불변의 이 진리가 권력을 손에 넣는 순간 휴지조각만도 못한 것이 되어왔다.

실로 더 큰 문제는 경제정책을 정치적 선심이나 정권유지에 이용해 온 것이다.[80] 이렇게 되면 경제정책이 국가와 사회를 위한 것이 아니라 집권세력과 지지자 계층을 위한 통치수단으로 전락한다. 이것이 얼마나 위험천만한 일인지를 지난 정권들에게서 우리는 충분히 학습해 왔다. 결국 경제를 망치고 국민의 삶을 고단하게 하는 것은 정치였음이 이미 수많은 선례를 통해 증명되지 않았던가.

일반적으로 보수정권은 성장, 진보정권은 분배라는 2분법의 이념으로 경제정책을 편다. 보수정권이 들어서면 경제를 살리고 경제성장률을 높인다는 명분으로 규제완화, 조세감면, 금융지원 등의 정책을 편다. 서민이나 소외계층을 위한 고용보장, 복지, 연금, 사회보험 등의 정책은 애써 외면한다. 보수정권의 지지세력인 기업과 고소득층을 위한 정책을 선별적으로 펴는 양상이다. 진보정권이 들어서면 정 반대현상이 나타난다.

이명박 정부와 박근혜 정부는 기업과 고소득층을 위한 성장정책을 강조했다. 김대중 정부와 노무현 정부는 노동자와 서민을 위한 분배정책을 중시했다. 문재인 정부는 국가예산을 풀어 분배정책의 극단적

---

80) 이필상, "정치가 잘해야 경제가 산다", 농민신문, 2020. 1. 1. 참조

인 형태인 소득주도성장정책을 펴고 있다.

모두 경제를 올바르게 살리는 경제논리가 아니라 정권의 정치기반 유지를 위한 정치논리의 성격을 내포했다. 정권이 바뀔 때마다 널뛰듯 달라지는 정책기조로 인해 경제가 불안과 혼란에 빠지고 국가예산의 낭비를 가져왔다.

한편 이념에 관계없이 역대 정부는 부동산정책을 정치적인 경기부양에 이용했다. 김대중 정부는 외환위기를 극복하기 위해 구조조정정책을 펴는 과정에서 경기활성화가 다급하자 규제를 완화해 부동산거래를 활성화했다. 노무현 정부는 국토의 균형발전 차원에서 신도시 건설을 위해 토지보상금을 풀었으나 부동산 투기에 자금을 투입하는 결과를 불러왔다. 이명박 정부는 4대강 정비사업 등 토건사업에 치중해 부동산시장을 키웠다. 박근혜 정부는 아예 부동산시장을 경기부양의 수단으로 삼아 규제를 풀고 통화공급을 늘려 부동산 거래를 활성화했다.

문재인 정부는 한편으로는 부동산 투기를 억제하기 위해 규제강화, 대출차단, 보유세 증세 등의 강력한 조치를 취하고 있으나 다른 한편으로 경기를 활성화하기 위해 국가 주요시설의 건설에 대한 예비타당성 조사를 면제하고 생활형 사회간접자본을 건설하는 이중적인 정책을 펴고 있다.

대한민국은 전국이 고질적인 부동산 투기장으로 변하고 이성을 잃은 투기열풍이 주기적으로 일어난다. 부동산 투기가 악화하면 집권정부는 경기부양을 멈추고 부동산 투기와의 전쟁에 나선다. 그러다가 필요하면 다시 부동산 투기를 자극하는 정책을 쏟아낸다. 이처럼 병주고 약주는 식의 부동산 정책을 반복하다가 망국병을 낳았다.

문재인 정부의 경제정책기조가 반시장, 반기업이라는 비판이 거세다. 물론 비판자체가 정권 반대세력의 정치적 공격이라 생각할 수도 있다. 그러나 실제 문재인 정부의 경제정책이 대기업이나 고소득층 등 기득권 계층의 권익을 제한하고, 근로자와 저소득층 등 정권 지지 계층의 권익을 확대해 정치적 성격을 띠는 것은 부정하기 어렵다.

시장경제체제 하에서 경제정책은 시장기능의 왜곡을 시정하고 시장 본연의 기능을 활성화해 안정적인 성장과 공정한 분배를 가져오는 것이 기본목표다. 이와 달리 특정계층의 이익을 지나치게 위하거나 정치적인 목적으로 시장을 왜곡하고 통제해 본연의 기능을 해치고 경제가 수용하기 어려운 정책을 펴 국민 경제에 피해를 유발한다면 그것은 경제정책이 아니라 엄연한 '경제농단'이다.

보건복지부 국민연금 기금운영위원회가 도입한 기관투자가주주권 행사지침(Stewardship Code)은 자본주의 시장경제를 연금사회주의로 만드는 반시장, 반기업 수단이라는 우려도 제기됐다.

2018년 이 제도가 도입됨에 따라 국민연금은 투자기업이 상정한 안건에 대한 단순한 의결권 행사를 넘어 사외이사 추천, 주주대표 소송, 이사해임 요구, 경영진 면담 등 적극적인 경영참여를 할 수 있게 되었다. 2019년 현재 국민연금 기금의 규모는 700조원을 넘어 국내 총생산의 40%에 육박한다. 국민연금이 지분 5%이상을 보유해 경영권에 개입할 수 있는 기업이 전체 상장기업의 40%에 달한다. 국민연금이 1, 2대 주주인 기업도 전체 상장기업의 20%나 된다.

이런 상태에서 국민연금이 적극적으로 기업경영에 참여할 경우 우리경제는 시장경제 본연의 기능을 잃을 수 있다.

경기침체가 심한 상태에서 대기업들에 대한 법인세 인상과 부동산 소유자들에 대한 보유세 인상도 친시장적인 조치라고 보기 어렵다. 물론 자본주의 경제의 모순인 양극화를 해소하고 공정한 사회발전을 위해서 수익을 많이 창출하는 대기업과 재산이 많은 고소득층에게 세금을 많이 걷는 것은 당연히 필요한 일이다. 문제는 세금의 징수가 징벌적이거나 정치적인 성격을 띠면 안 된다는 것이다.

정부가 법인세와 부동산 보유세를 인상한 것은 조세정책으로 소득 재분배를 강제하고 소득주도성장을 위한 세수증대를 목적으로 한 것이다. 당연히 반시장, 반기업의 정치적인 정책이라는 비판이 나올 수밖에 없다. 기업들의 경영난이나 부동산 소유자들의 부당한 피해 등을 고려하지 않은 정치적 판단에 따른 조치를 당했다고 느끼기 때문이다.

특히 세계적으로 보호무역주의가 확산하면서 미국은 물론 일본, 프랑스 등 주요 경제국가들은 자국기업의 투자를 활성화하고 경쟁력을 기르기 위해 대폭적인 법인세 인하 정책을 펴고 있다. 그런데 우리 기업들에게는 정부가 거꾸로 투자를 막고 경영을 악화하는 덫을 씌우고 있는 셈이다.

정치권력이 자신들의 이념으로 경제를 끌어들이는 패착에서 벗어나지 못하고 있는 것은 경제와 시장의 속성과 기능을 이해하지 못하는 무지이거나, 혹은 인정하지 않으려는 오만에서 비롯된다고 해도 과언이 아니다. 정치가 생물이듯 경제와 시장 역시 유기체와 같다. 생존을 위해 스스로 자정하고 진화한다. 따라서 정치는 조정자로서 역할을 해야지 권력의 입맛에 맞춰 경제를 농단하려 해서는 안 된다.

경제를 이념의 수렁으로 끌어들여 망치게 되는 정치권력의 행태야말로 국민적 불행이자 국가적 재앙이다. '경제를 정치의 시녀'로 여겨온 구조악을 끊어내는 정치가 한국경제를 살릴 것이다.

국회의 파행이 경제에 미치는 해악

우리나라 국회의 기능은 민주주의 수준 이하다. 국회가 집권세력의 정치적 이익이나 정권유지를 위해 국가정책은 물론 법과 제도까지 바꾸려 하고 야당은 이를 총력 저지하는 정치전쟁터로 변한지 오래다. 우리 국회는 식물국회와 동물국회를 번갈아 가며 시현한다. 즉, 평상시 여야는 정치적 현안을 놓고 싸움을 벌이고 국회는 식물상태로 방치한다. 그러다 법안이나 예산처리가 임박하면 국회는 관련 안건의 국회통과와 저지를 놓고 진흙탕 싸움을 벌이는 동물국회로 돌변한다.

국회는 국민의 대의기관으로 입법과 예산심의 기능을 갖고 있다. 정부를 감시하고 사회적 갈등을 해소하는 역할도 국민의 몫이다. 국민이 선출하는 국회의원은 각자 독립적인 헌법기관으로, 국민을 대표해 법과 신념에 따라 양심껏 국정활동을 하는 것이 의무다. 그런데 실제는 어떠한가? 우선 국회의원들은 나라의 살림살이인 정부예산을 놓고 자신들에게 필요한 예산쟁탈전을 치열하게 벌이는 것을 목적 삼는다.

정부예산은 국가 안위와 국민의 삶을 위해 정부가 동원해 거둬들이는 혈세다. 특히 정부가 어떤 재정정책을 펴는가에 따라 경제상황이 달라진다. 정부예산이 국가경제 운영에 중추적인 역할을 한다. 그러니 국회는 당연히 정부가 제출한 예산안을 공정하고 철저하게 심의하고 국민의 세금을 아껴야 한다. 그러나 정작 국회의원들은 국가와 국민을 위한 예산심의에 대해서는 별 관심이 없다.

소속정당이나 자신에게 정치적으로 이득이나 손해가 되는 항목을 집중적으로 분석한다. 그리고 자신과 소속정당의 정치적 이해에 부합하는 항목이나 사업들을 포함시키는 싸움에 몰두한다. 예산안의 제출과 함께 시작되는 국정감사에서 국회의원들은 국정현안들이 자신의 이익에 부합하지 않을 경우 정부부처의 장관이나 관련공무원들을 불러 놓고 무턱대고 질책과 압박을 가한다.

결국 정부예산은 심의 시한까지 넘기며 막판에 졸속심의로 끝낸다. 막판 졸속심의도 그대로 넘어가는 것이 아니다. 국회의원들마다 자신의 지역구에 필요한 선심예산을 넣는 최후의 흥정을 벌인다. 이와 같이 누더기가 된 예산안은 정부가 요구한 예산보다 금액이 많아지는 어처구니없는 일들도 관행처럼 자행되어진다. 그것도 여야가 합의를 못해 난장판 국회를 열어 몸싸움을 하다가 여당이 날치기로 통과시키는 것이 보통이다.

법안처리도 똑같은 형태를 반복한다. 국회의원들마다 자신과 소속정당에 유리한 법안의 심의와 처리에 집중한다. 또 자신이 원하는 법안이 있을 경우 직접 발의한다. 이렇게 되자 여야 정당은 물론 국회의원 개인들마다 입장이 다른 법인들이 국회에 무수히 상정된다. 물론 제대로 심의하지 않고 내면적으로 싸움을 벌이며 시간을 끈다. 국회가 자연히 식물국회로 전락한다. 법안의 통과가 절박해지면 그제야 국회가 문을 열어 여야가 서로 필요한 법안을 정치적으로 흥정한다. 그리하여 많은 법안들이 무더기로 처리된다. 흥정이 안 되는 주요법안이 있을 경우 여야는 소속 국회의원들을 소집해 국회에서 다시 물리적으로 충돌하는 동물국회를 연다. 끝내 힘있는 정당이나 정치인이 원하는 법안이 국회를 통과한다.

이런 국회에서 경제위기를 극복하고 대한민국을 도약시킬 정책대안을 어떻게 기대할 수 있겠는가? 경제정책과 경제관련 법안들은 개혁성과 시의성이 생명이다.

최근 우리경제는 성장동력이 꺼지고 양극화가 심해 근본적으로 구조를 개혁하고 새로운 발전체제를 갖추는 일이 무엇보다 시급하다. 더군다나 세계경제는 제2의 공황위기를 맞아 각국이 다른 나라를 제치고 먼저 살아나겠다는 무역전쟁을 벌이고 있다. 이런 상태에서 우리나라 국회를 가지고는 경제를 개혁하고 다시 발전하는 법과 제도의 마련은 물론 경제위기를 올바르게 극복하고 활력을 불어넣는 경제정책을 만들고 집행하는 것은 그야말로 불가능에 가깝다.

2016년 6월에 문을 열어 2020년 5월에 문을 닫은 20대 국회는 '최악의 국회'라는 오명을 얻었다. 20대 국회는 여소야대로 출발했다. 당시 여당이었던 새누리당은 122석이고 제1야당인 더불어 민주당은 123석이었다. 여기에 국민의당 38석, 정의당 6석, 무소속 11석 등이 야당 의석이었다. 시작부터 박근혜 정부와 집권여당이 국민의 심판대에 오른 국회의석의 구성이었다.

곧이어 박근혜 정부의 비선실세로 국정을 농단한 최순실 사태가 터지면서 국회는 박 대통령 탄핵사건으로 아수라장이 되고 말았다.

국회는 국정조사와 특검 임명을 통해 진상규명에 들어가고 2016년 12월 9일 대통령 탄핵 소추안을 가결했다. 국회의석의 과반을 차지하는 야권의 박 대통령에 대한 집요한 공격이 탄핵 소추안의 가결에 핵심역할을 했다. 그러나 박 대통령에 대한 지지를 거두고 탄핵소추안 가결에 찬성으로 돌아선 집권여당 의원들이 국회의석 3분의 2 이상의 가결 정족수를 채우는데 결정적인 역할을 했다. 물론 집권여당 국회의원들 중에는 최순실 국정농단 사건의 부당성 때문에 박 대통령 탄핵소추안 가결에 찬성으로 돌아선 의원들이 많다. 그러나 단순하게 자신의 정치적 기반이나 유불리 때문에 찬성을 한 여당의원들도 적지 않았다.

이후 집권여당인 새누리당은 진박 진영과 비박 진영으로 계파가 나뉘어 싸우는 내부분열 상태에 빠지고 더불어민주당을 필두로 하는 야당진영은 대통령 하야를 촉구하는 장외투쟁을 벌이며 전국적으로 일어난 시민들의 촛불집회에 가세했다. 국회는 모든 기능을 잃고 마비되었다.

2017년 3월 10일 헌법재판소의 파면결정으로 대통령의 탄핵이 헌정사상 처음으로 현실화했다. 20대 국회 후반기에 들어 국회는 당리당략을 앞세워 싸움만 하는 진흙탕 속 식물국회로 전락해 국회 보이콧 현상이 수시로 나타났다. 사실상 국회는 제 기능을 완전히 상실했다. 20대 국회는 급기야 2020년 3월 임기 만료 2달을 앞두고 최악의 상황을 연출했다.

고위공직자범죄수사처를 설치하는 일명 공수처 법안과 연동형 비례대표제를 도입하는 선거법 개정안의 패스트 트랙 처리를 놓고 이를 반대하는 자유한국당과 법안통과를 밀어붙이는 더불어민주당의 극한적인 대립이 육탄전까지 벌이는 참상을 연출한 것이다. 결국 이 싸움은 의원 숫자에 밀린 자유한국당의 패배로 끝났다. 문제는 공수처 법안과 연동형 비례대표제를 놓고 더불어민주당과 정의당 등 다른 야당이 밀실 흥정을 하고 야합을 했다는 것이다. 그 결과 신성한 대의제는 오염되고 국민의 혈세가 탕진된 만큼 향후 국민적 심판과 역사적 단죄를 면하기 어려워 보인다.

20대 국회의 입법실적은 참담하다. 4년간 발의한 법안은 총 2만4천79건에 달한다. 이중 국회에서 처리한 법안은 8천491건으로 35%에 불과하다. 그것도 대부분 막판의 치열한 싸움 끝에 무더기로 처리한 것들이다. 17대 국회 50%, 18대 국회 44%, 19대 국회 42%에 비해서 현격히 낮다.

2020년 6월에 출범한 21대 국회에 대해 기대와 우려가 엇갈린다. 총 300석의 의석 중 더불어 민주당이 176석이나 차지하게 된 여대야소 체제다. 정부와 집권여당이 정치적인 이해나 정권연장 차원에서 힘으로 밀어붙일 경우 자칫하면 독재적인 국정운영의 결과를 초래할 수 있다. 집권여당은 21대 국회가 개원하자마자 야당의 반대를 무릅쓰고 단독으로 국회 본회의를 열어 국회의장을 선출하고 곧이어 다시 단독 본회의를 열어 관행적으로 야당의 몫이었던 법제사법위원장을 선출했다. 집권여당이 검찰과 법원을 관할하는 법제사법위원회를 통제해 정권의 비리를 감추고 독재정치를 하려 한다는 비판마저 일고 있다.

21대 국회가 당면한 최대 과제는 안보와 경제다. 북한의 비핵화 문제와 미중 패권충돌 와중에 남북간의 경색국면으로 인해 안보가 불안한 상황이다. 여기에 '코로나19'사태와 국제 무역전쟁으로 인한 경제문제는 국민의 생계가 위협받고 불안할 정도로 긴박하다. 여야 모두가 20대 국회의 잘못을 반면교사로 삼아 상호존중의 협치를 통해 안보와 경제 현안을 신속하게 해결하는데 전력을 기울이는 모습부터 보이는 개과천선이 참으로 절실하다.

우리나라가 헌정을 시작한 이후 정권이 바뀔 때마다 집권 여당과 야당은 서로 입장을 바꿔 자신들의 정치적 목적 달성을 위해 맹목적인 싸움만 벌인 것이 국회의 역사다.

그러나 21대 국회는 더 이상 추한 모습을 보이면 안 된다. 국내외적인 위급한 현실을 냉철히 인식해야만 한다. 권력에 도취되어 있거나 무의미한 정쟁에 골몰하며 소모할 시간이 없다. 국회 본연의 임무를 올바르게 수행하는데 솔선수범을 보여 국민이 정치를 위해 존재하는 것이 아니라 정치가 국민을 위해 존재하는 참다운 정치의 역사를 시작해야 한다.

힘은 잘 쓰면 정의를 구현하지만 잘못 쓰면 죄악을 낳는다는 엄중한 진리를 겸허히 받아들여 도탄에 빠진 우리경제를 회생시키고 국민의 안위를 도모하는데 전력해야만 한다.

국회의 파행은 경제파탄을 불러온다. 지금은 경제를 살리는 일이 애국이다. 독립운동 하는 심정으로 경제 살리기에 진심을 담아 전심을 다해야만 한다. 21대 국회가 이전투구에서 벗어나지 못하면 결국 경제를 망친 매국의 책임을 역사의 심판대에서 치러야 할 것이다.

독재, 보수, 그리고 성장정책

정 부는 시대에 맞는 이념으로 올바른 정책을 펴 국민경제를 안정적으로 발전시킬 의무가 있다. 1960년대 이후 최빈국에 머물렀던 우리경제를 세계 10위권의 경제로 만들어 국민들을 잘살게 한 이면에는 역대 정부의 끈질긴 노력이 있었다. 그러면 역대 정부는 어떤 이념으로 무슨 경제정책을 폈을까?

1961년 군사쿠데타로 정권을 잡은 박정희 정부는 군사독재정부로 비록 정권의 정통성은 없었으나 경제정책만큼은 시대에 앞서는 과감한 정책을 폈다. 박정희 정부의 경제이념은 고도성장이었다. 6.25전쟁으로 인해 폐허가 된 우리경제는 1960년대까지 완전빈곤 상태였다. 경제성장이 절대적으로 필요했다.

세계경제가 1930년대 대공황을 겪은 후 경제학의 흐름은 수요와 공급의 원리를 통해 경제가 완전고용을 이루면서 스스로 발전한다는 자유주의가 퇴조하고, 정부가 시장에 개입해 인위적으로 수요를 창출해 경제를 안정적으로 발전시켜야 한다는 케인즈주의가 부상했다.

박정희 정부가 정권을 잡은 1960년대 초는 '케인즈주의'의 경제정책에 따라 미국경제가 호황을 누리며 세계경제의 발전을 이끌던 때였다. 박정희 정부는 1차에서 3차에 걸친 경제개발 5개년계획을 수립하여 정부주도의 경제성장을 추진했다. 케인즈주의를 근거로 하는 경제성장계획이었다. 당시 우리나라는 부존자원이 부족한 것은 물론 기술과 자본이 전무에 가까워 시장의 수요와 공급 자체가 미미한 상태였다. 자유주의 논리에 따라 자유방임을 한다면 경제는 빈곤의 굴레에서 영원히 벗어나기 어려운 상태였다.

이런 상태에서 박정희 정부가 '경제개발 5개년계획'을 발표하고 경제성장을 추진한 것은 획기적인 경제정책의 선택이었다.

박정희 정부의 경제이념과 정책은 우리경제가 한강의 기적을 이룬 견인차였다고 할 수 있다. 하지만 폐허 상태였던 우리나라 경제를 일으키는데 상당한 공적들을 남겼음에도 불구하고 박정희 정부는 경제에 망국적인 해악의 단초를 제공했다는 역사적 비판을 피할 수 없게 되었다. 박정희 정부의 경제이념과 정책에 독재정권 연장이라는 정치이념이 작용한 것이 문제였다.

이에 따라 경제가 정경유착을 기반으로 하는 개발독재체제가 되어 부정부패의 온상이 되고 재벌의 경제력 집중, 중소기업 낙후, 빈부격차, 지역격차 등의 폐해를 낳았다. 결국 박정희 정부의 경제발전은 30년도 안되어 지속가능성을 잃었고 1997년 외환위기의 근본적인 원인을 제공했다.

1980년 9월 최규하 대통령을 하야시키고 전두환 정부가 출범했다. 제2의 군사쿠데타를 일으켜 집권한 독재정부였다. 전두환 정부는 집권을 위해 무고한 시민들을 살상하며 역사에 씻을 수 없는 큰 죄를 졌다. 그러나 경제정책만큼은 의미가 있었다. 성장을 계속해야 한다는 경제이념 하에 당시 경제정책의 새 조류였던 '신자유주의'를 기반으로 강력한 경제안정화 정책을 폈다. 한편으로 해운과 건설 분야에 대한 구조조정을 실시해 경제의 부실화를 막았고 다른 한편으로 강력한 긴축정책을 펴 물가를 잡았다. 전두환 정부와 뒤를 이은 노태우 정부는 박정희 정부가 추진한 중화학 공업 등의 경제성장정책을 계속 펴고 반도체와 정보통신 등 신산업을 육성하는 정책도 폈다.

그러나 전두환, 노태우 정부 역시 군사독재의 연장이라는 정치의 틀 안에서 정경유착 체제를 강화하며 천문학적 규모의 비자금을 조성했다. 이 과정에서 경제의 근본적인 개혁과 민주화를 배제하고 박정희 정부 때 만들어진 경제체제를 이어가는데 그쳤다.

1986년부터 1989년까지 3년간 우리경제는 '3저 현상'으로 뜻하지 않게 연간 100억 달러 이상의 무역흑자를 기록했다. 그러나 당시 전두환, 노태우 정부는 이 자금을 정작 우리경제에 필요한 산업구조개혁과 신산업발전에 사용하지 않았다. 대신 해외여행 자유화와 부동산 및 증권투자 등으로 흐르게 해 경제를 거품으로 들뜨게 하고 결국 1997년 IMF위기를 초래하는 빌미를 제공했다.

1993년에 출범한 김영삼 정부도 기본적인 경제이념은 성장이었다. 그러나 세계경제 흐름을 제대로 읽지 못하고 '케인즈주의'에 입각한 재정과 통화의 팽창정책에 집중해 경제를 무너뜨리는 정책실패의 대참사를 야기시켰다. 김영삼 정부가 추진한 '신경제 5개년 계획'은 거의 무제한적으로 통화를 방출해 경기를 활성화하는 것이었다. 신경제 5개년계획은 구조적인 취약으로 허덕이는 경제에 거대한 돈 거품을 다시 불어넣는 꼴이 됐다. 이에 따라 야기하는 물가불안을 잠재우기 위해 김영삼 정부는 근로자의 임금인상을 억제하고 공산품가격을 동결하는 고통분담정책을 폈다.

당시 세계경제의 흐름은 신자유주의에 근거한 세계무역기구(WTO)체제 구축과 자유로운 국제 경쟁이었다. 특히 세계경제에 금융개방이 전면적으로 이뤄져 해외투자, 기업의 인수합병 등의 자본거래가 대규모로 증가했다. 따라서 우리경제에 필요했던 것은 신자유주의에 대응한 구조조정과 국제경쟁력 강화였다. 그럼에도 불구하고 돈을 푸는 정책에 집중하자 시중에 풀린 돈은 투자나 소비로 흐르지 않고 증권시장으로 몰렸다. 이 때문에 주가지수가 1994년 초 1천 포인트에 육박했다. 자연히 해외투기자금이 몰려와 증권시장은 걷잡을 수 없는 과열로 치달았다.

김영삼 정부의 결정적인 실책은 OECD가입이었다. 경제체질을 허약하게 만들고 돈을 풀어 거품으로 들뜨게 만든 상태에서 OECD가입을 서두른 패착 탓에 한국경제를 양육강식의 세계경제에 무방비 상태로 열었다. 결국 OECD가입 후 1년을 버티지 못하고 한국경제는 부도위기에 처하고 IMF 신탁통치 하에 들어갔다. 신자유주의 공격을 케인즈주의의 무모한 팽창정책으로 막다가 경제재앙을 스스로 초래했던 것이다.

노무현 정부의 정책실패를 발판으로 해서 집권한 이명박 정부는 즉각 경제이념을 분배위주에서 성장위주로 바꿨다. 기본 논리는 대기업과 고소득층이 투자와 소비를 주도해 경제성장률을 높이면 하부구조에서 중소기업과 저소득층도 함께 살아난다는 '낙수이론'이었다.

이에 따라 이명박 정부는 '747공약'을 제시하고 규제완화와 감세 등 친시장, 친기업 정책을 집중적으로 폈다. 동시에 한반도 대운하 등 건설사업을 대규모로 추진해서 인위적인 경기부양에 나섰다. 그러나 이명박 정부의 경제정책 역시 실패로 돌아갔다.

IMF위기를 극복하는 과정에서 우리 경제구조는 재벌기업 중심으로 다시 바뀌고 중소기업은 빈사 상태였다. 따라서 경제의 허리가 끊기고 성장잠재력이 떨어졌다. 이런 상태를 냉철히 진단하여 대응하지 못한 이명박 정부의 경제정책은 재벌특혜로 끝나고 건설공사는 부동산 투기의 뿌리만 내리는 결과를 초래했다. 친재벌적인 편향된 경제이념이 결국 경제정책을 실패로 만들었다.

뒤를 이어 집권한 박근혜 정부는 '성장이념'을 계승했다. 창조경제를 내세워 경제의 새로운 성장동력을 창출하는 정책을 폈다. 그러나 창조경제가 다시 부동산경제로 전락함으로 말미암아 실패를 기록했다. 우리경제가 근본적으로 필요했던 정책은 구조개혁과 혁신이었다. 그리하여 기업들이 미래산업의 창업과 투자에 적극 나서서 성장동력 창출에 앞장서게 해야 했다. 그러나 박근혜 정부의 창조경제는 곧바로 친재벌정책 기조에 길이 막혔다.

창조경제의 기본은 산업기반을 혁신해 벤처기업과 중소기업들이 대대적으로 일어나 미래산업들을 일으키는 것이었다. 이를 위한 전제조건으로 필요한 것은 재벌개혁과 공정거래질서의 확립이었다. 그러나 재벌개혁과 공정거래질서 확립 대신 재벌기업들이 투자와 고용창출에 나설 것을 요구하며 창조경제를 재벌기업에 맡기는 우를 범했다. 재벌기업들을 압박해 전국 주요도시에 창조개혁센터를 설치하고 창조경제 실현을 시도했으나 재벌기업들의 피상적인 대응으로 결국 창조경제는 무늬로 끝났다.

박근혜 정부의 결정적인 실책은 성장논리에 급급해 최경환 경제부총리를 임명하고 부동산경기 활성화 정책을 편 것이었다. 정책의 주요 내용은 경기가 살아날 때까지 재정팽창과 금융팽창을 계속하는 것이었다. 결과는 심각한 부작용이었다. 정부부채와 가계부채에 쌓여 경제가 빚더미에 올라앉았다. 부동산시장이 언제 터질지 모르는 거품으로 변했다. 무엇보다 산업붕괴가 가속해 경제가 성장동력과 고용창출 능력을 동시에 잃었다.

민주, 진보, 그리고 분배정책

I MF위기 직후 정권교체로 출범한 김대중 정부는 경제적으로 분배이념을 갖고 경제민주화를 추진한 정부였다. 과거 군사독재정부들의 성장일변도 정책이 재벌기업들의 경제력을 집중하고 사회양극화 현상이 심화했던 터라 경제민주화를 시대적인 과제로 추진하는 것이 필요했다. 그러나 IMF 신탁통치 체제하에서 경제위기 극복이 절체절명의 국가적 과제가 되어 IMF의 방식대로 경제정책을 펴야 했다.

결국 김대중 정부는 성장이념을 바탕으로 하는 신자유주의 경제정책을 정책기조로 했다. IMF는 구제금융의 조건으로 강력한 구조조정을 요구했다. 시장원리에 따라 부실한 기업과 금융기관을 정리해야 한다는 전형적인 '신자유주의' 논리였다.

김대중 정부의 구조조정 정책은 파국을 맞은 우리경제가 성장동력을 회복하는데 핵심적 역할을 했다. 김대중 정부는 부실산업의 구조조정에 그치지 않고 정보통신산업을 집중 육성해 경제의 새로운 성장동력을 창출하는 정책을 폈다. 그러나 재벌기업 중심의 성장으로 인해 가뜩이나 경제력 집중이 심한 상태에서 IMF의 신자유주의 구조조정 요구는 오히려 경제의 구조적 격차를 확대하는 부작용을 낳았다. 경제와 사회가 양극화의 덫에 걸려 점차 갈등과 분열이 큰 구조로 바뀌었다.

진보성향의 민주정부로 김대중 정부의 뒤를 이어 출범한 노무현 정부는 '분배이념'의 정책을 본격적으로 추진했다. 그러나 야권의 무차별적인 정치공격과 기득권층의 반발로 경제정책에 실패하고 정권을 보수세력에 넘겨주는 결과를 낳았다.

노무현 정부가 분배이념에 입각해 가장 강력하게 추진한 사업이 '수도이전'이었다. 서울 중심으로 인구가 지나치게 밀집하는 것은 물론 정치, 행정, 경제, 문화 등 모든 분야가 집중해 정상적인 나라발전이 어렵다고 판단한 노무현 대통령은 2003년 취임 후 곧바로 수도이전을 추진했다. 그러나 다수 국민들의 반대와 위헌결정으로 무산되어 대신 청와대와 국회는 남고 일반 정부부처만 세종시로 옮기는 행정수도 이전 정책을 폈다.

수도를 이전하면 청와대, 국회, 정부부처가 우선적으로 신수도로 옮겨간다. 이어 부속 정부기관과 관련 기업들이 따라간다. 이와 별도로 대학, 연구소 등의 교육시설 및 병원, 백화점 등의 편의시설과 복지시설들이 이전을 하거나 신설하게 된다. 이렇게 되면 인구분산과 국가의 균형적이고 안정적인 발전을 가져올 수 있다. 그러나 이것은 희망사항일 뿐이었다.

수도이전 정책은 실패하고 행정수도 이전이라는 수도분할 정책을 폄으로써 오히려 국정운영의 효율성이 떨어지고 민간부문이 부담해야 하는 비용이 증가하는 결과를 초래했다. 여기에 혁신도시건설을 명분으로 공기업과 연구소 및 공공기관들이 정치논리에 따라 지방에 강제로 배분되어 이전하자 생산성이 급격히 떨어지는 결과도 빚고 있다.

분배이념에 입각한 노무현 정부의 정책은 개혁정책에 집중했다. 그러나 과거 어느 정부보다 반대세력의 공격을 많이 받아 개혁정책의 발목이 잡혔다. 개혁정책의 핵심이었던 재벌개혁의 경우 집단소송제, 상속 증여세의 완전포괄주의 등의 개혁이 힘을 잃었다. 노동개혁은 거꾸로 갔다. 무노동 무임금원칙이 무너지고 공기업의 민영화는 노조의 반발로 차질을 빚었다. 경제개혁은 길을 잃고 경기는 빠른 속도로 침체했다.

진퇴양난에 몰린 노무현 정부는 2004년 10월 경기부양정책으로 뉴딜정책을 꺼내 들었다. 주요내용은 건설투자의 활성화였다. 이 정책은 그렇지 않아도 경쟁력을 상실해 거품으로 들 뜬 경제에 석유를 들이붓는 현상을 낳았다. 시중에 풀린 부동자금이 대거 부동산시장으로 몰리면서 투기 열풍이 불었다. 하늘이 두 쪽 나도 부동산만은 잡겠다고 선언한 노무현 대통령은 종합부동산세 도입, 투기과열지구 지정, 대출억제 등 강력한 조치를 내놓았다.

2005년 말 부동산시장은 가까스로 안정세를 되찾았다. 그러나 시장논리에 따라 추진해야 하는 경제개혁이 정치적 분배이념에 의해 왜곡됨에 따라 노무현 정부의 경제정책은 경제 불안만 가중하는 정책으로 끝났다.

촛불혁명을 바탕으로 출범한 문재인 정부의 강한 진보성향의 경제이념은 전적으로 분배위주다. 분배를 통해서 성장을 한다는 극단적인 정부주도정책이다. 문재인 정부의 소득주도성장정책은 '분수이론'을 중요한 근거로 삼는다. 정부가 재정지출을 통해 실업자에게 일자리를 만들어주고 저소득층의 소득지원을 강화하면 경제 저변에서 소비와 투자가 활성화해 상위에 있는 대기업과 고소득층의 경제도 물이 분수처럼 솟는 것과 같이 자연히 살아난다는 논리다.

그러나 이러한 절대적 분배이념에 근거한 문재인 정부의 경제정책은 반기업·친노동이라는 이념의 틀에 갇혀 경제가 아예 정상적인 성장궤도를 이탈하게 만든다. 기업들에게는 통제와 부담이 늘고 근로자들에게는 혜택이 늘자 경제의 생명을 이어가는 기업의 창업과 투자가 급격히 감소하고, 견디기 어려운 기업은 해외로 나간다. 이에 따라 산업이 공동화하고 국민의 세금 투입은 낭비로 끝난다.

'코로나19'사태 발생 이후 문재인 정부의 분배정책은 더욱 날개를 달았다. 무제한 세금을 투입하는 정책을 내놓고 있어 '코로나19' 사태가 조기에 끝나지 않는다면 정부가 부도의 함정에 빠져 경제를 속수무책으로 방치할 가능성이 크다. 기본적으로 시장경제 원칙을 부정하는 문재인 정부의 분배이념이 경제를 난국으로 몰아가고 있다.

착한 정부 나쁜 시장

몸에 해로운 것은 입에서 달다. 그러나 몸에 이로운 것은 입에 쓰다. 이것은 모든 인간사에 적용되는 보편적인 진실이다. 이 기준으로 볼 때 착한 정부는 나쁜 정부이고 나쁜 정부는 착한 정부다. 일반적으로 진보성향의 정부는 분배라는 경제논리를 정치수단으로 악용해 선심정책을 편다. 이를 받는 국민들로선 당장에는 착한 정부라고 느낀다. 그러나 시장경제를 일관되게 정치논리로 접근하게 되면 착한 정부 노릇도 오래가지 못한다.

'착한 정부'는 소비자들에게 필수품을 저렴한 가격으로 공급한다는 명분으로 상품에 대한 시장가격을 통제한다. 일단 소비자들은 필요한 상품을 싸게 구입할 수 있어 착한 정부의 가격통제를 고맙게 생각한다. 그러나 시장경제에서 이른바 공짜 점심은 없다.

시장의 상품가격을 통제하면 생산자가 손실을 입어 상품공급을 줄이거나 중단한다. 그러면 소비자는 필요한 물품을 비싼 가격에 사거나 아예 구입을 못하게 된다. 더 큰 문제는 생산자가 고용을 줄이거나 중단하는 것이다. 그러면 해당 근로자는 실업자로 전락한다. 결국 착한 정부의 달콤한 가격통제정책이 일반 소비자와 근로자에게 견디기 어려운 쓴 고통으로 되돌아온다.

'착한 정부'는 근로자들을 위해 최저임금을 큰 폭으로 올리고 해고를 금지하는 정책을 편다. 더 나아가 근로시간을 제한해 시간 외 근무를 차단한다. 이러한 노동정책은 근로자들의 권익을 위해서는 필요한 정책으로 볼 수 있다. 그러나 이를 감당할 수 있는 시장의 여력이 따라주지 못하면 착한 정부의 근로자 보호정책은 결국 근로자들의 피해로 귀결한다.

최저임금을 올리고 근로시간을 제한하면 기업은 인건비가 비싸고 때에 맞춰 생산을 하기가 어려워 경영난을 겪게 된다. 그러면 고용을 줄이거나 아예 사업을 접을 수밖에 없다. 이때 피해는 다른 근로자의 임금삭감이나 해고의 형태로 고스란히 넘어간다. 정부의 근로자 보호정책이 거꾸로 근로자에 대한 가해정책으로 바뀌는 것이다.

노동시장은 노동의 수요와 공급의 원리에 따라 시장경제의 핵심적인 기능을 한다. 경기가 침체해 실업자가 증가하면 곧바로 노동시장에 노동의 공급이 늘어 임금이 하락한다. 그러면 기업은 인건비가 낮아 수익성이 높아져 사업을 확대하고 일자리를 늘린다. 그로 인해 고용이 늘고 근로자 소득이 증가한다. 이때 경제 전체적으로 생산과 소비가 늘어 경기가 다시 활성화한다.

경기가 과열현상을 빚을 때 노동시장은 반대로 기능을 발휘한다. 경기가 과열하면 노동시장에 노동의 수요가 많아 임금이 지나치게 상승한다. 그러면 기업은 수익성이 떨어져 생산과 고용을 줄인다. 그러면 경기과열이 해소되고 지나치게 오른 임금은 하락한다.

이처럼 노동시장이 노동의 수요와 공급에 따라 임금을 결정하면 경제는 언제든지 안정적으로 발전하는 기능을 스스로 발휘한다. 하지만 노동을 일반 상품처럼 거래하기는 어렵다. 따라서 근로지의 생계유지 차원에서 최저임금제도를 도입하거나, 인간다운 삶의 보장을 위해 근로시간의 상한을 정하는 것은 당연히 필요하다. 그러나 이러한 제도가 기업들이 지키기 어려울 정도로 과도하거나 정부의 개입이 지나쳐 노동시장 기능자체를 부정하게 되면 이것은 시장경제의 기본적인 기능을 부정하는 것이다. 그리고 그때 나타나는 피해는 전적으로 근로자들에게 돌아간다.

이때 착한 정부의 노동정책은 약이 아니라 독이 되는 정책이다. 노동시장의 시장기능을 보장하고 동시에 근로자의 권익과 생활을 보호하기 위해 운영되는 제도가 바로 4대 보험이라 일컫는 고용보험제도, 산재보험제도, 건강보험제도, 국민보험제도 등이다. 정부는 직접 노동시장에 개입해 임금과 근로시간을 통제하기보다는 이러한 보험제도를 먼저 발전시키는 것이 더 중요하다.

착한 정부의 선심정책 여부는 복지정책에서 두드러지게 나타난다. 착한 정부는 소외계층 지원, 고령자 빈곤해소, 청년실업 해소, 출산율 제고, 양극화 해소 등을 명분으로 정부지출을 대규모 확대하는 복지정책을 편다. 특히 선거철만 되면 복지지출의 규모와 대상이 확대된다. 복지정책은 국민 누구나 안정적인 삶을 살게 하는 사회안전망의 구축차원에서 필수적이다. 따라서 복지정책을 위한 국민의 조세부담은 불가피하다. 문제는 정부가 복지정책을 정치적 수단으로 이용하는 것이다.

정부가 정치적 수단으로 복지정책을 이용하게 되면 정부의 복지지출이 지나치게 많아지고 그로 인해 국민의 조세부담이 한계를 넘어서면 그 피해는 다시 국민에게 되돌아온다. 기업에게 세금을 과도하게 부과하면 기업은 투자를 줄이거나 해외로 이전한다. 또 일반 국민들로부터 세금을 많이 거두면 근로의욕이 떨어져 일을 덜하게 된다. 그러면 결국 일자리가 줄고 국민소득이 떨어져 국민들의 빈곤을 가져오게 된다.

더 큰 문제는 정부가 세수가 부족할 때 국채를 발행해 정부부채가 증가하는 것이다. 정부가 국채불감증의 함정에 빠져 정부부채가 계속 증가하면 정부자체가 부도위기에 처한다. 그러면 정부는 경제정책 기능을 잃어 경제를 안고 쓰러지는 화를 부를 수 있다.

이때 특히 문제가 되는 것은 국가신용도가 떨어져 외국자본이 대거 유출하는 것이다. 이렇게 되면 국가부도의 위기에 빠지고 우리가 IMF사태를 통해 익히 경험한 바와 같이 경제가 외국자본의 통제 하에 들어간다.

이러한 견지에서 볼 때 문재인 정부의 분배정책에 대해 우려가 클 수밖에 없다. 과도한 재정지출로 인해 정부부채가 빠른 속도로 증가하고 있기 때문이다. 문재인 정부의 기본 정책기조인 소득주도성장은 그 자체가 분배위주의 정책이다. 여기에 고령자 수당, 아동수당, 청년수당 등 수당의 종류가 다양하다. 또 고용지원, 조세지원, 금융지원 등의 지원제도도 많다.

문재인 정부의 재정지출이 '코로나19' 사태를 계기로 폭증하고 있다. 소외계층지원, 기업지원, 재난지원 등의 형태로 대규모의 지원에 나섰다. 한국은행도 기준금리를 사상최저인 0.5%까지 낮추고 무제한적으로 통화를 공급하고 있다. 일단 '코로나19' 경제위기를 극복하기 위해 불가피한 조치일 수 있다. 그러나 예상 밖으로 이미 장기화 된 '코로나19'사태가 언제 끝날지 모르는 불확실한 상황에 직면해 있다.

그렇다면 이제라도 완급을 조절해 불요불급한 지출을 줄이고 최대한 재정을 아껴 지출하는 자제력이 필요하다. 고삐를 잡아야 할 때 제대로 잡지 못하면 감당하기 어려운 상황이 갑작스럽게 몰아닥칠 수 있다.

국가경제가 위기상황일수록 경제는 이념논리에서 벗어나야만 한다. '산은 산이고 물은 물'이듯 정치는 정치고, 이념은 이념이며, 경제는 경제여야 한다. 좌우를 떠나 정치가 이념을 고수하며 경제를 지배하려는 욕심을 버리지 않으면 앞으로도 우리경제는 희망이 없다.

정부는 우리나라의 GDP대비 정부부채가 다른 나라들에 비해 낮다는 점을 들어 재정지출의 대규모 확대가 문제없다는 입장이다. 특히 정부부채는 경제를 악화시키는 것이 아니라 경제를 오히려 일으킨다는 '착한 부채론'을 주장하고 있다. 그러나 이는 대단히 안일하고도 위험한 착각이 될 수 있다. 정부부채는 부채의 규모보다 부채의 증가 속도가 문제이기 때문이다. 사람이 치료가 어려운 질병에 걸렸을 때 몸무게가 문제가 되는 것이 아니라 얼마나 몸무게가 빨리 감소하느냐가 문제인 것과 마찬가지다.

'착한 부채론'은 정부가 재정지출을 늘리면 경기가 활성화하고 경기가 활성화하면 세수가 증가해 다시 정부지출을 늘릴 수 있다는 이론이다. 이 이론의 중요한 전제조건은 정부가 재정지출을 생산적으로 해 재정지출이 경기활성화를 담보하는 것이다. 그러나 현재 우리 경제는 경기활성화의 담보가 어려운 상태다. 대부분 정부지출이 소모적인 지출로 끝나거나 부동자금으로 쌓여 있다가 부동산 투기자금으로 흐르는 경우가 많다.

문재인 정부가 출범하기 전인 2016년에 편성한 2017년도 우리나라 예산은 전년도에 비해 3.7% 증가한 수준이었다. 이에 반해 2017년도 우리경제의 명목성장률[81]은 5.2%였다. 예산증가보다 경제성장률이 높은 '착한 예산'으로 볼 수 있다. 2018년 문재인 정부가 편성한 2019년 정부예산은 전년도에 비해 9.3% 증가했다. 그러나 2019년도 명목경제성장률은 1.1%에 불과했다. 예산증가보다 경제성장률이 현격히 낮은 '나쁜 예산'이다. 이 같은 통계는 무엇을 의미하는가? 정부가 착한 정부라면 시장은 나쁜 시장이란 뜻이다.

---

81) 물가상승률을 감안하지 않고 명목상 계산한 성장률을 명목성장률이라고 한다. 이에 반해 물가상승률을 반영하여 실질적 가치로 계산한 성장률을 실질성장률이라고 한다.

자본주의 시장경제에서 시장은 곧 경쟁을 의미한다. 다수의 공급자들과 다수의 수요자들이 경쟁적으로 가격을 결정해 자원을 효율적으로 배분하는 것이 시장경제의 기본구조다. 따라서 기업이 이익을 많이 벌려면 피나는 기술과 상품개발 노력을 해야 한다. 또 개인들이 임금을 많이 받고 잘 살려면 열심히 공부하고 땀 흘려 일해야 한다. 당연히 시장은 기업과 국민들에게 고통을 강요하고 채찍질하는 '나쁜 시장'이다. 그런데 중요한 사실은 '나쁜 시장'이 결국 기업을 발전시키고 국민들을 잘살게 하는 '착한 역할'을 한다는 것이다. 나쁜 시장이 실상은 정말 좋은 시장이란 뜻이다.

정부는 착할수록 나쁘고 시장은 나쁠수록 착한 것이 자본주의의 냉엄한 현실이다.

16

한국경제의 절대위기, 창조적 파괴로 벗어나라

'코로나19' 경제전쟁과 2차 세계대공황

전 세계경제가 '코로나19'사태로 인해 전례 없는 혼돈에 빠졌다. 경제활동과 이동의 제한으로 나라마다 생산과 소비가 감소하고 실업자가 쏟아져 나오고 있다. 외환시장은 갈피를 잡지 못하고 국제무역은 비상상태다. 세계 각국은 '코로나19'와의 전쟁을 선포하고 자국경제 지키기에 총력을 기울이고 있다. '코로나19'사태로 인한 세계경제 위기가 예상 밖으로 장기화함에 따라 세계경제질서의 양대 축이었던 국제통화제도(IMS: International Monetary System)와 세계무역기구(WTO: World Trade Organization)가 무력화되고 있다.

IMF에 의거한 국제통화질서가 2008년 미국발 금융위기가 발생해 미국이 기준금리를 0%대로 낮추고 양적완화를 통해 달러화 공급을 무제한으로 확대하는 정책을 펴자 혼란에 빠졌다. 이후 각국은 자국경제 보호 우선으로 돌아서 치열한 통화공급 경쟁을 벌였다. 미국발 금융위기가 완전히 해소되지 않은 상태에서 발생한 '코로나19' 사태가 세계경제를 제2의 공황상태로 밀어 넣고 있다. 다시 세계 각국은 미국을 필두로 무제한 통화공급 경쟁에 들어갔다.

각국 경제가 치열한 생존경쟁을 벌이며 통화공급을 남발하고 있어 국제통화질서는 마비상태로 치닫고 있다. 재정상태가 부실해 국가부도위기에 처한 신흥국 중심으로 IMF에 구제금융 신청이 줄을 잇고 있다. IMF가 신흥국들의 연쇄부도를 막아내지 못할 경우 국제통화제도는 심각한 위기를 맞는다.

WTO체제는 무역자유화를 통한 세계경제의 공동번영을 목적으로 한다. GATT체제와는 달리 국가 사이에 무역자유화에 반하는 경제분쟁이 발생할 경우 분쟁에 대한 판결권을 가지고 있으며 판결에 대한 강제집행권도 가지고 있다. 또 무역분쟁에 대한 조정, 관세인하요구, 반덤핑 규제 등의 권한을 갖고 행사할 수 있다. 이와 같은 WTO체제 하에서 세계경제는 개방경제체제로 이행하며 자유무역이 빠른 속도로 증가했다. 특히 WTO체제 하에서 세계 각국은 다양한 자유무역협정을 맺으며 무역장벽을 제거하는 정책을 폈다.

이러한 WTO체제는 미국과 중국이 패권전쟁을 시작하며 의미를 잃기 시작했다. 특히 2010년대에 들어서 중국의 시진핑 주석이 중화주의를 표방하며 강력한 경제팽창주의를 채택하고, 미국의 트럼프 대통령이 미국우선주의를 선언하며 일방적인 무역보복조치를 취함에 따라 WTO 자유무역체제가 법적 권한과 구속력을 잃고 있다.

'코로나19' 사태가 세계경제를 강타하자 미국과 중국은 휴전상태였던 무역전쟁에 다시 불을 붙였다. 미국과 중국은 '코로나19' 사태가 터지자 감염의 책임론을 놓고 치열한 공방을 벌이며 사실상 냉전상태에 돌입했다.

미중간 냉전의 전투장이 열리자 곧바로 미국은 세계 최대 통신장비 업체인 중국 화웨이에 대해 초강도 제재에 착수했다. 미국의 화웨이에 대한 제재는 중국의 4차 산업혁명을 초기 단계부터 무력화한다는 중대한 의미를 갖는다. 미국은 2019년 화웨이와 미국기업의 거래를 금지했다. 이유는 미국의 기술이 화웨이에 의해 미국의 안보와 외교이익에 반하는 악의적인 활동으로 작용한다는 것이었다.

'코로나19' 사태로 양국의 갈등이 냉전상태로 바뀐 후 미국은 화웨이에 대한 제재대상의 범위에 미국 밖의 해외기업까지 포함했다. 따라서 미국의 기술이나 소프트웨어를 사용하는 모든 나라의 제품에 대해 화웨이가 취득하는 것을 원천적으로 금지했다. 우리나라 기업들의 반도체 등 부품의 화웨이 수출도 금지대상이다.

이에 대해 중국은 즉각 반격에 나섰다. 미국의 행위는 글로벌 공급 및 가치 사슬을 파괴하는 행위라고 비난하며 미국이 최종적으로 제재행동에 나서면 중국은 강력히 보복할 것이라고 밝혔다. 중국은 미국 농산물수입 중단을 결정하고 퀄컴, 시스코, 애플, 보잉 등의 미국기업들을 보복대상으로 지목했다.

미국과 중국의 냉전은 홍콩사태로 번졌다. 중국이 홍콩국가보안법을 통과(2020.6.30,전국인민대표대회)시키자 미국은 홍콩에 부여한 특별지위를 철폐하는 보복조치를 발표했다. 미국은 홍콩에 대해 투자와 무역 등에 있어 중국본토와 다른 특별한 대우를 해왔다. 특별대우를 철폐할 경우 금융과 무역 등에 있어서 중국의 관문역할을 하는 홍콩의 기능이 결정적인 타격을 받는다. 중국은 내정 간섭이라고 강력히 반발하고 있어 홍콩을 둘러 싼 미중 충돌은 예측불허 사태로 치닫고 있다. '코로나19' 사태가 세계경제공황을 유발하고 있는 가운데 미국과 중국의 냉전이 불을 뿜고 있어 세계경제질서가 사상 최악의 혼돈을 맞고 있다.

신흥국의 부도 도미노

신흥국들의 부도 도미노가 세계경제공황의 뇌관이 될 가능성이 크다. 아르헨티나, 터키, 남아프리카공화국, 인도네시아, 브라질, 멕시코 등의 신흥국들이 모두 심각한 외채위기를 겪고 있다. 아르헨티나와 터키의 경우 외환보유액 대비 외채규모가 각각 650%와 550%에 달한다. 남아프리카공화국과 인도네시아는 각각 380%와 320% 수준이다. 이외에 멕시코, 브라질 등 다른 신흥국들도 200%대를 기록하고 있다. 문제는 국가부도 위험과 경기침체가 서로 꼬리를 물고 악순환을 형성한 것이다.

신흥국들이 국가부도 위험이 높아 자금조달이 어렵고, 금리가 높으니까 투자가 감소해 경제성장률이 하락하고, 경제성장률이 하락하니까 외채상환능력이 부족해 다시 국가부도 위험이 높아지는 경제위기 악순환의 수렁에 빠졌다. 2019년 아르헨티나와 터키의 경제성장률은 각각 -3.1%와 0.3%를 기록했다. 남아프리카공화국과 멕시코의 경제성장률도 각각 0.5%와 0.2%로 0%대이다. 인도네시아와 브라질 등 다른 나라들도 경제성장률이 급격히 하락하는 추세다.

2020년 들어 '코로나19' 사태가 터지자 그렇잖아도 위기에 처한 신흥국들 경제가 예측불허의 상태에 빠졌다. 신흥국들의 '코로나19' 감염 환자수가 하루에 몇 천 명에서 몇 만 명까지 급속도로 늘어 감당을 못하고 있다. 자연히 경제가 곤두박질이다.

국제통화기금(IMF)이 추정한 2020년 아르헨티나와 터키의 경제성장률 전망치는 각각 -5.7%와 -5.0%다. 멕시코와 브라질은 각각 -6.6%와 -5.3%다. 이렇게 되자 외채상환능력이 급격히 떨어지고 있다. 이런 상태에서 외국자본 유출이 본격화해 신흥국들의 국가부도 도미노 현상이 가시화되고 있다.

신흥국들의 위기는 단순한 부도위기가 아니다. 금융시장과 실물경제의 동반붕괴로 실업자가 대규모로 쏟아져 나오고 물가가 폭등하는 것은 물론, 다른 나라들의 경제봉쇄 조치로 식량과 생활필수품의 기본수급도 어려워질 수 있다. 세계경제가 신흥국발 공황상태에 들어가는 것은 그야말로 시간문제다. 2020년 5월, 이미 아르헨티나는 채권이자 5억 달러를 기한 내에 갚지 못하고 채무불이행 상태가 됐다. 아르헨티나 역사상 9번째다.

이번 '코로나19' 사태가 신흥국들의 외환위기를 연쇄적으로 유발할 경우 세계경제에 미치는 파장은 1994년의 남미 경제위기나 1997년 아시아 경제위기에 비해 비교가 안 될 만큼 클 것으로 보인다.

1994년 남미 경제위기와 1997년 아시아 경제위기가 신흥국으로부터 일방적으로 확산한 위기라고 한다면, 2020년 '코로나19'로 인한 위기는 신흥국과 선진국이 마주보고 함께 위기를 확산하는 '양방향의 위기'로 볼 수 있기 때문이다.

신흥국에서 경제위기가 일어나면 선진국에서도 경제위기가 일어나 세계경제가 위기의 불길이 마주 붙는 초대형의 화염에 휩싸이며 최악의 상태에 빠질 수 있다.

실제로 신흥국의 위기보다 더 파장이 클 수 있는 것이 경제대국들의 위기다. 미국은 '코로나19'사태로 인해 이미 1930년대 대공황(제1차 세계대공황)에 버금가는 위기를 맞고 있다. 2020년 1분기 경제성장률이 5.0% 감소했다. 더욱이 몇 달 만에 실업자가 4천만 명이 넘게 급증했다. 미국정부와 연방준비제도가 무제한 자금을 투입해도 위기의 끝이 보이지 않는다.

중국도 마찬가지다. 지난 1분기 중국의 경제성장률이 무려 6.8%나 감소했다. 중국경제가 성장을 본격적으로 시작한 1990년대 이후 최대의 감소다. 중국은 내부적으로도 부채가 많아 경제내부가 스스로 무너지는 자괴현상까지 나타나고 있다.

'코로나19' 사태로 양대 강국의 경제가 함께 위기를 겪자 휴전상태인 무역전쟁에 다시 불이 붙으면서 세계경제가 '코로나19'의 거센 파도로 인해 좌초위기를 맞았다. 이런 상태에서 양대 경제강국이 사생결단의 무역전쟁을 하고 있어 세계경제 자체가 침몰의 위험에 빠지고 있다. 이렇게 되면 신흥국들은 손 한번 써보지 못하고 경제위기의 불길에 휩싸일 가능성이 크다.

한국경제의 절대위기[82]

한국경제에 절대위기(perfect storm) 불안의 먹구름이 짙게 드리워졌다. 정부가 재정을 사상 최대로 투입하고 한국은행이 무제한 통화를 공급해 경제가 쓰러지는 것을 겨우 막고 있다. 그러나 언제 환자가 회복할지 전혀 감이 잡히지 않는 생명이 불안한 환자에게 효과를 장담할 수 없는 링거 주사만 무한히 놓고 있는 셈이다. '코로나19' 사태가 벌어지기 전에 이미 성장동력이 꺼진 상태였던 한국경제에 대한 냉철한 진단과 정확한 판단이 결여된 채 경제를 정치·이념의 도구로 전락시키는 전철을 반복한 결과다.

1997년 IMF위기의 악령이 다시 맴돌고 있다. 우리 경제가 맞닥뜨리고 있는 이번 위기는 외환의 부족으로 국가가 부도위기에 처해 기업들이 쓰러지는 금융위기가 아니라, 기업들이 부실해 경제가 스스로 성장동력을 잃고 실업자를 쏟아내는 '산업위기'다.

이와 같은 경제의 구조적 위기가 확산함에 따라 외국자본 유출이 확대하고 있어 제2의 IMF위기를 배제할 수 없는 상태였다. 이런 상태에서 우리경제는 뜻하지 않게 '코로나19' 사태를 맞았다. 다른 나라에 비해 '코로나19' 방역을 효과적으로 실시해 인명과 경제적 피해를 줄이고 있다. 그러나 경제발전의 근간인 산업이 부실한 상태로 이어져오던 터라 경제는 이미 내면적으로 생명력이 꺼져가고 있는 심각한 상황으로 바뀌고 있다.

'코로나19' 사태가 조기에 끝나지 않고 정부의 지원정책이 한계상황을 맞으면 우리경제는 절대위기에 처해 침몰을 면하기 어렵다. 절대위기를 촉발하는 요인들이 사면초가로 우리경제를 압박하고 있기 때문이다.

---

82) 이필상, "IMF 데자뷔", 일요신문, 2015. 9. 20. 참조

우리경제의 절대위기를 촉발할 수 있는 첫 번째 요인은 우리경제의 내부요인이다.

'코로나19' 사태로 인해 국민들의 소비가 위축한 것은 물론 기업들의 생산과 투자가 급격히 감소해 경제가 정상적인 기능을 잃고 있다. 이에 따라 실업자가 쏟아져 나오고 가계와 기업부채가 증가해 경제가 빈사상태나 다름없다. 현 상태에서 외국자본의 유출이 확산하면 경제는 곧바로 걷잡을 수 없는 위기에 휘말린다.

우리경제의 절대위기를 촉발할 수 있는 두 번째 요인은 신흥국발 경제위기다.

앞서 설명한대로 아르헨티나, 터키, 남아프리카공화국 등 신흥국들이 연쇄적인 국가부도 위험에 처할 가능성이 있다는 점이 큰 위기요인으로 나가오고 있다. 신흥국들의 국가부도위기가 연쇄적으로 나타나면 선진국의 자본이 신흥국에서 대거 빠져나오는 국제자본의 이동이 발생한다. 그러면 우리나라에서도 예외 없이 외국자본유출이 나타나 경제를 위기로 내몰 수 있다. 1997년 태국의 외환위기가 아시아 외환위기를 유발하고 우리나라의 부도를 가져온 현상을 반복할 수 있다는 것이다.

우리경제 절대위기의 세 번째 요인으로 작용할 수 있는 것이 미국경제의 불안이다.

미국은 '코로나19'의 공격 앞에 뜻밖으로 방역능력의 역부족을 드러내며 많은 인명피해를 내고 있다. 봉쇄령의 발동은 물론 투자와 소비심리의 위축으로 경제타격이 심각하다. 이 같은 혼돈이 미전역을 휩쓰는 가운데 불거진 인종갈등이 전국적인 폭력사태로 번지고 있다. 이에 따라 미국경제의 위기가 더욱 고조되면 해외 투자자금의 회수로 인해 국제금융시장이 혼란에 빠질 수 있다. 우리나라에 들어와 있는 해외자본이 한꺼번에 빠져나가면 우리경제는 즉각 위기상황을 맞는다.

네 번째로 꼽을 수 있는 우리경제 절대위기의 요인은 중국발 위기다. '코로나19'의 발원지로 알려진 중국은 초기 방역에 실패해 많은 희생자를 낸데다, '코로나19'가 전 세계로 퍼지는 것을 허용했다는 오명 속에 국가신뢰도가 추락했다.

우선 중국의 체제가 가진 폐쇄성으로 인해 '코로나19' 방역에 대한 의구심이 존재한다. 만약 중국에 '코로나19'가 다시 만연할 경우 세계의 공장인 중국경제가 심각한 타격을 받는다. 설령 중국경제 자체가 타격을 받지 않는다 해도 다른 나라에서 경제위기가 확산해 상품 수입을 줄일 경우 중국경제는 피해를 입는 것이 불가피하다.

우리경제는 중국경제 의존도가 절대적이다. 중국은 우리나라 수출의 25%이상을 차지하는 최대 수출국이다. 중국경제가 조금만 침체해도 우리경제는 심각한 타격을 받는 구조다.

더욱 큰 우려는 미국과 중국간 무역패권전쟁의 확대다. '코로나19' 사태가 터지자 미국과 중국은 서로 경제피해를 상대방 국가에 떠넘기는 전략으로 무역전쟁에 다시 불을 붙였다. 엎친 데 덮친 격으로 홍콩보안법사태가 불거져 미국과 중국은 서로 양보할 수 없는 정면충돌 상태다. 중간에 낀 우리경제는 양국의 공격을 동시에 받을 수 있다.

끝으로, 우리경제에 결정적인 타격을 줄 수 있는 절대위기의 요인은 정부정책의 실패다.

정부는 '코로나19' 사태로 인한 경제위기를 막기 위해 양면 전략을 펴고 있다. 한편으로는 최대한의 자금지원정책을 펴 위기를 차단하는 전략을 펴고, 다른 한편으로는 한국판 뉴딜정책을 펴 포스트코로나시대 혁신성장을 이끄는 체제를 마련하겠다는 것이다. 그러나 정부정책에 대해 우려가 크다.

근본적으로 문제가 되는 것이 정부의 자금지원이 소모성이 강하다는 점이다. 특히 전방위적으로 몰려오는 사면초가의 위기상황에서 정부가 소모성 지출에 치중할 경우 자금지원정책은 모래밭에 물 붓기가 될 수 있다. '코로나19'사태가 장기화하면 정부의 자금지원정책은 한계에 부딪치고 경제는 국가부채의 누적으로 스스로 부도위기를 재촉할 수 있다. 이때 막대한 자금이 필요한 한국판 뉴딜정책도 유명무실하게 될 수밖에 없다.

이렇게 되면 정부정책은 단지 정책실패로 끝나는 것이 아니라 경제위기의 대재앙을 불러들이는 촉매제가 될 수 있다.

2020년 정부의 본예산은 512조3천억 원으로 전년도에 비해 42조7천억 원 증가한 금액이다. 여기에 '코로나19' 극복을 목적으로 하는 추가경정예산을 3차례나 편성했다. 1차에 11조7천억 원, 2차에 12조2천억 원, 3차에 35조3천억 원 등 총 59조2천억 원이다. 따라서 2020년 정부의 재정지출 증가금액은 총 101조9천억 원에 이른다. 여기에 한국은행의 통화공급과 각종 지원기금을 통한 자금지원을 합하면 '코로나19' 경제위기를 극복하기 위해 투입하는 자금규모가 270조원에 달한다.

중요한 사실은 자금을 실업자와 취약계층을 위한 안전망제공, 산업생태계보호, 기업투자와 성장동력 확충 등에 효율적으로 지원해 소모성은 최소화하고 생산성을 최대화해야 한다는 것이다.

그렇지 않으면 자금의 조기 소진으로 심각한 결과를 초래한다. 그러나 지금까지 정부의 재정지출구조는 반대방향으로 질주하고 있다.

단기일자리 창출, 지역상품권 제공, 재난지원금 지출, 아동 돌봄수당 지급 등 소모성 지출이 많고 산업구조조정, 신산업 발전, 기업투자 활성화, 기업의 본국회귀(Reshoring) 등을 지원하는 생산성 지출은 빈약하다. 제3차 추가경정예산의 내용을 보면 이런 현상이 두드러지게 나타난다. 총 35조3천억 원의 추가경정예산 중 55만개 임시일자리 창출과 사회안전망 구축에 9조4천억 원, 지역상품권 공급 등에 5조원을 배정했으나 주력사업 지원예산으로는 3조1천억 원을 배정했다. 특히 기업의 본국회귀 관련 예산은 200억 원에 불과하다.

슘페터의 창조적 파괴

포스트 코로나 세계경제가 빅뱅(Big Bang, 대폭발)을 할 전망이다. 각국 경제가 무한생존경쟁을 벌이는 전쟁터로 변하고 있다. 이후 세계경제는 '창조적 파괴'의 과정을 거쳐 새로운 질서를 형성할 가능성이 크다. 어느 나라가 승자가 되는가에 따라 세계경제의 판도가 달라질 것이다. 자본주의 경제는 소용돌이치며 흐르는 강물과 같다. 한시도 멈추지 않고 수시로 형태가 바뀐다. 이러한 자본주의의 역동성을 오스트리아 출신의 미국 이론경제학자 슘페터(Joseph Alois Schumpeter, 1883–1950)는 '창조적 파괴'라고 불렀다.

기업가는 자본주의 경제를 발전시키는 핵심 주체다. 기업가는 시장에 숨어있는 이익을 찾아내기 위해 끊임없이 모험하고 도전한다.

무한한 집념으로 기술을 개발하고 새로운 제품을 만들어 시장을 두드린다. 또 기존의 생산방식과 유통구조도 바꿔 생산성을 높인다. 이것이 바로 슘페터가 말하는 '창조적 파괴'다. 이러한 변화의 힘이 바로 자본주의 경제를 발전시키는 원동력이다.

'코로나19'에 의한 세계경제 위기는 세계 각국 경제에 슘페터의 창조적 파괴를 전면적으로 요구하는 사상 최대의 외부충격이라 볼 수 있다. **'창조적 파괴'의 성공 여부에 따라 승자로 일어서서 새로운 부흥으로 나아가는 나라와 패자로 전락해 역사의 뒤안길로 퇴보할 나라가 갈라질 전망이다.**

1차에서 4차에 걸쳐 일어난 산업혁명이 세계경제의 대표적인 창조적 파괴 현상이다. 18세기 영국에서 일어난 '제1차 산업혁명'은 생산을 기계화해 인류사회를 농업사회에서 공업사회로 바꾼 역사적인 경제혁명이었다.

존 케이의 면직물 만드는 자동북83)의 발명은 면직물 공업의 급속한 발전을 가져왔다. 제임스 와트의 증기기관 발명은 증기에서 생산의 동력을 얻게 했다. 이후 증기기관을 움직이기 위한 석탄업이 발전하고 기계를 만들기 위한 제철공업이 발전했다. 이를 바탕으로 육지의 교통수단으로 철도가 발전하고 바다의 수송수단으로 증기선이 출현했다. 통신분야도 함께 발전했다. 무선통신 기술의 발달로 육지는 물론 해외까지 통신이 가능했다. 교통과 통신의 발달은 영국에서 시작한 산업혁명을 전 세계로 확산했다.

20세기 초반에 나타난 '제2차 산업혁명'은 컨베이어 벨트의 발명

---

83) 1명의 직공이 방적공 10명분의 면사를 생산할 수 있게 되었다.

으로부터 시작했다. 컨베이어 벨트가 생산의 효율화를 극대화하자 이를 계기로 공장의 분업화화 대량생산체제가 급속히 발달했다. 이후 일반 생활용품은 물론 자동차까지 공장에서 대량으로 생산하는 체제로 바뀌었다. 이를 계기로 제조업이 폭발적으로 발전하고 인류는 물질적 풍요를 누리는 문명시대를 열었다.

인류의 산업혁명은 여기서 끝나지 않았다. 20세기 후반에 들어 정보통신 혁명을 통한 정보화시대의 도래와 함께 '제3차 산업혁명'이 일어나면서 산업발전체제는 컴퓨터와 인터넷 중심으로 완전히 형태를 바꿨다. 정보통신혁명으로 인류의 삶은 시간과 장소를 초월하는 새로운 차원으로 바꾸었다. 2000년대 들어 '제4차 산업혁명'이 진행 중이다. 인공지능, 빅 데이터, 사물 인터넷(IoT), 3D 프린터, 로봇, 드론 등의 기술은 인류의 삶을 다시 송두리째 바꿀 전망이다.

지난 50여 년 동안 한국경제의 고도발전도 창조적 파괴의 과정이었다. 1960년대까지 가난한 농업국가였던 우리나라는 1960년대 박정희 정부가 시작한 경제개발 5개년계획으로 인해 경제체제가 바뀌기 시작했다. 1960년대 섬유와 신발 등 경공업으로 출발한 공업의 발전으로 경제성장이 본격화했다. 새로운 지식과 기술을 배우기 위해 전국적으로 교육열풍이 불면서 젊은이들은 농촌을 떠나 도시로 향했다. 한마디로 농업사회의 파괴와 공업사회의 창조였다.

1970년대 들어 우리 경제는 꿈도 꾸지 못했던 제철, 자동차, 조선, 석유화학 등의 중화학 제조업을 대규모로 일으켰다. 여기에 땅을 흔들고 하늘을 찌른다는 표현이 아깝지 않을 만큼 고도의 건설기술을 빠르게 습득해 국내는 물론 해외 곳곳에서 도로와 교량을 건설하고 고층건물들을 쑥쑥 지어 올렸다. 1960년대의 초라한 농업경제에 비교할 때 실로 천지개벽과도 같은 창조적 파괴였다. 이를 계기로 우리나라는 세계 10위권에 드는 경제대국으로 발돋움하고 어느 나라 국민보다 잘 산다는 자부심을 갖게 되었다. 1990년대 이후 IMF외환위기와 글로벌 금융위기를 겪었으나 우리경제는 다시 정보통신산업과 반도체 등의 신산업발전을 통해 창조적 파괴를 이어 나갔다.

문제는 제4차 산업혁명이다. 4차 산업혁명은 과거의 1~3차 산업혁명에 비해 상상을 초월할 만큼 훨씬 파격적이다. 따라서 4차 산업혁명은 어느 나라가 먼저 선점하는가에 따라 경제패권의 향방이 달라져 미국과 중국 등 주요 국가들이 경제의 명운을 걸고 추진하고 있는 사업이다.

4차 산업혁명은 먼저 성공하는 나라가 모든 것을 차지하는 승자독식의 성격이 강하다. 뒤쳐지면 아무것도 얻기 힘들다. 4차 산업혁명에 뒤쳐질 경우 자칫하면 경제가 발전을 멈추고 뒷걸음질 하다 크게 퇴보할 가능성이 있다. 우리나라는 1997년 외환위기 이후 정보통신산업을 경제의 새로운 성장동력으로 적극 발전시켜 세계적으로 인정을 받고 있으나 4차 산업혁명에 있어서는 아직까지 특별한 두각을 나타내지 못하고 있다.

20세기 후반 정보통신혁명이 본격화한 이후 새로운 기업가들이 창의적인 모험과 과감한 도전정신을 역동적으로 발휘해 산업의 혁신속도가 빠르게 진행되어왔다. 빌 게이츠의 마이크로 소프트, 스티브 잡스의 아이폰, 마크 저커버그의 페이스북, 래리 페이지와 세르게이 브린의 구글, 제프 베조스의 아마존 등이 대표적이다. 우리나라에도 이해진의 네이버, 김범수의 카카오 등이 이에 속한다. 앞으로 4차 산업혁명이 진행되면서 산업의 혁신속도는 더욱 빨라질 전망이다.

중요한 사실은 창조적 파괴를 이끄는 혁신적인 기업가들이 노력한 만큼 보상을 받고 사회로부터 정당한 대우를 받아야 한다는 것이다. 기업가가 새로운 시대를 견인해 가기 위해 남들보다 앞선 꿈을 꾸고 노력하며 과감한 도전과 모험으로 얻은 이익은 정당한 것으로 인정받아야 한다. 기업가가 위험을 무릅쓰고 혁신에 성공한 결과 경제가 발전해 일자리를 만들고 소득을 증가시키는 것은 물론 삶의 질이 향상하고 사회를 풍요롭게 만든다는 것 또한 인정해야 한다.

그렇다고 해서 기업가의 이익이 영구적인 것은 아니다. 기업가의 혁신은 곧바로 또 다른 기업가의 혁신으로 인해 소멸의 위기를 맞을 수 있기 때문이다. 이러한 창조적 파괴의 연쇄적인 반복이 역동적인 자본주의 시장경제발전의 메커니즘이다.

대내외적으로 위기가 겹친 우리나라는 슘페터의 창조적 파괴가 세계 어느 나라보다 절실하다. 그러나 창조적 파괴의 걸림돌이 너무 많다. 가장 큰 걸림돌이 '정부 규제'다. 모든 사업에 대해 정부의 인가나 허가를 받아야 한다. 더구나 정부의 규제를 통과해 사업을 실행에 옮겨도 연속적으로 지시와 감독을 받는다. 자유로운 모험과 도전을 생명으로 하는 창조적 파괴가 불가능에 가깝다. 창조는 없고 파괴만 있는 셈이다.

창조적 파괴의 또 다른 걸림돌은 '대기업의 경제력 집중'이다.

대기업은 규모나 조직의 속성상 모험사업에 도전해 성공할 수 있는 체제가 아니다. 창의적인 기술혁신과 신산업 발굴보다는 기존의 시장독점권을 지키며 안주하여 이익을 버는데 치중한다. 당연히 안정을 추구하고 변화를 거부한다. 중소기업이나 벤처기업이 새로운 사업에 성공하면 막강한 자본력과 시장 독점력을 이용해 빼앗는 일에 집중한다.

'노조의 집단이기주의'도 혁신을 통한 창조적 파괴를 저해한다. 안정적인 일자리, 임금인상, 근로시간 단축, 경영참여 등을 주요목적으로 투쟁을 벌여 기업으로서는 혁신을 꾀하는 것이 여간 어려운 일이 아니다.

끝으로 창조적 파괴를 가로막은 장애물은 '패자부활전이 없는 것'이다. 창조적 파괴를 이끄는 모험사업은 성공확률이 낮다. 따라서 실패를 수없이 반복해야 성공하는 속성을 갖는다. 우리나라의 경우 벤처나 중소기업가들이 사업에 한번 실패하면 경제범죄자로 전락하거나 삶이 파탄에 이르는 경우가 많다. 모험사업에서는 실패의 경험이 중요한 자산이다. 이것을 인정하지 않는 나라에서 어떻게 창조적 파괴를 통한 신성장동력을 끌어올릴 수 있겠는가?

경제전쟁의 첨단무기, 4차 산업혁명[84]

'4차 산업혁명'은 현 세대가 시작한 거대한 '창조적 파괴'다. 동시에 국제 무역전쟁에서 국가간 승패를 가르는 첨단 핵무기다. 2016년 1월 스위스에서 열린 다보스 포럼에서 최대 화두로 떠오른 4차 산업혁명은 경제의 창조적 파괴의 새 패러다임으로 자리를 잡고 있다. 4차 산업혁명은 기존의 산업혁명과는 차원이 다르다. 1차, 2차, 3차 산업혁명은 각각 증기

84) 이필상, "내우외환의 한국경제", 신동아, 2017. 11. 참조

기관발명, 전기발명, 정보통신혁명 등으로 기계가 인간의 손을 대체하는 혁명이었다. 이에 반해 4차 산업혁명은 인공지능의 발명으로 기계가 아예 인간의 두뇌를 대체하는 혁명이다.

인공지능을 가진 기계가 일을 하면 사람이 하는 것에 비해 정확성, 생산성, 전문성, 경제성 등이 비교가 안 될 정도로 높다. 경제는 물론 사회 전반에 상상을 초월하는 변화를 가져올 수 있다. 전 세계 일자리가 2025년까지 25%, 그리고 2030년까지 50%가 사라질 것으로 전망하고 있다.

4차 산업혁명은 단순한 경제체제의 변혁이 아니다. 인류가 먹고 사는 삶의 형태 자체가 바뀌는 '문명의 대전환'이다. 인간이 할 수 있는 대량의 생각과 일을 기계가 초고속으로 처리할 수 있게 됨에 따라 인류의 사회적 가치와 문화가 새로운 형태로 바뀌게 될 것이다. 이와 같은 문명의 창조적 파괴경쟁에서 패자가 될 경우 단순한 무역전쟁의 패배가 아니라 인간과 국가의 패배가 될 수 있다. 세계 각국이 경제의 명운을 걸고 4차 산업혁명의 경쟁을 벌이고 있는 이유다.

4차 산업혁명은 최첨단의 경제 핵무기로 볼 수 있다. 핵무기를 개발해서 보유하면 언제든지 다른 나라를 파멸시킬 수 있는 절대적이고 우월적인 힘을 갖게 된다. 따라서 다른 나라를 지배하거나 압박하면서 자국의 이익을 극대화할 수 있다. 그런데 한국은 4차 산업혁명의 추진이 부진하다. 스위스 UBS은행의 '국가별 4차 산업혁명 준비(대응능력) 평가보고'에 따르면 우리나라의 4차 산업혁명 준비 수준은 세계 25위에 불과하다.

IMF위기 이후 한국경제는 잠재성장률이 빠른 속도로 떨어졌다. IMF위기 이전 8%를 넘던 잠재성장률이 최근 2% 수준으로 떨어졌다. 이런 상태에서 경제대국으로 부상한 중국의 빠른 추격에 경제가 발목이 잡혔다. 여기에 미국은 아예 세계경제를 무역전쟁터로 만들었다. 우리나라도 무역공격의 대상이다. 유럽연합, 일본 등도 우리경제에 공세적이다. 경제패권을 놓고 무한전쟁을 벌이고 있는 이들 국가들은 4차 산업혁명을 주요 무기로 삼고 있다.

4차 산업혁명에 앞장서는 것은 우리경제가 세계무역전쟁의 포화를 뚫고 일어설 수 있는 유일한 길이다. 따라서 미래를 선점하기 위해선 나라의 사활을 걸고 4차 산업혁명의 조기 달성에 전력을 기울여야만 한다.

4차 산업혁명을 위해서는 '경제환경의 획기적인 개선'이 필요하다. 우리나라 규제제도는 새로운 것을 추구하는 기업가 정신을 원천적으로 막는다. 기업의 창의적 활동과 혁신적인 산업혁명을 적극적으로 유도하려면 허용이 불가한 사항만 나열하고 모든 것을 허용하는 '네거티브 규제제도'를 도입해야 한다.

이와 더불어 거듭 강조하고 있는 '산업구조의 개혁'도 절실하다. 과거 고도성장을 이끌던 주력산업들이 국제경쟁력을 잃고 부실기업을 양산하고 있다. 따라서 부실기업에 대한 과감한 구조조정이 불가피하다. 한편 대기업의 시장 독과점을 막아 벤처기업과 중소기업들이 자유롭게 일어나 창의력을 발휘할 수 있도록 하기 위해 대기업 중심의 경제력 집중이 심한 산업구조를 서둘러 개혁해야 한다.

나아가 '노동시장의 개혁'도 필수적이다. 강성노조가 귀족화되어

갈 경우 노동시장의 양극화와 경직성을 불러올 뿐만 아니라 노동의 창의성을 떨어뜨리고 거꾸로 고용을 악화하는 부작용을 유발하기 때문이다.

한국경제는 실물산업과 정보통신이 함께 발전했다. 따라서 인공지능 개발에 앞서고 융합산업을 발전시키면 어느 국가보다도 4차 산업혁명을 성공적으로 이끌 가능성이 있다. 특히 중소기업과 벤처기업이 발전하여 4차 산업혁명을 주도하고 근로형태를 바꾸면 고용문제도 해결할 수 있다.

4차 산업혁명은 독립적으로 일어나는 것이 아니라 기존의 산업과 융합해서 일어난다는 점에 주목해야 한다. 최근 진행되는 4차 산업혁명관련 사업은 운전자 없이 목적지를 가는 자율주행차, 사람 대신 공장이나 사무실에서 일하는 로봇, 사람의 행동과 생각까지 분석하는 빅 데이터, 사물과 사물이 서로 정보를 교환하는 사물인터넷(IoT), 3차원의 입체물품을 만드는 3D프린터 등이다.

우리경제가 서두를 경우 다른 나라에 앞서 성공할 수 있는 사업들이다. 4차 산업혁명에 대한 우리나라의 잠재력은 세계 최고수준이며 최고 학력의 인적자원이 넘친다. 청년들에게 기회만 주면 어느 나라보다 먼저 신산업을 찾아낼 역량을 갖췄다. 무엇보다 자유로운 경제활동을 보장해주면 기업가 정신도 다시 살아나게 되어있다.

4차 산업혁명이 단순하게 첨단기술을 개발하여 산업구조를 바꾸고 경제의 효율성만 높여선 안 된다. 기계가 인간을 대신하는 분야가 광범위해질수록 사람중심의 새로운 사회적 가치를 창출해야 한다. 일과 삶의 방식이 완전히 달라지는 만큼 임금과 분배제도를 바꾸고 근로시간을 줄여 생활구조와 문화를 행복추구형으로 만드는 과정도 필요하다. 새로운 산업수요에 맞게 교육제도를 개혁하고 직업훈련을 강화하여 인력의 전문성을 높여야 함은 물론이다.

이제 한국경제는 과거를 뒤로하고 모든 것을 다시 시작한다는 각오로 도약할 때다. 이 과정에서 나타나는 문화와 사회의 혼란과 변화는 우리나라가 선도적으로 대처해야 할 불가피한 대상이다.

문재인 정부는 '코로나19' 경제위기를 극복하고 포스트코로나시대의 혁신성장을 목표로 한 한국판 뉴딜정책을 들고 나왔다.

한국판 뉴딜정책은 근본적으로 우리경제가 살 길인 4차 산업혁명을 조기에 달성하는 발판이 되어야 한다. 그러나 정부는 한국판 뉴딜정책을 '코로나19' 경제위기를 막기 위한 임기응변책으로 펴게 될 가능성이 있다. 그렇게 되면 한국판 뉴딜정책이 거꾸로 4차 산업혁명을 가로막는 결과를 초래할 수 있다. 무슨 일이 있어도 이런 일은 없어야 한다.

17 한국경제를 살릴 비책(祕策), 혁신적 포용경제

한국 자본주의의 모순[85]

우리나라는 자본주의 경제를 세계에서 가장 빠른 속도로 발전시킨 나라다. 하지만 자본주의 경제의 모순도 함께 가장 빠르게 나타났다. 1960년대 경제발전을 시작한 우리나라는 불과 50년 만에 세계 10위권의 경제대국으로 부상했다. 그러나 정경유착, 경제력 집중, 부채경영 등의 모순에 빠져 1997년 외환위기와 2008년 금융위기를 초래한 후 스스로 성장동력을 잃고 곤두박질치고 있다. 경제가 고용창출능력을 잃어 실업자가 쏟아져 나오고 청년들이 취업을 못해 절망에 빠졌다. 정부는 포용경제를 만든다고 현금살포를 주요정책으로 펴고 있다. 그러나 마약처럼 쏟아지는 현금은 기업투자와 산업으로 흐르지 않고 부동산시장으로 흘러 투기에 불을 지르고 있다. 집 없는 사람들은 아예 내 집 마련은 꿈도 못 꾸고 전 · 월세

---

85) 이필상, "사람중심의 자본주의", 고려대학교 호상지, 2012. 1. 5. 참조

도 감당하지 못해 쫓겨나는 신세다. 일자리를 잃고 빚이 많은 사람들은 파산을 면치 못하고 거리로 내몰리고 있다.

세계에서 가장 부유한 자본주의국가인 미국도 흔들리고 있다. 2019년 12월에 시작한 '코로나19' 사태가 아직까지도 그 기세가 꺾이지 않은 채 끝이 안 보이는 불안한 심연 속으로 전 세계를 몰아넣고 있다. 자본주의의 대표국가이자 세계패권을 쥔 G1국가 미국마저도 '코로나19' 사태로 인해 어떻게 될지 모르는 상황에 처해있다. 이미 미국에서는 '코로나19'에 생명을 잃은 사람들이 베트남 전쟁의 피해 규모를 넘어선 것으로 알려졌다.

뜻하지 않은 '코로나19' 사태가 터지자 의료와 사회보장제도의 허상이 드러나면서 미국민들이 속수무책으로 죽어가고 있다. 세계 최고의 의료시설과 기술을 자랑하는 미국이 '코로나19'에 대한 감염검사도구조차 제대로 갖추지 못해 병원을 찾는 의심환자들을 돌려보내는 일들이 일어나고 있다. 더구나 의료보험이 없는 저소득층 서민들은 코로나에 감염되어 생명이 위험해도 병원을 찾아갈 수도 없다.

이런 상태에서 '코로나19' 사태가 악화일로에 있어 일정 소득 없이 하루 벌어 하루 사는 빈곤한 근로자들의 생계가 위협받고 있다. 1930년대 대공황 때보다도 많은 실업자가 쏟아져 나왔다.

'코로나19' 사태는 미국 자본주의의 허상을 적나라하게 드러냈다.
자본의, 자본에 의한, 자본을 위한 돈 중심의 경제가 빈부격차를 심화하고 인간다운 삶이 보장되는 의료제도와 사회보장제도마저 자본의 논리로 오염시켰다. 이에 따라 '코로나19'라는 초유의 사태에 맞닥뜨리자 이에 대한 신속한 대응책을 제대로 갖추지 못해 수많은 사람들을 죽음과 가난의 공포로 몰아넣고 있다.

이 와중에 백인 경찰의 과잉진압으로 흑인이 사망하는 사건이 발생하자 흑인계층의 분노가 폭발하면서 시위와 폭동이 전국 곳곳에서 벌어졌다. 여전히 만연해 있는 미국내 인종차별과 사회갈등으로 인한 충격이 미국사회를 강타하고 있다.

미국은 자본주의가 가져오는 빈부격차의 모순이 최악인 상태다. 백인이 주류인 상위 10%의 자산이 하위 90% 자산의 합보다 크다. 이런 자본주의 사회가 어떻게 지속가능할 것인가? 세계 최강의 자본주의 경제국인 미국의 앞날이 불안하다. 한국의 자본주의도 앞이 깜깜하기는 마찬가지다.

2011년 튀니지의 한 가난한 청년은 자본주의의 모순을 죽음으로 항변했다. 부아지지라는 이름의 이 청년은 대학 졸업 후 직장을 구하지 못해 노점상을 하다가 경찰의 단속에 항의해 분신자살했다. 이 사건은 독재정권 하에서 빈곤에 찌든 중동과 북아프리카 지역에 민주화 운동을 들불처럼 번지게 했다. 상황은 이것으로 끝나지 않았다. 승자독식의 자본주의 모순에 항거하는 월가 시위(Occupy the Wall Street)에 불을 당겼다. 상위 1%의 부유층이 경제를 지배하며 부를 독차지하고 99%의 사람들은 피해자로 전락했다는 주장의 시위가 세계 각국에서 일어났다.

자본주의는 인간의 물질적 욕구가 무한하다는 전제하에 자유경쟁을 경제성장의 기본 동력으로 한다. 따라서 적자생존의 논리에 따라 자연히 부의 불평등을 초래할 수밖에 없다. 여기에 정치권력과 정부의 부정부패와 독점자본의 시장지배가 있을 경우 부의 불평등한 분배는 극단의 상황으로 치닫고 빈곤계층이나 소외계층은 실업과 생계불안, 신분예속 등의 수난을 겪는다. 이들의 분노가 사회가 감내하기 어려울 정도로 확산하면 체제변화에 대한 집단적 요구가 나오고 이어 시위와 폭동이 따른다.

이러한 **자본주의 모순은 2008년 미국발 금융위기가 세계경제를 강타한 이후 세계 각국이 무제한 자금을 풀고 보호무역을 강화하는 자국우선의 정책을 펴면서 고착화하고 있다.** 특히 미국의 미국우선주의와 중국의 중화주의가 세계경제를 무역전쟁터로 만들면서 승자독식의 모순을 더욱 심화할 전망이다.

사람중심의 포용경제

자본주의의 근본적인 모순은 '돈 중심의 경제'라는 데 있다. '돈의, 돈에 의한, 돈을 위한' 경제로서 수단과 방법을 가리지 않고 부를 축적하는 것을 주된 목표로 한다. 세계적인 이러한 자본주의의 지향이 급기야 자본전쟁을 일으켜 약육강식의 자기 파괴적인 결과를 낳았다. 자본주의는 사람이 잘 살기 위해서 사람이 만든 제도다. 그렇다면 자본주의의 기본이념은 돈 중심이 아니라 사람중심의 자본주의여야 한다. 사람이 주인이고, 사람이 일을 하고, 사람이 잘사는 시장경제가 바로 자본주의 본연의 모습이다.

우리경제는 사람중심의 자본주의가 아니라 '돈 중심의 자본주의'가 급속도로 발달해 스스로 위기를 맞았다. 참으로 아이러니하게도 한강의 기적이 한강의 눈물을 낳는 결과를 만든 것이다.

　기본적으로 자본주의가 추구해야할 경제체제는 '사람중심의 포용경제'다. 사람중심으로 경제를 운영하고 경제가 사람을 포용해 모두가 잘사는 경제가 되어야 한다. 그렇다면 사람중심의 포용경제는 어떤 경제인가?

　첫째, 사람중심의 포용경제는 '민주경제'다. 사람이 경제의 주인인 것이 전제조건이다. 따라서 민주경제의 원칙을 부정하고 경제를 지배하거나 압박해 자신들의 이익을 추구하는 부당한 권력이 존재하면 안 된다. 그런데 우리나라의 경우 민주경제를 저해하는 다양한 권력이 사회에 존재한다.

　가장 큰 문제가 '정치권력'이다. 정치권력이 공정한 시장기능을 무시하고 자신들의 정치적 이해관계에 따라 법과 제도를 만들고 정책을 강요한다. 자본권력과 결탁해 특혜를 제공하고 정치자금을 받는 정경유착의 불법비리와 부정부패까지 저지른다. 이와 같은 정치권력의 경제 농단이 존재하는 한 사람중심의 포용경제는 요원하다.

　정치권력과 더불어 '자본권력'도 사람중심의 포용경제를 가로 막는다. 우리나라의 경우 정치권력을 배후로 하는 재벌기업들은 인허가, 금융, 조세의 특혜는 물론 시장의 독과점을 통해 경제력을 집중하고 막대한 부를 축적했다.

　'행정권력'도 문제다. 관료주의가 깊게 뿌리 내려 경제를 관리하는 체제다. 우리나라 규제제도는 기본적으로 경제활동을 개별적으로 규제하는 포지티브제도다. 관료주의가 포지티브 규제제도를 무기로 해 기업, 투자자, 소비자 등 모든 경제주체들의 행위를 감시하고 통제할 수 있는데 이것이 지나치면 경제의 발목을 잡는다.

'노동권력'도 심각한 문제를 야기한다. 노조는 기업과 근로자의 상생을 전제로 근로자의 권익을 위해 일해야 한다. 그러나 집단이기주의가 발동해 노조가 지나치게 권력화 되면서 자신들의 권익을 위해 기업을 과도하게 압박함으로 노사상생을 통한 국가전체 이익과 국민경제의 발전을 해치는 경우가 많다.

'언론도 사회권력화' 해 본연의 기능을 못하고 있다. 공정성을 바탕으로 사회정의를 구현하고 국민통합을 위해 노력하는 것이 아니라 특정 주체나 자신들의 지지기반의 이익을 대변해 불의를 조장하고 국민 분열을 유발하는 일을 무감각하게 자행하고 있다. 국민들이 자유롭게 이용하는 사회통신망에서도 개인이나 집단 간에 무분별한 이념충돌과 허위비방 및 적대적 공격이 도를 넘어 인간성을 상실하고 경제와 사회를 파괴하는 재앙의 수준에 가깝다. 이 외에도 사회의 집단이기주의가 강해 공공사업이나 개인 및 기업활동이 부당하게 제약을 받는 경우가 흔하다.

둘째, 사람중심의 포용경제는 '성장동력'을 갖춰야 한다. 경제는 사람이 잘살기 위한 기반이다. 경제가 성장을 하지 못하면 사람들이 일자리를 구하지 못한다. 동시에 소득이 감소해 원활하고 안정된 삶을 유지하기 어렵다.

고도의 성장을 할 때 우리경제의 잠재성장률은 10%에 육박했다. 현재 우리 경제구조로는 2%의 성장도 어렵다. 자연히 고용창출능력이 떨어지고 소득이 증가하지 않아 국민의 생활이 어렵고 부채가 증가하는 구조적 불안을 겪고 있다.

실로 큰 우려는 인구가 세계에서 제일 빠른 속도로 고령화하는 반면 출산율은 세계 최저라는 것이다. 이런 상태에서 성장잠재력을 잃고 있는 경제의 국민 부양능력이 급격히 떨어지고 있다. 현 세대는 이미 실업과 부채의 고통이 크게 겪고 있다. 미래세대는 아예 인구가 줄고 있다. 인구절벽의 초위험 시대를 맞고 있는 우리 사회가 앞으로 어떻게 고령인구를 부양하며 살아갈지 보통 우려스러운 일이 아닐 수 없다.

우리나라는 국민의 삶에 필수적인 경제성장을 놓고도 이념충돌이 심각한 망국병을 앓고 있다. 진보이념의 계층은 경제성장을 상수로 놓고 '분배'를 강조하며, 분배를 잘해야 소비와 투자가 늘어 경제가 성장한다는 논리를 편다. 그리고 정부가 공권력을 가지고 시장에 개입해 분배를 강제해야 한다는 주장을 편다.

이에 반해 보수이념의 계층은 시장의 자유를 보장해 기업의 창업과 투자를 적극적으로 유도해야 경제가 성장하고 경제가 성장해야 고용을 창출하고 소득을 분배할 수 있다고 주장한다. 성장을 배제하고 분배에만 치중할 경우 경제는 스스로 무너지는 운명을 맞는다는 논리다. 특히 정치권력이 정치적인 목적으로 분배를 내세워 선심정책을 펼 경우 시장기능이 마비해 경제가 생명력을 잃을 수 있다는 입장이다.

어느 쪽이든 편향적인 이념은 경제의 독이다. 경제를 올바르게 살리려면 진보와 보수라는 이념논리를 떠나 사람중심의 시장경제라는 경제논리에 따라 시대를 읽는 법과 제도를 만들고 경제정책을 펴야 한다.

경제는 성장능력이 생명이다. 따라서 경제성장을 우선순위에 놓은 다음 분배정책을 효과적으로 펴는 것이 수순이다. 무엇보다 경제가 성장능력을 갖춰야 국제경쟁력을 확보하고 해외의 경제영토를 넓히는 것은 물론, 외국자본의 공격이 있을 때 경제주권을 지키는 힘을 발휘한다. 분배정책도 올바른 경제발전의 필요조건이다. 분배를 공정하게 해야 경제성장의 과실을 골고루 나눠 국민들이 잘 살 수 있다. 더욱이 분배가 효율적으로 이뤄져야 소비가 활성화하고 소비가 활성화해야 투자와 생산이 늘어 다시 경제가 성장하는 기능을 발휘할 수 있는 것이다.

셋째, 사람중심의 포용경제는 '고용창출능력'을 갖는 것이 필수적이다. 경제가 아무리 성장동력을 갖춰도 고용창출능력이 없으면 허사다. 기본적으로 경제는 사람이 일을 하고 일을 하는 대가로 소득을 벌어서 산다. 따라서 경제가 고용창출을 멈추면 경제의 주인인 사람의 생계가 유지될 수 없다는 근본적인 모순이 발생한다.

우리경제는 고용창출의 큰 위기를 맞았다. 기본적으로 성장률이 떨어져 경제가 고용능력이 부족하다. 더구나 산업구조가 대기업 중심으로 되어 있어 중소기업을 통한 고용창출이 어렵다.

우리나라 산업은 기본적으로 중화학 공업을 대기업이 이끄는 구조다. 중화학 공업 자체가 대형의 장치산업으로 주로 기계와 시설이 생산기능을 한다. 따라서 인력수요가 별로 없다. 여기에 대기업들이 높은 인건비와 노사분규를 피해 자동화 투자를 많이 한 상태라 컴퓨터가 일을 하는 구조다. 어느 대기업의 공장을 가도 근로자 보기가 힘들 정도다. 반면 중소기업들은 저렴한 가격으로 일부 부품이나 소재를 공급하는 대기업의 하청업체로 명맥을 유지하기 때문에 중소기업이 발전하면 고용창출이 커질 수 있다.

또한 자영업자들이 골목상권에서 많은 고용창출을 이룰 수가 있다. 그러나 자영업자들도 경제의 불황이 구조화해 경영난이 심하다. 따라서 경제력을 분산하는 공정거래정책을 계속 펴 중소기업들의 발전을 꾀하고 자영업자들을 살려 경제성장의 효율성과 고용창출능력을 높이는 노력을 해야 한다.

특히 미래의 산업구조를 결정하는 4차 산업혁명은 모험과 도전이 필요한 산업이다. 따라서 안정위주의 대기업보다는 벤처기업과 중소기업이 주도해야 한다. 이렇게 볼 때 대기업 중심의 산업구조에서 탈피해 벤처기업과 중소기업들 중심으로 4차 산업혁명을 추진하며 고용창출능력을 높이는 정책을 펴야 한다. 이와 더불어 유통, 금융, 법률, 의료, 관광, 문화 등의 서비스 산업을 고도화해 경제의 경쟁력을 높임으로써 고용을 대규모로 창출하는 정책도 병행해야 한다.

4차 산업혁명은 사람의 손만 아니라 머리까지 기계가 대신 일을 하는 경제체제의 변화이기 때문에 일자리가 대폭 감소하는 결과가 불가피하다. 현재 일자리의 최대 50%까지 감소할 것이라는 예측도 나오고 있다. 따라서 새로운 산업구조의 형성과 생산성의 증가에 따라 근로의 전문성을 높이고 근로시간을 줄이는 식으로 근로형태를 바꿔 가야 한다. 동시에 생활의 형태를 바꿔 어떻게 시간을 효율적으로 영위하며 행복을 추구하는 가치로 삶의 질을 향상할 수 있을지에 대한 준비도 해야 한다.

넷째, 사람중심의 포용경제를 위해서는 '분배가 공정'해야 한다.

사람중심의 경제가 성장동력과 고용창출능력을 갖춰도 분배가 공정하지 않으면 그 자체가 모순이다. 궁극적으로 사람이 일을 하는 이유는 소득을 벌기 위한 것이다. 경제성장의 과실을 올바르게 분배하지 않으면 근로의욕 상실과 사회적 갈등을 유발해 경제의 정상적인 발전이 어렵다.

공정한 분배를 위해 1차적으로 필요한 것이 공정거래제도다. 우리 경제의 경우 대기업의 시장 독과점과 중소기업 탈취, 근로자 부당대우 등의 고질화된 불공정 거래가 많다. 따라서 공정거래제도를 확립해 경제활동을 하는 사람 누구나 노력에 대한 공정한 대가를 받도록 해야 한다. 노동조합의 건전한 발전도 필수불가결하다. 따라서 근로자의 권익을 정당하게 요구하고 지키는 노동조합의 발전은 사람중심 포용경제의 핵심요건이다.

분배에서 중요한 사실은 성장을 부당하게 해치면 안 된다는 것이다. 경제의 성장능력에 비해 분배가 과도할 경우 버는 돈을 쓰는데 치중하는 현상을 가져와 경제의 지속적인 발전이 어렵기 때문이다.

특히 경제성장을 이끄는 기업에게 있어 임금과 복지부담이 지나치게 클 경우 기업경영이 어려워 도태하기 쉽다. 따라서 기업의 임금정책과 복지정책은 노사상생을 기본조건으로 해야 한다. 경제 전체적으로 볼 때 경제가 성장과 분배가 균형을 이루며 선순환을 하도록 하는 것이 우리경제의 이상향이 아니라 현실이 되어야만 할 때다.

다섯째, 사람중심의 포용경제를 위해 '금융제도가 효율적'이어야 한다. 금융시장은 자금을 거래하는 시장이다. 자금의 가격은 이자다.

금융시장에서 자금의 대출과 차입은 경제의 성장과 분배를 결정하는 핵심변수가 된다.

우선 기업은 창업과 투자에 필요한 자금을 증권시장에서 주식과 채권을 발행해서 조달한다. 은행에서 자금을 차입하는 경우도 많다. 증권시장에서 결정되는 주식과 채권의 수익률은 기업이 지급하는 자본비용이다. 은행에서 자금을 차입할 때 지급하는 이자도 자본비용이다. 이때 기업의 미래 전망이 밝고 수익성이 높은 기업은 저렴한 자본비용으로 자금을 조달해 사업을 하며 발전해 간다.

반대로 그렇지 않은 기업은 높은 자본비용 때문에 사업을 제대로 추진하기 어렵다. 이러한 금융시장의 자금제공 기능은 기업들에게 적자생존의 시장원리를 적용해 수익성이 높고 경쟁력이 있는 기업들의 발전을 이끈다. 이에 따라 그 나라의 산업발전과 경제성장이 이뤄진다. 한편 자금을 제공한 투자자들은 어느 기업의 주식과 채권에 얼마를 투자했는가와 어느 은행에 저축을 얼마나 했는가에 따라 부가 달라진다.

이런 금융시장의 메커니즘에 따라 경제가 성장하고 국민의 부가 형성된다. 따라서 금융시장이 자금을 효율적으로 배분하는 기능을 발휘해야 경제의 건전한 성장과 공정한 분배를 담보할 수 있다. 따라서 저축과 투자를 해서 정당하게 부를 형성하고 사람중심의 잘사는 경제가 되려면 금융시장의 효율성은 기본조건이다. 정부나 공공기관도 채권을 발행해서 필요한 사업을 수행한다. 이 경우 역시 금융시장의 시장기능에 따라 금리가 결정되고 투자자들의 이익이 달라진다.

금융시장은 경제주권을 지킨다는 차원에서 높은 효율성이 절대적으로 필요하다. 개방경제체제 하에서 자본은 높은 수익성을 따라 세계 각국을 자유롭게 드나든다. 우리경제의 경우 금융시장이 선진국에 비해 낙후한 상태다. 따라서 외국자본이 자유롭게 들어와 금융회사의 설립, 기업의 인수와 합병, 주식과 채권 투자, 기업에 직접투자 등을 통해 막대한 이익을 벌어간다. 국부의 유출이다.

1997년 외환위기와 2008년 금융위기를 겪은 후 기업들이 부도위기에 처하고 금융시장이 혼란에 빠진 틈을 타 외국자본이 가져간 국부유출은 가늠하기 어려울 정도로 컸다. 이처럼 우리경제가 금융시장이 낙후해 국부를 유출시키는 결함을 갖는다면 피땀 흘려 일하는 우리나라 국민들은 실로 용납하기 어려운 부당한 피해를 입게 된다.

우리나라 금융시장이 효율적이고 국제경쟁력이 있으면 외국자본이 들어올 경우 금융회사들과 경쟁에서 우위를 차지하기 어렵다. 따라서 금융시장은 부당한 국부의 유출을 막고 경제주권을 지키며 경제발전을 올바르게 이끄는 보호막으로 중요한 역할을 한다.

끝으로, 사람중심의 포용경제를 위해 필요한 것이 '공정한 조세제도'다. 자본주의 시장경제에서 필연적으로 나타나는 현상이 빈부격차다. 따라서 조세제도를 통해 소득을 재분배 해 빈부격차에서 나타나는 사회적 부작용을 최대한 해소하는 것은 정부의 의무다.

이렇게 볼 때 공정한 조세제도란 사회정의 차원에서 그 사회가 동의하고 수용할 수 있는 수준의 누진세 제도를 의미한다. 이익을 많이 버는 기업은 그렇지 않은 기업에 비해 당연히 많은 세금을 내야 한다. 마찬가지로 재산과 소득이 많은 사람들은 재산이나 소득이 적은 사람들에 비해 많은 세금을 내는 것이 정당한 일이다.

우리나라의 경우 경제성장의 속도가 빠른 만큼 기업간 양극화와 계층간 양극화가 크다. 따라서 누진세 제도의 효율적 운영이 사회안 전망 구축은 물론 건전한 사회발전에 필수불가결하다.

이때 중요한 것은 누진세 제도에 대한 사회적 동의다. 누진세 제도 가 이익을 많이 버는 기업과 계층에 대한 징벌적인 제도가 되어서는 절대로 안 된다. 이는 자본주의의 기본질서를 부정하며 거꾸로 사회 분열을 조장하는 일이 될 수 있다. 기업이 사업을 해서 이윤을 얻고 개인이 소득을 벌어 재산을 형성하는 것은 경제활동의 기반인 사회 가 존재하기 때문이다.

그렇다면 경제가 사회 불의를 유발하는 것은 당연히 막아야 하며 이런 차원에서 사회구성원들은 정부의 조세기능과 누진세에 대해 필 요성을 인정하고 사회적 합의를 해야 한다. 부동산 투기 같은 불로소 득 행위는 막아야 하며 불로소득이 발생하면 세금으로 환수하는 장 치는 불가피하다. 아무리 이익이 적은 기업이나 소득이 적은 개인이 라 할지라도 법이 정한 최소한의 세금을 내는 국민개세주의 원칙도 지켜져야 한다.

경제난 극복을 위한 '7대 개혁'

한국의 자본주의가 세 가지 근본적인 위험에 처해 생사의 기로에 섰 다. 첫 번째 위험은 '성장동력의 상실'이다. 주력산업이 점차 경쟁 력을 잃고 있는 상태에서 신산업 발전이 부진해 경제를 움직이는 기본 힘인 성장동력이 꺼지고 있다. 더욱이 '코로나19' 사태가 장기화됨으로 인해 우 리경제의 앞날이 어떻게 될지 예단하기 어려운 극도의 불확실성에 휩싸여 특단의 대책이 없는 한 성장동력의 회복이 불투명하다. 두 번째 위험은 자본주의 모순인 '양극화의 함정'에 빠진 것이다. 소득의 양극화가 심한 상태에서 고용난까지 겹쳐 저소득계층과 소외계층의 고통이 크다. 정부가 재정지출을 통해 단기 일자리를 만들고 복지지출을 확대하는 정책을 펴고 있으나 재정의 점진적인 악화로 한계가 있고, 그 한계가 절벽에 부딪히는 최악의 상황을 배제하기 어렵다. 세 번째 위험은 대외경제 불안이다. 실물과 금융 양 부문에서 대외의존도가 높아 세계경제가 불안하면 한국경제는 타격이 큰 구조다.

특히 미국과 중국의 무역전쟁의 틈바구니에서 샌드위치가 된 한국경제는 무역전쟁의 피해를 집중적으로 받는 것은 물론 자국편에 서라는 양국의 압박으로 인해 진퇴양난의 상황이다. 우리경제가 이와 같은 사면초가의 위기를 벗고 다시 일어서려면 단순한 경제정책의 변화 정도로는 절대 안 된다. 근본적인 국가적 개혁과 산업의 혁신이 필요하다.

첫째로, '정치'의 근본적인 개혁이 없으면 새로운 경제도약은 기대하기 어렵다. 지금까지의 우리나라 정치는 경제를 발전시키는 정치가 아니라 경제를 농단하는 정치, 경제를 망치는 정치임을 인정하고 이를 철저히 개혁하려는 노력이 무엇보다 시급하다.

과거 한국의 주요 산업발전은 대부분 정치적 산물로 이뤄졌다. 정부의 인허가와 지원 없이는 기업의 창업과 투자가 어려웠다. 자연히 산업발전이 정치논리의 지배를 받아 왜곡된 성장을 이루었다. 그러다보니 개방경제체제 하에서 약육강식의 치열한 경쟁의 전쟁터에 던져

진 우리경제는 자율성과 창의성이 부족해 세계경제의 전쟁터에서 승리를 선점할 수 있는 국제경쟁력을 제대로 기르지 못했다. 특히 4차 산업혁명을 선도할 미래산업 발전에 뒤쳐져 무역전쟁에서 싸울 첨단무기의 개발과 준비가 제대로 안되어 있다.

우리경제가 성장동력을 잃게 된 것은 필연적 결과이다. 정치는 국가와 국민을 위해 존재하는 것이지 국가와 국민이 정치를 위해 존재하는 것이 아니다. 그런데 우리나라는 주객전도다.

정치권력이 정권을 잡기 위해 국민을 분열시켜 표를 모으고 지역갈등, 세대갈등, 빈부갈등 등 반사회적인 갈등을 정치에 이용하거나 심지어 조장하기까지 한다. 더욱이 경제관련 법과 제도, 정책을 정치적 이해관계에 따라 만들고 운영해 경제자체를 통치수단으로 악용하기도 한다. 이러한 정치의 구조적 한계 속에서는 진보, 보수, 어느 정치체제에서든 경제가 제 길을 잃어 성장동력이 꺼질 수밖에 없다. 따라서 나라와 경제가 올바르게 발전하려면 정치가 본연의 모습을 찾는 근본적인 개혁이 필요하다.

모든 권력은 국민으로부터 나오고 그 권력을 정치인들에게 위임하는 것은 전적으로 나라의 주인인 국민의 몫이다. 따라서 공직선거가 정치권력이 국민을 인질로 잡고 서로 이기려는 싸움판이 되어서는 안 되며, 국민이 정치권력을 심판하고 정책을 평가해서 올바르게 선택하는 참다운 민주주의 절차로 정착하도록 해야 한다. 그리고 일단 권력을 차지한 집권세력은 인사와 이권을 독점해선 안 된다.

국가와 국민을 위해 국정을 펼 최적의 인사정책을 펴야 하며 모든 이권은 국민의 것이 되도록 해야 한다. 특히 자신들을 지지한 계층을 위한 국정 운영이 아니라 모든 국민을 위한 국정운영이 되어야 함은 두말 할 나위가 없다.

경제의 올바른 발전을 위해 필요한 두 번째 개혁은 '관료주의'개혁이다. 경제의 국제경쟁력이 높은 선진국에서는 정부가 기업을 찾아가 애로를 해소해 주고 필요한 지원을 한다. 반대로 우리나라는 기업이 정부를 찾아가 읍소해야 하며 애로를 해소해 주는 것이 아니라 규제를 강요하여 오히려 애로사항을 만들어 준다. 그리고 지원을 하는 대신 감시와 통제를 강화한다. 이런 여건 속에서 어떻게 기업들이 일어나 국제경쟁력을 기르고 경제를 발전시킬 수 있겠는가?

앞서 언급했듯 향후 어떤 나라가 먼저 4차 산업혁명을 달성하는가에 따라 세계 각국의 경제운명이 달라질 것이다. 그런데 현재의 관료주의 체제 하에서는 우리경제가 4차 산업혁명을 조기에 달성하고 국제경쟁에서 우위를 차지하는 것이 불가능에 가깝다.

그렇지 않아도 국제경쟁력을 잃은 경제가 그 돌파구를 찾기도 전에 관료주의에 의해 거꾸로 숨이 막힐 수 있는 상황이기 때문이다. 따라서 규제제도를 네거티브 시스템으로 바꾸는 것은 우리경제의 존망을 위해 선택이 아니라 필수다.

또 필요 이상의 정부조직과 인력은 과감히 축소해야 하며 경제는 민간중심의 시장경제를 원칙으로 해야 한다. 국정에 종사하는 공직자들도 기본 인식과 역할을 규제를 통한 국민 통제가 아니라 자유와 질서를 보호하고 국민을 위해 봉사하는 것으로 바꿔야 한다.

경제위기 극복을 위해 필요한 세 번째 개혁의 대상은 '자본권력'이다. 자본주의 경제에서 자본권력은 공정한 시장기능을 해치는 암적 존재다. 우리나라의 경우 재벌기업의 경제력 집중이 심한 상태가 고착화 되어 있다. 따라서 신생 기업의 시장진입과 공정한 경쟁이 극히 어려운 구조로, 이러한 경제구조가 성장동력을 꺼트린 주범이 되었다. 또한 보이지 않는 가격 메커니즘이 자원의 최적 분배를 가져오는 시장경제의 공정경쟁 원칙이 성립하지 않는다. 이에 따라 우리경제는 수출산업과 내수산업의 양극화, 대기업과 중소기업의 양극화, 부유층과 서민의 양극화 등 심각한 경제 불균형을 가져왔다.

특히 대기업들은 중소기업, 벤처기업의 기술과 인력을 탈취하고 심지어 골목상권까지 지배해 자영업과 소상공인들까지 고사시키는 경제력을 행사했다. 더 나아가 시설의 기계화와 전산화를 통해 고용을 최소화하는 경영을 해 근로자들이 설 곳을 잃게 만들었다.

자본주의 경제를 자유방임으로 방치하면 시장의 독과점 현상이 자생적으로 나타나는 것이 보통이며 이러한 현상은 자본주의의 중요한 결함 중 하나다. 따라서 정부가 규제를 통해 불공정거래를 막는 역할을 하는 것은 불가피하다. 그러나 정부의 규제가 지나치거나 효과적이지 못할 경우 오히려 시장질서의 혼란이 오고 독과점 현상이 악화할 수 있다. 우리나라는 독과점을 규제하는 강력한 공정거래법을 갖고 있다. 그러나 규제의 강도가 높은 반면 규제의 적용이 공정하거나 효율적이지 않아 시장기능이 이중으로 압박을 받고 있다.

공정거래규제가 많아 일반 기업들은 투자와 생산활동에 많은 제약을 받고 있다. 그러나 막상 경제력을 집중한 일부 재벌기업들은 정치논리나 대마불사(大馬不死) 논리 등으로 인해 규제를 피하는 경우가 많아 오히려 시장 전체적으로 독과점 현상이 심화하는 현상이 나타나고 있는 것이다. 강력하고 공정한 독과점 규제를 통해 비뚤어진 자본권력의 힘을 제거하는 것은 우리경제의 선결과제다.

경제위기 극복을 위해 재벌개혁과 함께 추진해야 할 네 번째 개혁과제는 '노동' 개혁이다. 우리나라 양대 노총인 민주노총과 한국노총은 외형상으로는 재벌기업과 반대 위치에서 근로자 권익을 위해서 일을 하고 있으나 내면을 들여다보면 조직과 운영이 재벌기업과 유사하다. '노동귀족' 혹은 '귀족노조'라는 말이 양대 노총을 가리키는 또 다른 표현이 된 것은 우리경제의 어두운 이면을 드러낸 것으로 안타까운 일이다.

강성노조가 노동시장을 좌지우지하며 독과점 행위를 하고 정치권력과 연대해 노동권력을 행사하는 일이 흔하다. 심지어 비리나 불법행위의 폭로나 고발을 무기로 해 사측을 압박하고 굴복시키는 일도 있다. 근로자와 노동자 전체의 권익이 아니라 자신들의 권익과 일자리를 지키기 위해 신규채용까지 제한해 노동조합이 반노동이라는 비판도 받는다. 나아가 노조가 정치세력화해 선거에 영향을 미치고 자신들의 권익을 부당하게 보호하며 주장을 관철하는 일도 벌어지고 있다.

노동조합 가입에서 배제된 근로자들이나 실업자들은 거꾸로 역차별을 받는다. 노동조합이 일반 근로자를 위해 존재하는 것이 아니라 소수 조합원과 전임자들을 위해 존재하는 모순이다. 우리나라 노동조합은 노동시장의 공정성을 담보하고 근로자의 권익을 정당하게 보호하는 '모든 근로자의 노동조합'으로 다시 태어나야 한다. 특히 기업이 없으면 근로자도 없다는 사실에 근거해 기업과 노조가 공동운명체로 함께 발전하는 상생의 정신을 발휘해야 우리경제가 다시 일어설 수 있다.

다섯 번째, 경제의 건전한 발전을 위해 '언론'도 정상적인 기능을 찾도록 개혁해야 한다. 언론은 나라에서 일어나고 있는 중요한 사실들을 국민에게 올바르게 알릴 의무가 있다. 그러나 우리나라 언론은 이 의무를 자신들의 이익을 위해 무기로 사용한지 오래다.

언론이 불리한 사실을 알리거나 비리와 부정부패를 폭로하면 당사자는 치명적인 피해를 입는다. 이러한 힘을 언론은 자신들의 이해관계에 맞춰 선택적으로 사용한다. 심지어 요즘은 언론이 가짜뉴스를 조장하고 확산하는 일까지 벌어지고 있다. 그리하여 언론은 국민은 물론 정치권력, 행정권력, 자본권력까지 위협을 할 수 있는 무소불위의 초강력 권력을 차지했다. 정치인, 관료, 기업인 등 언론을 두려운 존재로 인식하지 않는 사람이 거의 없을 정도다.

특히 문제가 되는 것이 광고수입이라는 자본논리에 따라 기업들이 위협을 받거나 또는 보호를 받는 일이 많다는 것이다. 이렇게 되자 언론이 경제의 불의를 덮거나 사실을 왜곡하는 일이 벌어져 경제의 공정한 발전과 국민의 알권리를 심각하게 저해한다.

정론직필은 언론의 사명이자 진정한 힘이다. 세계 역사에서 중요한 변곡점마다, 특히 인류의 생존권이 크게 위협받는 위기의 시기마다 세계의 언론들이 감당했던 역할들을 되새겨 볼 필요가 있다. 언론계가 권력이나 자본에 휘둘리지 않고 정론직필을 통해 사회경제 전반의 정의를 실현하는 언론 본연의 기능을 회복하는 것이 절실하다.

경제위기 극복을 위해 필요한 여섯 번째 개혁의 대상은 자본주의 경제의 심장인 '금융'의 개혁이다. 우선 통화를 발행할 수 있는 한국은행이 독립성과 전문성을 강화하고 올바른 통화정책을 펴는 것은 경제의 건전한 발전을 위한 기본조건이다.

 한국은행이 정치권력에 순응하는 통화정책을 펼 경우 통화정책이 정치도구화 할 수 있다. 한국은행이 정치권력에 예속되면 정치권력이 통화를 발행할 수 있는 권한을 자의적으로 이용해 국민경제를 농단할 우려가 발생한다. 특히 인플레이션과 부동산 투기유발, 정경유착 비리와 기업특혜, 인위적 증시부양, 무분별한 지역개발, 선심복지 등으로 경제를 혼란에 빠뜨리고 불안을 야기한다.

 금융감독도 금융시장의 공정한 질서를 유지한다는 명분으로 금융회사들을 정치적으로 통제하는 수단으로 이용하는 경우가 많다. 경제를 살리기 위해선 금융감독체제도 독립성, 자율성, 전문성을 확보하는 개혁을 서둘러야 한다. 우선 금융회사들이 근본적으로 바뀌어야 한다. 은행을 필두로 해 우리나라 금융회사들은 부동산을 담보로 잡고 기업대출이나 가계대출을 해서 이자수익을 버는 돈 장사의 한계를 벗어나지 못하고 있다.

 금융회사들은 경제와 산업을 올바르게 분석하고 정확한 예측능력을 가져야 한다. 이에 근거해 기업들의 창업과 투자의 위험과 타당성을 분석해 기업과 함께 산업을 발전시키고 경제를 일으키는 역할을 해야 한다. 동시에 저축자들이나 투자자들에게 이자와 수익을 공정하게 배분해 건전한 재산증식을 하도록 만들어야 하다.

 또한 서민경제 발전을 위해서는 '담보대출 위주'에서 '신용중심 대출'로 전환해야 한다. 담보가 없으면 대출 자체를 받지 못하는 현재의 대출제도는 신용과 잠재력을 겸비한 신생 경제 주체들의 금융시장 진입을 막고 있다. 따라서 이를 개선해 누구나 금융시장을 자유롭게 이용할 수 있는 체제로 바꿔야 한다.

마지막 일곱 번째로, 무엇보다 우리나라와 경제에 필요한 개혁이 바로 '교육'개혁이다.[86] 우리나라 교육은 학생들을 대학입시의 형틀에 묶어 놓고 학대를 하는 입시위주 교육이다. 학생들이 사회구성원으로 올바른 삶을 살 수 있도록 지도하는 인성교육은 물론, 자신의 발전을 위한 창의적인 사고나 능력을 기르는 창의교육은 등한시한다. 더욱이 우리나라 대학은 영혼 없는 교육을 한다. 그로 인해 대학이 새로운 가치를 제대로 창출하지 못하고 사회비판능력도 잃었다.

우리나라는 고도성장과정에서 선진국의 실용학문이 필요했다. 따라서 대학의 주요기능이 해외학문을 수입해서 가공해 학생들에게 전달하는 것이었다. 특히 경제발전에 필요한 과학기술교육과 경제경영 교육이 그러했다. 게다가 정부의 교육정책은 대학을 정치적으로 순화시키는데 초점을 맞추었다. 예산과 행정력을 동원해 대학의 자유를 억압하고 지시에 따라 움직이는 하급기관으로 만들었다.

설상가상으로 대학은 언론으로부터 일방적인 서열화 평가를 받으며 언론의 처분에 급급한 처지가 되었다. 그러다 보니 대학은 입시지옥을 힘들게 빠져나온 학생들을 또다시 학점지옥으로 밀어 넣고 있다. 대학교육이 학생들을 위해 이뤄지는 것이 아니라 정해진 규정에 따라 학점이수만 강요하는 교육으로 변질되었다.

86) 이필상, "대학교육, 무엇이 문제인가", 고대신문, 2011. 5. 5. 참조

누군가는 희생을 당할 수밖에 없는 학점의 상대평가제를 도입해 학생들이 무한 학점경쟁을 벌이게 한다. 따라서 대학이 학생의 잠재력과 창의력을 오히려 억제하고 학점만 잘 받는 기술자를 만드는 교육을 한다. 당연히 함께 토론하고 서로 배우는 공동체 교육을 어렵게 한다. 다른 사람이 져야 내가 이긴다는 적대적 의식을 기르다 보니 경쟁에서 살아남아야 한다는 강박에 갇혀 사고가 경직되고 마음에는 여유가 없어 더 넓은 시야를 갖지 못한다.

이런 교육환경과 시스템 속에서 어떻게 국제경쟁력을 함양하여 4차 산업혁명을 이끌고 경제를 일으키며 올바른 국가와 사회발전을 가져올 수 있는 창조적인 글로벌 인재들이 자라고 양성될 수 있겠는가? 특히 교육이 이념의 인질로 잡혀 사실까지 왜곡하는 교육을 하는 일도 빚어지고 있어 문제의 심각성이 크다.

교육은 국가미래와 역사발전을 위한 가장 위대한 투자다. 교육을 잘못하는 것은 우리 스스로를 부정하고 발전을 저해하는 것이며 미래 세대와 역사에 씻을 수 없는 죄를 짓는 일이다. 한시 바삐 참교육을 위한 개혁을 서둘러야 한다.

산업구조조정과 혁신

한국경제의 근본적인 문제는 국제무역전쟁의 포로가 된 상태에서 내부적으로 산업발전이 부실해 성장의 지속가능성을 잃은 것이다. 따라서 부실산업을 시장논리에 따라 정리하고 새로운 산업을 일으키는 것이 경제를 살리는 길이다. 한국거래소의 분석에 따르면 2020년 1분기 '코로나19' 사태로 우리나라 주요기업들의 실적이 크게 악화한 것으로 나타났다. 국내 상장사들의 영업이익이 30%이상 감소하고 상장사 10곳 중 3곳은 적자를 기록했다. 포스트코로나시대를 대비하여 우리경제가 새로운 성장동력을 창출한다는 차원에서 부실기업 정리가 불가피하다. 따라서 금융권의 부실기업정리를 의무화하는 등 정부의 보다 과감한 개혁정책과 구조조정에 따른 국민의 고통분담이 요구된다.

우리경제의 경우 대기업 중심으로 지속되어온 산업구조가 붕괴하는 것은 예견된 일이었다. 지난 50년간 정부는 대기업들에게 인허가, 금융지원, 세제지원 등 갖가지 특혜를 부여했다. 이에 따라 대기업들은 세계적인 기업으로 성장하여 경제를 급속도로 발전시킨 것은 사실이다. 그러나 이 과정에서 대기업들은 정부 특혜와 지원을 최대한 누리며 시장을 독점하고 이익을 독차지했다. 또 중소기업들을 하청업체로 거느리는 수직적 산업구조를 만들어 부당이익을 취했다.

더 나아가 정치권력과 결탁해 이권과 혜택을 주고받는 정경유착을 형성하여 갖가지 부정과 비리를 낳았다. 결국 우리경제는 스스로 병이 들어 국제경쟁에서 무너질 수 있는 중대한 위기에 직면했다.

더욱이 최근 우리경제는 중국경제의 부상으로 고사위기에 처했다. 해외 수출시장은 물론 우리나라 국내시장에도 저가품 공급으로 공략해와 우리경제의 숨통을 조이고 있다. 여기에 중국자본의 침투세가 심상치 않다. 중국자본이 한국기업들을 인수합병 하여 우리경제를 직접 점령하는 전략을 펴고 있기 때문이다. 따라서 **중국경제를 넘지 못하면 우리경제는 희망이 없다.** 이런 견지에서 **부실산업의 구조조정은 우리경제가 살아남기 위해 감내해야 하는 최소한의 몸부림이다.**

부실산업의 구조조정은 금융기관에 맡기면 실패할 가능성이 크다. 1997년 IMF위기를 극복하기 위해 정부는 168조원의 공적자금을 투입하여 인수, 합병, 청산 등 과감한 구조개혁을 단행했다. 이후 IMF 위기의 교훈으로 도입한 것이 선제적 상시구조조정 정책이었다. 일단 경제가 위기에 봉착하면 엄청난 희생과 비용이 발생하기 때문에 이를 사전에 예방하고 건전한 산업발전을 꾀한다는 차원에서 나온 정책이다. 이 정책은 금융기관들이 리스크 관리위원회를 만들어 수시로 투자나 융자를 받은 기업들을 점검하고 필요하면 구조조정을 요청하는 방식이다.

금융감독원은 이러한 자율적 구조조정을 감시하는 기관으로 적기에 시정조치를 취할 수 있는 권한을 갖고 있다. 그러나 이 제도는 정부-감독원-금융기관-기업이 연계된 도덕적 해이를 불러와 혈세를 투입하여 기업부실을 사회화하는 통로로 작용하였다.

부실기업을 구조조정 할 경우 금융기관은 손실을 감수해야 한다. 또 정부는 경제불안의 부담을 갖는다. 금융감독원은 감독의 잘못에 대해 책임을 추궁당할 수 있다. 이러한 상황을 모면하기 위해 기업에게 자금을 지원하여 문제를 덮는 편법을 써왔던 것이다. 그 결과 기업의 부실을 계속 키워 부실규모는 더 커지게 하면서 부실기업과 감독당국자들이 졌어야 할 모든 책임을 국민에게 전가하는 정책을 펴왔다. 따라서 자금을 지원한 산업은행과 수출입은행 등 국책은행이 부실화하는 것은 당연하다. 다급해진 정부는 한국은행의 통화발행을 통해 국책은행의 자본금을 확충하는 정책을 펴고 있다.

이에 대해 부실기업에 국민의 돈을 퍼붓는다는 비판이 거세다. 부실기업에 대한 근본적인 구조개혁 없이 국책은행의 자본금만 확충한다는 것은 국민의 재산을 낭비하고 국민의 고통을 가중시키는 아주 나쁜 정책이다.

그러면 기업구조조정을 어떻게 하는 것이 바람직한가?

기업구조조정을 성공적으로 하려면 독립적이며 전문적인 구조조정기구를 도입해야 한다. 구조조정전담기구는 정부, 기업, 노조 등 관계기관 모두가 동의할 수 있는 중립적인 전문가로 구성해야 한다. 또한 구조조정전담기구는 구조조정에 대해 전권을 가지며 정부는 미래산업 발전과 구조조정의 기본방향을 제시하는데 그쳐야 한다.

구조조정의 내용은 산업이나 기업 유형별로 재무상태만이 아니라 지배구조, 사업구조, R&D, 시장수급상황 등을 종합적으로 평가하여 경쟁력 회복과 미래성장 가능성을 중심으로 결정한다.

구조조정의 궁극적인 목적은 부실채권을 정리하는 것이 아니라 기업을 살리는 것이다. 자금을 투입하여 부채비율을 낮추고 현금유동성을 높이는 재무상태의 구조조정은 매출을 늘려 시장점유율을 높이고 수익성을 개선하여 이익을 창출하는 경쟁력 회복과 거리가 있다. 특히 새로운 투자 사업을 추진하고 일자리를 늘리는 성장성의 회복을 뜻하지는 않는다.

구조조정은 최고 통치권자의 결단이 없으면 어려운 점을 감안하여 대통령이 직접 나서야 한다. 기업과 국책은행의 동반부실은 기업의 방만한 경영, 정치권의 영향력 행사, 정부정책의 오류, 국책은행의 부당지원, 금융감독의 차질 등이 종합적으로 작용하여 나타난 부실이라 할 수 있다. 더욱이 구조조정이 정치권의 영향을 받을 경우 기업을 살리는 것이 아니라 거꾸로 부실을 덮거나 확대하는 결과도 가져올 수 있다. 그렇다면 결국 대통령이 직접 나서서 국론을 수렴하여 구조조정을 강력하게 추진하는 것 외에 다른 방법이 없다.

기업은 자본주의 경제발전에 견인차 역할을 한다. 기업은 이익을 벌기 위해 새로운 기술과 상품을 지속적으로 개발하고 투자를 한다. 동시에 기업은 국민에게 필요한 상품을 공급하는 것은 물론 직업을 제공하고 소득을 지불한다. 한마디로 기업은 국민에게 삶의 수단과 터전을 제공한다. 그러므로 경제가 발전해서 국민들이 잘 살려면 기업하기 좋은 나라를 만드는 것이 필수적이다.

기업의 지배구조를 민주적으로 바꾸는 것도 필수적이다. 우리나라는 편법이나 불법상속을 통해 세습경영을 하는 기업들이 많다. 특히 정경유착의 특혜를 받고 시장을 독과점하며 부당이득을 번 재벌기업들의 세습경영은 보편화했다.

재벌기업들이 주요산업을 일으켜 경제성장에 기여한 것은 부정할 수 없는 사실이다. 그러나 재벌기업들의 성장이면에는 수출가격보다 비싼 가격에 상품을 소비자와 값싼 부품 및 소재를 공급한 중소기업의 희생이 있었다. 그랬던 재벌기업들이 단순히 혈연이라는 이유로 탈세와 주가조작 등 갖가지 편법과 비리를 동원해 경영을 후손에게 세습하는 것을 용납해서는 안 된다.

결국 자본주의 원칙에 따라 기업의 소유와 경영은 분리하는 것이 기업도 살고 경제도 살리는 길이다. 소유는 자금을 가진 투자자들이 하고 경영은 전문가들이 책임을 맡아 기업이 투명하고 효율적인 활동을 하도록 법과 제도를 고쳐야 한다.

인간다운 삶이 실현되는 경제

민주주의 하에서 국가는 국민이면 누구나 안정적이고 인간다운 삶을 살도록 보장해야 한다. 이런 차원에서 자본주의국가가 추구하는 것이 '포용국가'다. 포용국가란 국민이면 누구나 인간다운 삶을 살고 평등한 기회를 갖고 역량을 발휘해서 사화공동체 번영에 기여하는 나라를 말한다. 포용국가가 되기 위한 기본조건이 '포용경제'다.

전 생애주기에 걸쳐 국민의 삶을 책임지려면 당연히 경제가 성장 및 고용창출 능력을 갖추고 소득을 공정하게 배분해야 한다. 이와 더불어 사회안전망을 구축해 소외되거나 어려움에 처한 사람들을 보호해줘야 한다.

한 국가의 인구는 보통 사망률보다 출산율이 높고 개인의 수명이 길어짐에 따라 증가하는 것이 보통이다. 또한 사람들은 삶의 질이 최소한의 기준을 넘어 계속 높아지기를 원한다. 따라서 경제는 국민들이 원하는 삶을 보장하기 위해 계속 성장해야 하고 또 일자리가 늘어야 한다. 더구나 개방경제체제 하의 세계경제 속에서는 삶의 질이 상대적으로 비교가 된다. 그러므로 경제는 국제경쟁력을 갖추고 다른 나라 이상의 성장 및 고용창출 능력을 가져야 한다.

동시에 필요한 것이 소득의 공정분배다. 아무리 경제가 성장을 하고 일자리를 만들어도 소득분배가 공정하지 않으면 경제성장과 고용창출이 일부 계층에 집중적으로 나타나며 사회혼란과 갈등을 가져오기 때문이다.

국가가 포용경제체제를 갖춘다고 해도 모든 국민이 인간다운 삶을 살 수 있는 것은 아니다. 일자리를 찾는 구직자, 일자리를 잃은 실업자, 아무리 일을 해도 생계가 어려운 빈곤층 등은 국가가 지원을 하지 않으면 안정적인 삶을 살기 어렵다. 더구나 뜻하지 않게 재해를 입은 사람들, 노동능력을 잃은 고령층, 질병에 시달리는 병약자들 등 자신이 통제하기 어려운 위험에 처한 사람들은 국가가 보호해 주지 않으면 안 된다. 더 나아가 어린이보육, 노인요양 등도 사회보장차원에서 국가의 지원이 필요하다. 사회구성원으로서 필요한 기본 소양과 능력을 길러주는 교육과 직업훈련도 국가가 책임져야 할 부분이다. 그러므로 국가가 필수적으로 구축해야 하는 것이 사회안전망이다.

우리나라는 3단계의 사회안전망을 운영하고 있다. 우선 우리나라는 일반 국민을 대상으로 국민연금, 건강보험, 고용보험, 산재보험 등 '4대 사회보험제도'를 운영해 사회적 위험에 대처하고 있다. 그리고 4대 보험으로 보호받지 못하는 저소득층이나 소외계층을 위해 '사회부조'와 '실업급여제도' 등을 운영하고 있다. 마지막으로 불의의 재난을 당한 사람들에게 기초생계와 의료를 지원해 주는 '긴급구호제도'가 있다.

우리나라는 세계적으로 모범적인 건강보험제도를 갖고 있다. 모든 국민은 의무적으로 건강보험에 가입해야 하며 건강보험에 가입하면 소득 및 재산 등에 따라 매달 일정금액의 보험료를 납부하고 아프거나 출산할 때 저렴한 비용으로 의료기관을 이용할 수 있다. 문제는 보험료 수입에 비해 의료비 지출이 많아 건강보험 운영이 적자라는 것이다. 적자가 누적할 경우 보험제도 운영이 차질을 빚을 뿐만 아니라 차후 국민부담이 커질 전망이다. 산재보험, 고용보험, 국민연금도 재정상태가 양호하지 않아 수요를 제대로 충족시키지 못하고 있다.

국민연금은 실제 국민의 노후생활보장이 어려운 수준에 이르렀다. 최근에는 '코로나19' 사태로 인해 4대 사회보험의 보험료 체납이 급증하고 있다. 가뜩이나 어려운 재정이 더욱 어려워질 전망이다. 4대 보험제도가 수요에 맞춰 올바르게 발전하려면 결국 경제가 살아나 성장률이 높아지고 국민 소득이 증가해야 가능할 것이다.

우리경제의 경우 잠재성장률이 감소하고 실업문제가 악화함에 따라 고용안전망 강화가 중요한 과제로 떠올랐다. 자영업자, 특수고용 노동자, 예술인 등 고용보험 사각지대에 놓였던 근로자들을 모두 고용보험에 가입하게 해서 전 국민을 대상으로 고용안전망을 구축할 필요가 있다.

현재 전체 근로자 중 고용보험 가입대상자는 절반 수준 밖에 안 된다. 그러나 고용안전망 역시 근본적으로 경제성장이 뒷받침을 해야 가능하다. 가입대상자들이 취업을 해 소득을 벌어 어느 정도 보험료를 지급할 수 있어야 하며, 근로의 특성상 정부가 보험료를 지원하는 것이 필수적이나 정부 역시 세금을 거둬야 하기 때문이다. 4대 보험의 보완수단으로 운영하고 있는 사회부조나 실업급여도 재정의 뒷받침이 부족하기는 마찬가지다.

특히 '코로나19' 사태 이후 실업자와 빈곤층의 증가로 인해 사회부조와 실업급여에 대한 수요가 급증하고 있다. 정부는 추가경정예산을 계속 편성해 지출을 확대하고 있으나 경제성장이 뒷받침되지 못한 현 상황에선 역부족이다. 정부가 3단계에 걸친 사회안전망을 운영해도 복지사각지대가 여전해서 생활고를 비관해 극단적인 선택을 하는 사람들이 많아지고 있다.

이에 따라 근본적인 사회안전장치로 '기본소득제'에 대한 논의가 일고 있다. 기본소득제는 직업 유무, 소득과 재산의 수준에 관계없이 모든 국민에게 일정 금액을 지급하는 제도다.

기본소득제를 도입하면 전 국민의 생활안정, 사회양극화 해소, 삶의 여유 등의 장점이 있는 반면 세금증가, 불로소득, 근로의욕의 저하 등의 부작용이 따를 수 있다. 2016년 스위스에서는 월 2천500스위스 프랑을 기본소득으로 지급하는 방안을 놓고 국민투표를 했으나 유권자의 77%가 반대해 부결됐다. 핀란드에서는 2017년 실업자 2천 명을 대상으로 월 560유로의 기본소득을 지급하는 제도를 실시했으나 빈곤해소 효과는 적고 증세의 부작용이 커 2019년부터 중단했다.

기본소득제는 4차 산업혁명과 연관해서 국제적인 관심사로 떠올랐다. 4차 산업혁명이 본격화할 경우 생산성이 급격히 상승하고, 이에 따라 근로와 임금의 기본개념이 바뀔 수 있다. 상황에 따라 현재의 일자리 중에서 거의 절반이 사라질 것이라는 전망도 있다.

이렇게 되면 사람은 근로시간을 줄이고 여유시간을 많이 갖는 형태로 생활방식이 바뀌고 사회와 문화가 새로운 발전 체제를 갖게 된다. 자연히 급격히 상승한 생산성에 따라 늘어나는 소득을 어떻게 분배할 것인가가 중요한 문제로 제기될 것이다.

일은 기계가 하고 사람은 소득을 버는 형태로 역할이 나뉘었을 때 사람이면 누구나 일정한 소득을 받도록 보장해 주는 제도가 기본소득제도다. 따라서 이 제도는 4차 산업혁명의 진전됨에 있어 경제와 사회구조의 변화에 따라 점진적 도입을 고려해야 하는 제도인 것은 사실이다. 그러나 이러한 제도에 대해 정치논리를 경쟁적으로 적용해

도입을 서두르면 경제 자체가 수용능력이 부족한 상태에서는 문제를 일으킬 소지가 크다. 자칫하면 기본소득을 정치적인 선심지출로 무조건 지급하는 결과를 빚어 경제와 정부가 한꺼번에 빚더미에 올라앉고 사회안전망도 망치는 최악의 결과를 배제하기 어렵다.

아직 충분한 준비와 여력이 갖춰지지 않은 우리경제 상황에서 성급히 기본소득제도를 논의하기 이전에, 복잡하고 효율성이 낮아 복지 사각지역이 많은 현재의 복지제도에 대한 과감한 제도개혁과 올바른 집행을 단행하는 것이 먼저다. 복지정책이 정치논리에 따라 우왕좌왕하는 것은 물론 정부의 운영 잘못으로 부정과 비리가 많고 정작 보호가 절실한 사람들을 배제하는 일들이 허다하지 않은가.

기본적으로 사회안전망 제도와 정책은 경제의 수용능력이 없으면 허사다. 경제의 성장동력과 고용창출능력을 높여가면서 사회안전망을 확충하는 노력을 해야 할 것이다.

1945년 우리나라는 해방을 맞았으나 일제의 식민지 지배로 황폐해진 가난한 나라였다. 나라가 제대로 서보기도 전에 1950년, 민족의 비극인 6.25전쟁을 맞아 우리경제는 황무지가 되었다.

1960년대 전쟁과 가난의 폐허를 딛고 일어난 우리경제는 고속성장의 신화를 쓰기 시작했다. '하면 된다'는 일념으로 고취된 우리 국민들은 일터로 나가 피땀을 흘렸다. 1970년대와 1980년대 철강, 조선, 자동차, 전자, 화학, 건설 등 상상을 초월하는 중화학 공업의 발전이 불을 뿜었다.

그 결과 우리경제는 무에서 유를 창조한 '한강의 기적'을 이루며 세계가 깜짝 놀랄만한 고속성장을 거듭했다. 1인당 국민소득이 3만 달러 이상이면서 인구가 5천만 명이 넘어야 들 수 있는, 전 세계에서 7개 국가밖에 되지 않는 '30-50클럽'에도 당당히 이름을 올렸다.

그랬던 우리경제가 1990년대 이르러 정경유착 비리, 재벌기업의 독점, 관치금융과 부실채권 등의 내부적 모순을 드러내며 스스로 무너지는 함정에 빠졌다. 이런 상태에서 정부가 무모하게 OECD가입을 서둘러 1997년 IMF위기에 무릎을 꿇었다. 천신만고의 노력 끝에 IMF위기를 극복했으나 2008년 글로벌 금융위기에 다시 꺾였다.

이후 우리경제는 중국, 미국, 일본의 압박을 받아 무장해제의 길을 걸었다. 더욱이 무역패권전쟁에 돌입한 미국과 중국 거대 양국의 틈바구니에 껴 무역전쟁의 포로가 되다시피 했고, 과거 고속성장 시기에 10%를 넘나들던 성장률이 2% 달성도 어려운 지경에 이르렀다. 내부적인 악재마저 첩첩산중인 우리경제가 사방으로 포박을 당하며 한치 앞을 장담하기 어려운 사면초가의 위기 앞에 놓인 것이다.

이런 상황에서 무엇보다 문제가 되고 있는 것은 우리경제가 근본적으로 산업발전이 부실해져 성장동력과 지속가능성을 잃었다는 것이다. 그로 인해 근로자들은 거리로 쫓겨나고 국민소득이 줄고 가계부채는 빠른 속도로 늘고 있다. 다 같이 열심히 일했는데 빈부격차가 양 끝이 보이지 않을 정도로 크다. 청년들은 온 몸을 던져 공부를 해도 취업의 기회가 없어 좌절과 고통의 어둠속으로 내몰려있다. 출산은커녕 결혼도 못해 대한민국은 저출산, 초고령의 인구절벽시대가 도래했다.

경제발전을 이끄는 기업들도 만신창이다. 중국경제의 인해전술로 인해 설 땅을 잃었다. 가파르게 추격해 온 중국경제가 수출을 가로막는 것은 물론 국내시장까지 잠식했다. 미국은 보호무역주의의 무기를 들이댄다. 일본은 적반하장의 경제보복으로 제2의 침략을 획책하고 있다. 이런 상황에 정경유착의 특혜를 바탕으로 성장한 재벌기업들은 중소기업들을 볼모로 잡고 버틴다. 기술과 인력을 빼앗고 손실을 떠넘기며 골목시장까지 침범해 경제를 떠받쳐야 할 중소기업과 골목상권마저 무너지고 있다.

정부는 함께 잘사는 포용경제를 실현한다는 명분으로 선심지출을 일삼는다. 국민세금이 모래밭에 물 붓기로 사라지고 있다. 소득주도 성장의 허상이 만든 덫에 걸려 현재의 고통을 미래세대에게 떠넘기며 경제기반까지 무너뜨리는 위험한 경제실험을 하고 있다.

이런 상태에서 설상가상으로 '코로나19'사태가 발생해 경제의 숨통을 조이고 있다. '코로나19'사태는 사람과 자원의 이동을 막아 세계 각국에서 경제의 기능을 마비시키는 치명적인 위기를 낳고 있다.

특히 대외의존도가 절대적으로 크고 인적자원이 경제발전의 원천인 우리경제에 타격이 클 수밖에 없다. 실업자의 폭증, 가계부채의 부도, 기업의 붕괴, 정부재정의 고갈 등 우리경제가 도저히 감당하기 어려운 사태를 빚고 있다. 이미 우리경제는 올해 마이너스 성장을 면치 못할 전망이다. 그렇지 않아도 부실한 경제가 '코로나19'라는 사상 초유의 재앙을 맞아 무력하게 쓰러지는 형국이다.

정부는 문제를 해결할 본질에는 접근하지 못한 채 계속 엇박자를 내며 논란만 가중시키는 경제정책들로 우왕좌왕할 시간이 없다. 우리경제가 '코로나19'로 인한 경제재앙에 매몰되어 아예 성장동력을 잃고 회복이 어려운 파국으로 갈 것인가, 아니면 '코로나19' 사태를 의연하게 이겨내고 다시 비상하는 승전국이 될 것인가, 절체절명의 기로에 서있기 때문이다.

우리경제를 도약시킬 수 있는 키(Key)는 공교롭게도 우리경제를 파탄으로 몰아온 주범인 정치가 가지고 있다. 오랜 세월 경제를 농단해 온 정치로부터 탈피해야 경제가 살아날 수 있다. 경제를 지배하고 이용하는 정치가 아니라 경제를 개혁하고 살리는 정치로 우리나라 정치가 다시 태어나야 한다.

빈부격차, 경제력집중, 부정부패 등 자본주의의 구조적 모순을 극복하는 노력도 필요하다. 그리고 무엇보다 경제의 성장동력을 회복하는데 역량을 집중해야 한다.

특히 포스트코로나시대를 선도하고 경제전쟁에서 승리할 최상의 방책인 4차 산업혁명에서 우리나라는 승기를 잡지 않으면 안 된다. 이를 위해서는 무슨 일이 있어도 경제시스템 전반의 '창조적 파괴'를 성공적으로 이끌어야 한다.

우리경제가 여기서 무너져선 안 된다. 다시 한번 온 국민이 일어나 '제2의 기적'을 일으켜 우리경제가 '미래를 이끄는 첨단경제' '사람중심의 포용경제' '인간다운 삶이 실현되는 따뜻한 경제'로 부흥의 새 시대를 다시 열어야 한다.

평생을 경제를 연구하고 가르쳐온 학자의 한 사람으로 위기에 처한 경제를 구하기 위해 끝까지 책임을 다해야겠다는 심정을 이 책에 담았다. 필자가 제안한 경제의 개혁과 혁신방안이 우리경제를 행복의 바다로 인도해 주는 '나침판' 역할을 할 수 있기를 간절히 소망하며 글을 맺는다.

정부는 착할수록 나쁘고 시장은 나쁠수록 착하다

정치가 망친 경제
경제로 살릴 나라

지은이 │ 이 필 상
발   행 │ 초판 1쇄 2020년 8월 8일
편집 · 발행인 │ 차상희
발행처 │ 도서출판 비전브리지(VISION BRIDGE)
등   록 │ 1999. 11. 23.(제2011-000047호)
전   화 │ (070)8752-1001
F A X │ (02)3473-9435
이메일 │ 01gracecha@daum.net
디자인 │ (주)브레노스
인   쇄 │ 인화프린팅

ISBN 979-11-88300-06-8

정가 17,000 원